THE RUSSIAN EXPERIMENT IN ART

俄国实验艺术（1863—1922）

[英]卡米拉·格雷 著

[美]玛丽安·伯雷-莫利 修订

徐辛未 译

浙江人民美术出版社 | **艺术世界**

致我的母亲，致为此书带来灵感并帮助其出版的人们。

Published by arrangement with Thames & Hudson Ltd, London,

Originally published in large Format as *The Great Experiment: Russian Art 1863-1922*
First published in the World of Art series 1971

This edition first published in China in 2019 by Zhejiang People's Fine Arts Publishing House, Zhejiang Province

On the cover: Liubov Popova, *Pictorial Architectonic* 1918. Private collection

合同登记号
图字：11－2016－282号

图书在版编目(CIP)数据

俄国实验艺术（1863—1922）/（英）卡米拉·格雷著；（美）玛丽安·伯雷-莫利修订；徐辛未译. -- 杭州 ：浙江人民美术出版社，2019.8
（艺术世界）
ISBN 978-7-5340-7291-8

Ⅰ. ①俄… Ⅱ. ①卡… ②玛… ③徐… Ⅲ. ①艺术史－研究－俄罗斯－1863-1922 Ⅳ. ①J151.209

中国版本图书馆CIP数据核字(2019)第010603号

俄国实验艺术（1863—1922）

著　　者 [英]卡米拉·格雷
修　　订 [美]玛丽安·伯雷-莫利
译　　者 徐辛未
译　　校 周诗吟

责任编辑 李　芳
助理编辑 罗佳洋
责任校对 黄　静
责任印制 陈柏荣
出版发行 浙江人民美术出版社
地　　址 杭州市体育场路347号（邮编：310006）
经　　销 全国各地新华书店
制　　版 浙江新华图文制作有限公司
印　　刷 浙江海虹彩色印务有限公司
版　　次 2019年8月第1版·第1次印刷
开　　本 889mm × 1270mm　1/32
印　　张 10.25
字　　数 270千字
书　　号 ISBN 978-7-5340-7291-8
定　　价 82.00元

目　录

修订版引言　004

第一章　19世纪60—90年代　008

第二章　1890—1905　036

第三章　1905—1910　066

第四章　1909—1911　095

第五章　1912—1914　134

第六章　1914—1917　188

第七章　1917—1921　221

第八章　1921—1922　246

正文引用　281

原版引言　284

图　注　286

参考书目　304

索　引　311

修订版引言

1957年，21岁的卡米拉·格雷开始了她的俄国艺术研究。一位如此年轻的作者竟然可以完成《伟大的实验：俄国艺术（1863—1922）》[*The Great Experiment: Russian Art 1863-1922*]（出版于1962年）这样具有开拓性的作品，确实让人震惊。为了给研究做准备，她访问了身处巴黎的俄国艺术家，随后又去了纽约，一边研究现代艺术博物馆[Museum of Modern Art]中收藏的现代艺术作品，一边在纽约公共图书馆[New York Public Library]工作以维持生计。主要是由于她没有大学文凭，她的研究始终难以获得资金支持。然而她的坚持和她的才能仍让她拥有了一些著名的赞助者，其中包括赫伯特·里德[Herbert Read]、肯尼斯·克拉克[Kenneth Clark]、以赛亚·柏林[Isaiah Berlin]，在这些人之中，尤为值得注意的是阿尔弗雷德·H.巴尔[Alfred H. Barr]，他后来成为西方最为知名的20世纪俄国艺术研究专家。在20世纪20年代艺术动乱时期，他造访苏联，并且认识了许多格雷讨论过的艺术家。在格雷接触苏联艺术藏品和档案的过程中，巴尔以自己特别的身份为她提供了便捷的途径。

我们都非常感谢巴尔能够在卡米拉 · 格雷写作此书数年间提供帮助和支持，而最需要感谢的还是他在1961年11月28日的信中富有远见的建议，他要求卡米拉 · 格雷不要担忧可能存在的错误，继续出版手稿。他指出，这本书将会为此研究领域的晚辈提供不可或缺的研究基础。这一时期当时在西方鲜为人知，研究20世纪艺术的艺术史学者、收藏家、贸易商、艺术家以及普通爱好者们的证言几乎都表达了对卡米拉 · 格雷关于这一时期研究的钦佩。这本书很快被翻译成德文（1963）、意大利文（1964）、法文（1968）。本书为1971年平装英文版《俄国实验艺术》（*The Russia Experiment in Art*）的修订本。有些该领域最著名的西方学者，如乔尔斯·安德森[Troels Anderson]（*Louisiana Revy*, September 1985, p.10）、安德烈·那科夫[Andrei Nakov]（*L'Avant-Garde Russe*, 1984, p. 108）、约翰·保尔特[John Bowlt]（*Art Bulletin*, September 1982, p. 488）仍在引用《伟大的实验》，这足以证明它仍有价值。

格雷的特殊资历对研究有所帮助。她曾经学习芭蕾舞，这段经历燃起了她对芭蕾舞台和服装设计的兴趣，甚至对苏联剧院的兴趣。在书中她用很大篇幅谈到苏联剧院，但在当时，有关美术的书籍一般不会提及剧院舞台设计和平面设计。也许是因为年轻，她有勇气尝试整理俄国1917年革命前后的不同团体的历史，虽然这一时期极少出现有关先锋派的作品。她还在苏联查找档案，这些档案当时在西方几乎无人问津。在一封1962年1月10日写给巴尔的信中，她声称自己已经查阅过特列季亚科夫[Tretyakov]档案中的所有早期先锋派展览目录。根据现有资料看，我们也应当相信她所言非虚。她精通俄语（曾经接受过俄语翻译训练），她对俄国先锋派革命倾向所抱有的明显友善态度也为她带来了许多机会。卓越的苏联学者尼古拉·哈尔杰夫[Nikolai Khardzhiev]修正过她的手稿（1962年1月写给巴尔的信）。然而，在成功之余，她也出了点纰漏，尽管她成功出版了许多当时西方鲜见的苏联所收藏的作品图片，但是由于一些不可控的因素，她没有得到她认为足够多的彩图。

西方对此书的评价基本是赞赏的，只是偶尔有人抱怨书中缺少某一位艺术家或是存在某一处引用错误。大体上反对者的意见都互相抵消了。例如，一方面，有人抨击此书过于赞同共产主义，如弗朗辛·杜·普莱西克斯[Francine du Plessix]曾经把格雷说成富有“共产主义情愫”的学者（*Art in American*, 1963年2月, p.122）；而另一方面，也有人抨击此书对思想体系的构建不够重视，马赛林·布雷纳[Mercelin

Pleynet]（*Art International*, 1970年1月, p. 39）指责格雷在先锋派被强制要求响应马克思—列宁主义的时期摒弃了自己的观点。他似乎没有意识到，她可能接触不到20世纪早期的许多其他相关资料。直到20世纪80年代早期，克里斯蒂娜·洛德[Christina Lodder]仍没有办法接触此类材料（*Russian Constructivism*, 1983, p.78）。不出意料的是，苏联评论家A. 米哈伊夫[A. Mikhailv]（*Iskusstvo*, no. 7, 1970, p.38; no.8, p.39）抱怨此书的形式主义倾向以及格雷对列宁纪念碑宣传计划[Monumental Propaganda]影响下的现实主义雕塑有所低估。许多此类雕塑可见于盖尔曼[Guerman]的《十月革命的艺术》[*Art of the October Revolution*]（1979）一书，且大部分艺术史家（包括西方和苏联的）可能现在都会认同格雷的评价。

当然，1962年此书首次印刷之后，大批新材料又涌现出来。尤其是在过去的十年中，书籍、文章还有西方和苏联此时期的藏品展览名录迅速增多。近期的苏联藏品展——包括巴黎国立现代艺术博物馆[Musée National d’Art Moderne. Paris]（1979）、杜塞尔多夫美术馆[Kunsthalle, Düsseldorf]（1980）、东京西武美术馆[Seibu Museum, Tokyo]（1982）的展览，只是最著名的展览中的一小部分——这些展览让西方艺术史学家能够进行作品对比，例如对比苏联收藏的马列维奇[Malevich]作品和藏于阿姆斯特丹知名的马列维奇作品。许多西方艺术史学家至少能够访问藏于列宁格勒（现名圣彼得堡）的俄国博物馆[Russian Museum,Leningrad]、莫斯科特列季亚科夫画廊以及列宁格勒和莫斯科戏剧博物馆[Theatrical Museum]的部分重要的苏联藏品。特列季亚科夫画廊和位于列宁格勒的俄国博物馆的部分藏品目录已经出版，而且有人告诉我完整的特列季亚科夫画廊藏品目录正在制作中。苏联最大的私人藏品系列来自于乔治·科斯塔基斯[George Costakis]，这些藏品现在分别藏于特列季亚科夫画廊和西方国家；在纽约的列奥纳德·胡顿画廊[Leonard Hutton Gallery]、伦敦的安妮利·朱达画廊[Annely Juda Gallery]、科隆的格莫辛斯卡画廊[Galeric Gmurzynska]等地组织的展览将许多新的艺术家和艺术主题带入我们的视野中。

苏联艺术史家也让我们更加了解这一时期。迪米特里·萨拉比亚诺夫[Dmitri Sarabianov]的作品对于俄国以外的读者而言最为易懂，他的许多作品都被翻译成英文。瓦西里·拉基京[Vasily Rakitin]为科斯塔基斯藏品系列所做的传记、伊娃基尼·考夫顿[Evgenii Kovtun]关于此时期平面艺术的研究、亚历山大·拉夫连季耶夫[Alexander Lavrentiev]关于罗钦科[Rodchenko]的作品也都被翻译成欧洲语言。懂俄语的读者可以阅读汉–马戈米多夫[Khan-Magomedov]有关建筑的讨论。哈尔杰夫、拉卜辛那[Lapshina]等人的重要作品可以在俄文参考文献中找到。

卡米拉·格雷生前没能见到人们对俄国先锋派艺术兴趣大增的盛景。1969年，她和俄罗斯人奥列格·普罗科菲耶夫[Oleg Prokofiev]（作曲家普罗科菲耶夫之子）结婚，并且前往苏联定居。1971年12月，她在苏呼米[Sukhumi]患肝炎过世，年仅35岁。

卡米拉·格雷年纪轻轻就不幸过世致使她的书籍在书店销声匿迹，所以尚存的副本就非常珍贵。本书此前已绝版，并被当时的教师和学生称为唯一一份对20世纪初俄国先锋派的英文本概述。出版新版本的时机似乎已经成熟，这个新版本会兼顾该书完成之后的大量出版物，也会保留格雷作品的内核。在她的文本之后，本书添加了一份全新的注释纠正错误，进一步完善需要阐述的讨论。插图列表全部修订并做了注释，还添加了最近的出版物信息以及我对一些插图作品的新解读。新参考文献中能够引用的资源虽然有限，但会为读者提供许多有关俄国先锋派艺术的新出版物信息，包括欧洲语言版本和俄文版本。

第一章｜19 世纪 60—90 年代

俄国现代艺术运动的起源可以追溯到19世纪70年代被铁路大亨萨瓦·马蒙托夫[Savva Mamontov]召集起来的一批艺术家那里。在位于莫斯科附近的房产阿布拉姆采沃[Abramtsevo]中，马蒙托夫身边汇聚了一批当时最激进的人物，其中不仅包括画家，还有作曲家、歌唱家、建筑师、历史学家、考古学家、作家和演员。随着1757年伊丽莎白大帝成立彼得堡艺术学派，半宫廷派半官僚主义系统就完全掌控了整个国家的艺术生活，而这批人的聚集对彼得堡艺术学派构成了首次挑战。直到19世纪70年代，沙皇、贵族和官僚军队的赞助人身份才被莫斯科的百万富翁们取代，而马蒙托夫正是其中重要的一员。

这批艺术家被人称为“马蒙托夫的圈子”，他们之所以聚集于一处，是因为都有着创造新俄国文化的决心。它的前身是1863年成立的一个艺术家团体，成员们声称要从彼得堡艺术学院分离，这发生在解放农奴两年以后。这13位做出英勇抉择且明显完全放弃经济来源的艺术家受到了“将艺术带给人民”这种理念的激励，他们称自己为“漫游者”[Wanderers]，因为他们为了实现自己的艺术理念，不断在乡间巡回展览。他们的同代友人，如作家陀思妥耶夫斯基、托尔斯泰、屠格涅夫及作曲家穆索尔斯基[Moussorgsky]、鲍罗丁[Borodin]和里姆斯基-柯萨科夫[Rimsky-Korsakov]一样，这些艺术家通过创作对社会“有用”的艺术来证明自己的行动是正确的。他们拒绝“为艺术而艺术”的理念，认为这一理念等同于当时的学院派传统。彼得堡学派的这一核心传统的标准主要来源于国际新古典主义，并在19世纪20年代融合了德国浪漫主义（如拿撒勒画派[Nazarenes]）思想。“漫游者”们拒绝这一传统，他们认为艺术首先应当关注并从属于现实。“艺术的真正作用是解释和评论生活”……车尔尼雪夫斯基一直在宣扬类似于“现实远比艺术中呈现的样子要美”的信条，这位俄国19世纪60年代的美学宣传者同杜布罗柳波夫[Dobroliubov]和涅克拉索夫[Nekrassov]一道，对这些“漫游者”艺术家产生了巨大的影响，而且很大程度上成为这场国家主义艺术运动的重要精神领袖。

“漫游者”诠释的新理念，认为艺术应当通过强调自己的主题，成为社会变革因素中的积极力量。车尔尼雪夫斯基声称“唯有内容能够证明艺术并不只是消遣……”，因此“漫游者”们最初追寻着过于字面意义和文学意义的风尚，将农民描绘为新的英雄，视农民淳朴和艰苦的生活为最重要的主题。“漫游者”们激起对普通人的同情心和怜悯心的使命在俄国艺术中是前所未有的，这不仅由于它的“社会”冲击力，还由于它强调了传统的俄国生活方式，在此前，由于彼得大帝开始欧洲化政策，所有俄国的东西都被认为是粗野且令人讨厌的而受到摒弃，“文化”意味着必须是舶来品。

“漫游者”们没有直接参与斯拉夫运动，后者是一场反对已经被彼得大帝引入俄国的西方文化和经济模式的运动。但是，许多后来的艺术家们开始远离西方文化，希望创造建立在俄国农民和长期受到忽略的国家艺术传统之上的新国家文化。斯拉夫派认为俄国的文化会拥有特殊的命运，这种命运将会追寻一个与西方完全不同的历史模式；这种命运受到向西方传播东正教这一使命的启发，而莫斯科和古代俄国曾经的荣耀将会取代彼得堡的统治及其所有。正是由于转向莫斯科，艺术领域也受到了显著的影响。

莫斯科成为这场国家主义运动的中心，而这场运动正是俄国现代艺术运动的基础。这场反对18世纪晚期就开始统治俄国艺术领域的国际新古典主义的运动，以及随后重新发现的国家艺术遗产，成为俄国现代绘画流派的起点。

正如我们所见，这场新运动在莫斯科的商人中找到了赞助者。“漫游者”们找到了一个忠诚的直接赞助人，那就是温和、谦逊的P. M.特列季亚科夫[P. M. Tretyakov]，在持续购买这些画家的画作30年后，他于1892年将自己的藏品捐给了莫斯科政府。特列季亚科夫美术馆是首个完全致力于收藏俄国画作的博物馆，它的名称现在仍然未变。其他有眼光并对19世纪俄国文化产生深刻影响的同阶层赞助者包括索尔达琼科夫[Soldatenkov]，他促成了许多科学、教育、文化作品的出版；巴赫鲁申[Bakhrushin]，他是剧院艺术收藏家中的佼佼者；别利亚耶夫[Belyayev]，他是五位国家主义作曲家——里姆斯基-柯萨科夫、居伊[Cui]、巴拉基廖夫[Balakirev]、穆索尔斯基、鲍罗丁的赞助者。在19世纪早期，还有许多人也坚持赞助，其中包括休金[Shchukin]兄弟，他们收藏有东方艺术、俄国民间艺术及法国印象派和后印象派画作。后来的谢尔盖伊·休金[Sergei Shchukin]藏品系列和同时代友人伊万·莫洛索夫[Ivan Morosov]藏品系列，现在都藏于莫斯科和列宁格勒国家博物馆，并且仍被认为是世界上最精美的俄国藏品。

但还是萨瓦·马蒙托夫[Savva Mamontov]对这场俄罗斯现代绘画运动起到了最大的导向作用。他本人是一位歌唱家、雕塑家、舞台导演和剧作家，建立了首个俄国私营歌剧公司，而且还是个出手大方的艺术赞助人，成功启发了三代画家。马蒙托夫丰厚的财富来源于铁路，他的铁路从阿尔汉格尔[Archangel]一直延伸到摩尔曼斯克，又从南方顿涅茨盆地[Donetz Basin]将煤炭运送到北方。

奇怪的是马蒙托夫和他的夫人伊丽莎白首次接触当时的俄国画家们是在罗马。他们从1872年开始，在罗马度过了几个冬天，一方面是为了他们的小儿子安德烈[Andrei]的健康，另一方面是由于他们自己的兴趣。他们都非常热爱艺术，马蒙托夫曾在意大利接受歌唱训练，而他虔诚的妻子参与了东正教礼拜仪式的复兴运动，且对罗马晚期艺术如何被早期基督教所使用感兴趣。正是伊丽莎白·马蒙托夫的强势和坚定的宗教信仰使得后来一个小教堂得以建立在阿布拉姆采沃，我们将会看见，这个教堂直接导致了俄国中世纪艺术和建筑的实际复兴，对于俄国现代艺术发展来说它的影响不可忽视。

年轻的马蒙托夫夫妇在罗马发现的俄国画家圈子以两位坚持“漫游者”理念的画家为首。其中，雕塑家安东科尔斯基[Antokolsky]（1843—1902）是这个团体最早的成员之一，他在当时声名鹊起。另一位画家瓦西里·波列诺夫[Vassily Polenov]（1844—1927）来自莫斯科，且在莫斯科学院学习并受到首位俄国风景画家萨夫拉索夫[Savrassov]的影响。波列诺夫一生中大部分时间都在阿布拉姆采沃度过，他可能是这个艺术家团体中最为重要的人物。流亡在外[*émigré*]的俄国艺术家中，第三位杰出人物是年轻的艺术史学家阿德里安·普拉科夫[Adrian Prakhov]，他和画家们一样，依靠奖学金在罗马学习（他的奖学金来自彼得堡大学，其他艺术家的奖学金也来自各自的学院）。之后，作为教授的普拉科夫开始修复俄罗斯中世纪艺术作品和建筑，但后来的修复者斥责他的行为是破坏性的。

年轻的马蒙托夫夫妇很快成了这个小型艺术爱好者团体的亲密伙伴，其间还一同举办了一个非常生动的“互助教育”项目。其组织精神非常具有普拉科夫的特色，在日常考察中普拉科夫会带领大家前往博物馆参观有关古都的有趣物件、废墟及地下墓穴。其他时候，他们会聚集在艺术家的工作室中绘画或雕刻。安东科尔斯基教萨瓦·马蒙托夫雕塑，马蒙托夫很快就展现出了天赋。终其一生，他都热爱雕塑，在1890年破产后，他被监禁在自己家中一年，这一爱好给了他极大的慰藉。在傍晚，这个团体的成员会集合于一处并讨论创造新俄国文化的计划。这种新文化不只局限于艺术。马蒙托夫夫妇受到改善人民生活这一理念

1

的影响之深，不亚于团体中的画家们和普拉科夫。1870年他们刚买下阿布拉姆采沃和周边这一片庄园的时候，这对年轻的夫妇发誓他们将传承此庄园前主人的传统，即19世纪40年代著名作家谢尔盖伊·阿克萨科夫[Sergei Aksakov]的传统。阿克萨科夫是果戈里的好朋友。果戈里经常拜访阿布拉姆采沃，正是在那里，他完成了《死魂灵》的一部分。19世纪40年代，许多其他“国家主义”作家也曾在阿布拉姆采沃安居。阿布拉姆采沃在19世纪40年代时对作家的意义，到了70年代转到了画家的身上。随着1871年一场霍乱的爆发，马蒙托夫夫妇开展实际行动在庄园中建立医院，他们对庄园的租赁也在这一年开始。翌年，他们在庄园中建立了一所学校，学校暂时设置在医院空闲的一侧，随后又被转移到一个传统的农民木屋当中，这个木屋是人为地从邻村比比诺克[Bibinok]直接

1. 列奥尼德·帕斯捷尔纳克，《莫斯科艺术家们》[*Moscow Artists*]，1902年。画面上是阿布拉姆采沃聚居区的一些成员：位于中间、拇指放在西服背心上的是康斯坦丁·柯罗文，在桌边画画的是瓦伦丁·谢洛夫，他的后方是阿波拉里那留斯·瓦斯涅佐夫。

搬运过来的。这是那片区域的第一所学校。学校以教育周边农民的孩子为目的，伊丽莎白·马蒙托夫负责教学及组织的工作。学校附带有一个雕塑工作室，这是在阿布拉姆采沃成立的第一个雕塑工作室，由建筑师罗佩特[Ropet]建成"俄国"风格。雕塑后来成了一个专业性的活动，也成了这个艺术家聚居区的主要活动之一。雕塑工作室成为传统艺术的熟练工匠和对古代艺术传统复兴实践有兴趣的聚居区艺术家们都能使用的作坊，而阿布拉姆采沃曾经就是古代艺术传统复兴的先锋力量。

1874年春天，当马蒙托夫夫妇在意大利过完冬天启程回到家中时，他们的一群伙伴也一道从罗马返回俄国。这一年，他们在巴黎停留了几日，在那里，他们碰上了波列诺夫的同事和密友伊利亚·列宾[Ilya Repin]，他当时正在巴黎学习。他们对巴黎都没有太大的兴趣，都希望能够回到俄国。在马蒙托夫的盛情邀请和波列诺夫的希求之下，列宾决定移居莫斯科。歌剧作曲家谢洛夫[Serov]的遗孀当时也在巴黎。由于谢洛夫是马蒙托夫的同僚和好友，所以马蒙托夫特别慷慨地邀请了谢洛夫的遗孀和她9岁的儿子瓦伦丁[Valentin]一同前往阿布拉姆采沃居住。就这样，在波列诺夫、列宾、谢洛夫母子、马蒙托夫夫妇这些成员的基础上，阿布拉姆采沃聚居区形成了。1879年，画家兄弟——维克多·瓦斯涅佐夫[Victor Vasnetsov]和阿波拉里那留斯·瓦斯涅佐夫[Apollinarius Vasnetsov]也加入了聚居区。

"从现在起，马蒙托夫的圈子就过上了以浓厚的兴趣为基础的共同生活。在冬天，他们会聚集在萨瓦·马蒙托夫迷人而又舒适的家中，地点位于莫斯科的斯帕斯卡亚撒多瓦亚街[Spasskaya Sadovaya]。他们会在此发起共读会和绘画讨论会，还会上演戏剧作品，吸引莫斯科的知识分子们热切而又欢快地频频来访。

"夏天，他们会移居到阿布拉姆采沃或周边地点。在此，列宾和

2

他的家人居住了好几年了……波列诺夫研究过这里的树林和溪流……阿波拉里那留斯·瓦斯涅佐夫离开了彼得堡，在此发现他自己开始‘带着骑士精神’作画……谢洛夫在此居住了很久。”[2]

伊利亚·列宾（1844—1930）后来将自己描述为“带有60年代精神的人”，尽管他属于第二代国家主义画家，他的思想和作品还是代表了早期先锋们的理念。更有甚者，他的颜色比最初的“十三人”中的任

2. 伊利亚·列宾，《意外归来》，1884年。

何一个都更有特色，更有辨识度。《意外归来》[*They Did Not Expect Him*]（图2）是列宾最有名的作品之一。这幅作品在阿布拉姆采沃画成，是他少有的足尺画作之一。在画成足尺画作之前，列宾花了许多时间做完成习作。他的习作一般被认为比他的大幅画作更加优秀，从他在阿布拉姆采沃完成的许多画作中，人们可以感觉到他是一个非常具有天赋的绘画者，对自然具有强烈的感知力。然而，他将自然艺术置于自己的社会观念之下："在60年代粗鲁的宣传风格之后，一种理性的国家主义运动兴起了，此运动将画作的主要思想和海报风格的表达方式作为评判标准：在技法方面，人们开始寻找一种无个性的方式。就连列宾的伟大才能都被这种死气沉沉的气氛所稀释，缺乏强烈艺术表现的时期让他的作品失去了个人的特色。"列宾的学生米哈伊尔·弗鲁贝尔[Mikhail Vrubel]在列宾的传记中如是写道。[3]

列宾的好友波列诺夫，他同时也是托尔斯泰和屠格涅夫的好友，是首批描绘俄国乡村景色的画家之一。俄国风景画派的发展和莫斯科息息相关。从19世纪40年代在莫斯科成立开始，莫斯科绘画与雕塑学院（1865年增加建筑专业）就尤其强调自然环境下的室外光[*plein air*]学习。因此我们能够发现彼得堡学派和莫斯科学派从最开始就迥然不同。它们的这一不同点正是俄国现代运动的显著特征。莫斯科学院不仅鼓励之前一直被彼得堡学派忽视的向自然学习这一方法，而且还是一个更加开明的机构，相对于彼得堡学院而言，它更多地建立在私人赞助基础之上，而非宫廷贵族的赞助。在19世纪50年代，莫斯科学院完全脱离了彼得堡学派的教学传统，即依靠临摹古典雕塑版画和石膏像进行教学的三年制课程。从那时起，莫斯科的学生可以自由选择专业，教学也越来越强调向自然学习。19世纪60年代，首批从莫斯科学院毕业的学生返回学院成为教师，其中包括被认为是"俄国风景画派之父"的萨夫拉索夫（1830—1897）。然而，萨夫拉索夫的风景画少之又少，他的追随者

波列诺夫和希施金[Shishkin]继续完成了他的此类作品。这些画家的作品仍然受到一种非写实的、带有文学倾向的创作方式的限制，直到伊萨克·列维坦[Isaac Levitan]（1860—1900）出现，俄国风景画派才称得上是出现了一位真正有创造力和表现力的大师。

不过，波列诺夫对阿布拉姆采沃聚居区的贡献主要不是表现在绘画方面，而是表现在考古和教育方面。1882年他被莫斯科学院任命为教授，他开明的观念和强硬的人格激励了一些画家，如列维坦和柯罗文，也正是他在19世纪80年代把这两位画家推荐到阿布拉姆采沃担任剧场设计师。在聚居区形成的前几年，波列诺夫为这个团体提供了许多科学和

3. 阿布拉姆采沃教堂，1880—1882年。

考古学知识。对于1880年开始建造的小型阿布拉姆采沃教堂（图3）来说，他的影响尤为显著。

1880年春天，当地河流爆发了数次洪水，阿布拉姆采沃周边的河流也洪水泛滥，导致当地人在复活节时无法到达教堂，建造上述教堂的想法随即产生。为了避免类似的情况再次发生，他们决定在地产范围内再建一座教堂。聚居区的成员们对此想法感到兴奋不已，全都开始为这个建筑进行设计。在进行了诸多讨论之后，大家决定以阿波拉里那留斯·瓦斯涅佐夫（1845—1926）设计的中世纪诺夫哥罗德式[Novgorod]教堂为蓝本。为了这个项目，波列诺夫找出了父亲的许多考古学资料，他的父亲也是一位杰出的考古学家，正是他对俄国中世纪建筑和画作的热情影响了波列诺夫。他曾经骑着马带着16岁的波列诺夫游遍了整个国家，找出了中世纪俄国建筑和画作尚存的案例。波列诺夫当时已经非常喜爱绘画，在旅途中，他绘制了许多草图，现在，他则将这些草图提供给阿布拉姆采沃以供综合研究。在聚居区成员热烈讨论的同时，伊丽莎白·马蒙托夫则高声诵读历史著作关于教堂的节选部分。每个人都贡献出自己的设计、想法、零碎的历史信息，当时已经出版的相关材料甚少，因为对中世纪俄国的学术研究直到19世纪50年代才开始。[4]

实际上，圣像画几乎已经面目全非，经过几个世纪，加之金银包裹画作的传统，画作表面已经变得模糊。发现圣像艺术品，以及随之而来的圣像原始色彩的修复和线条的提炼在俄国进程缓慢，直到1917年革命之前，都没有系统化起来。圣像画历史研究的学术工作直到19世纪初才从斯特罗加诺夫[Stroganov]家族开始，他们收集了家族祖先委托同时代画家为其著名的17世纪作坊所绘制的作品。阿布拉姆采沃聚居区的人们是将此类早期科学研究和发现投诸艺术应用的先锋。

因为受到庄园中建立的教堂的启发，集体考察俄国中世纪艺术和历史的结果就是：阿布拉姆采沃聚居区的艺术家们决定造访雅罗斯拉夫尔[Yaroslavl]和大罗斯托夫[Rostov-the-Great]，在这两处，他们可以看见一些精美的建筑和壁画。波列诺夫组织了此次“考察”，他们带回了大量的速写，开始热切地投入到小教堂的建造中。他们在阿波拉里那留斯·瓦斯涅佐夫的原始构想上做了许多改动，尤其是波列诺夫，提供了许多受当地农民住宅中的雕刻启发而做出的装饰设计。在寻找此类基础图案的同时，波列诺夫决定要将一个他非常喜欢的邻村住宅的雕刻门楣恢复原状。（图4、6）这成了国立农民艺术博物馆的构成基础，门楣现在仍保存于阿布拉姆采沃，后来，它还成了马蒙托夫名为“私营歌剧”[Private Opera]的革命性剧场设计的直接灵感来源，如里姆斯基-柯萨科夫的《雪姑娘》[*Snegurochka*]。（图11、12）

小阿布拉姆采沃教堂于1882年末建成。这是聚居区首个集体项目。每个人都为装饰教堂甚至实际建造贡献了一份力量。聚居区内刚建立的工坊中的艺术家们绘制并雕刻了精美的木装饰。列宾、波列诺夫、米哈伊尔·涅斯捷罗夫[Mikhail Nesterov]、阿波拉里那留斯·瓦斯涅佐夫一起绘制了圣幛和壁画（图8）。伊丽莎白·马蒙托夫、玛利亚·亚坤奇科娃[Maria Yakunchikova]、伊莲娜·波列诺娃[Elena Polenova]等女性绣了祭服和盖住波列诺夫设计品的布。维克多·瓦斯涅佐夫不仅设计了单个花朵图案的马赛克地砖，而且还热情地亲自帮忙铺好地砖。

在小教堂举办的首个仪式是波列诺夫的婚礼——新娘是玛利亚·亚坤奇科娃，她是萨瓦·马蒙托夫的表妹，为了帮助建设教堂而加入聚居区。亚坤奇科娃是俄国首批女性艺术家之一；另一位女性艺术家是波列

4. 阿布拉姆采沃博物馆藏品，传统农民木雕，从瓦西里·波列诺夫开始收藏。

5. 桌子的设计和制作来自于特尼舍娃公主在斯摩棱斯克附近的塔拉什基诺房产，图案源自阿布拉姆采沃，由A. 季诺维耶夫[A. Zinoviev]设计，约1905年。

6. 阿布拉姆采沃博物馆。

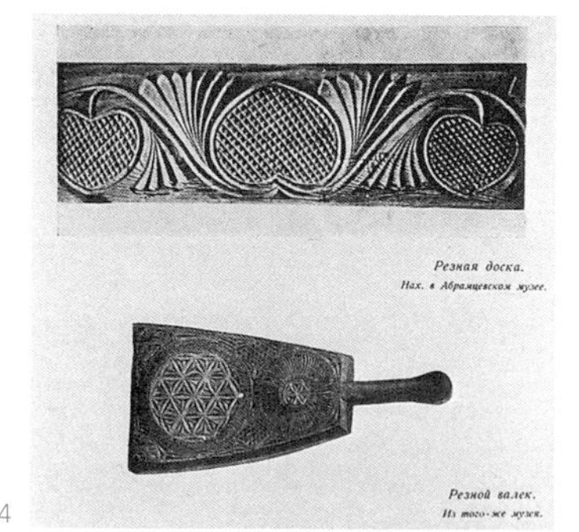

4

5

6

诺夫的妹妹伊莲娜·波列诺娃，她同时也是一位艺术史家。实际上正是她对于俄国历史的兴趣驱使她加入聚居区复兴中世纪风格的这支队伍。这两位女性是阿布拉姆采沃聚居区内最热情、最锲而不舍的民俗艺术复兴的领导者，很快她们就接管了木雕和刺绣工坊，当时这个地产中的工坊正日益兴盛。

在小教堂建成后，大家对于复兴俄国中世纪艺术的热情更甚了。

7

8

瓦斯涅佐夫兄弟俩都开始专注于研究中世纪俄国的历史性修复：维克多专攻圣像和神话场景，阿波拉里那留斯则一生都专注于从绘画中重建中世纪莫斯科。

实际上，第一位致力于从绘画中重建中世纪俄国的画家是维亚切斯拉夫·斯沃茨[Vyacheslav Shwartz]（1838—1869）。斯沃茨曾经是一位历史学家，正是在研究的过程中，他产生了通过画作精确复兴一段

7. 米哈伊尔·弗鲁贝尔在阿布拉姆采沃制陶工坊设计的黏土火炉，约1899年。

8. 阿布拉姆采沃教堂圣幛。圣幛上的绘画出自阿波拉里那留斯·瓦斯涅佐夫、伊利亚·列宾和瓦西里·波列诺夫之手。

被忘却的历史的想法。他的画作明显就是历史学家的画作，正是由于他对细节和精确度的重视，他的作品富有价值。

瓦西里·苏里柯夫[Vassily Surikov]（1848—1912）是“漫游者”中首个将国家观念和艺术家对新表达语言的需求联系在一起的人。苏里柯夫出生于克拉斯诺亚尔斯克[Krasnoyarsk]，那里是西伯利亚的边缘地区，他在1868年骑着马前往彼得堡加入彼得堡学院。他在旅途中耗费了一年的时间，因为他总是在旅途中的古老村镇悠闲地停留。喀山[Kazan]和下诺夫哥罗德[Nizhni-Novgorod]尤其让这位20岁的哥萨克人[Cossack]印象深刻，但还是莫斯科最让他惊叹不已，他随后写道：“来到莫斯科，到达国家生活的中心，我立刻就明确了我所要走的路途。”[5]公认的苏里柯夫的大作《女贵族莫洛佐娃》[*The Boyarina Morosova*]（1887）（图9），描述了被尼康牧首[patriarch Nikon]迫害的“旧信徒们”[Old Believers]，这幅画的场景就设定为中世纪的莫斯科街道。这是一幅巨大的作品，不管是从大小还是比例，都和壁画的尺寸一致。画作的构图让人联想起苏里柯夫非常崇拜的不朽的意大利画家们——米开朗基罗、丁托列托[Tintoretto]、提香以及最伟大的委罗内塞[Veronese]。画中全是动态的从形到形之间一闪而过的结实的浓烈色彩，动作和动作之间的呼应，直到最后观者的眼睛被中央人物莫洛佐娃以及她戏剧化举起的手臂和向上的手指牢牢地吸引。这种动态是俄国画作始终带有的基本特色，而在苏里柯夫的作品中，它又首次因中世纪传统而再度出现。通过苏里柯夫，古怪的拜占庭用色似乎又复兴了。我们在娜塔丽娅·冈察洛娃[Natalia Goncharova]的作品中也能够看到饱和的棕色、昏暗的红色和清晰的黄色。不论是古代还是现代作品中，有协调的装饰性外观和强烈的横向视野是俄罗斯艺术中共有的另一特征，同样也是苏里柯夫最先开始复原这些特征。

苏里柯夫经常拜访阿布拉姆采沃，但他不是聚居区的“一员”，例如周日晚间共读会这一集体活动他就没有参加。经典共读会后来慢慢发展成了哑剧表演。到1881年，哑剧表演又演变成了成熟的戏剧作品，每年冬天，萨瓦·马蒙托夫都会在他的莫斯科住宅中将这些戏剧作品搬上舞台。这些早期业余作品的剧本通常来自马蒙托夫本人，重新讲述一些民间故事或历史片段。每个人都会参与其中，萨瓦·马蒙托夫会要求大家发挥自身天赋，这些天赋拥有者自己可能都还完全没有发觉。由此，维克多·瓦斯涅佐夫发现自己不由自主地开始绘制剧院装饰，虽然之后他自己也承认，他完全不知道要怎么完成这项任务。通过这样任命画家，而不是采用传统工匠绘画场景的方式，现实主义剧院装饰的想法诞生了，这直接影响到了西欧。从瓦斯涅佐夫还有他的追随者们——柯罗文、列维坦、戈洛文[Golovin]、罗里奇[Roerich]那里，现实主义剧院装饰艺术开始发展。19世纪80年代期间，这些人都曾经为马蒙托夫的“私营歌剧”剧院作品贡献过一份力量。到19世纪90年代，帝国的剧院无法再忽视马蒙托夫雇佣专业画家绘制剧院装饰的革命性手段，也开始将传统的舞台设计匠人换成类似的画家们。最后，由于佳吉列夫[Diaghilev]的影响，欧洲也认识了这些画家。背景幕布曾经被用来当

9

10

9. 瓦西里·苏里柯夫，《女贵族莫洛佐娃》，1881—1887年。

10. 米哈伊尔·弗鲁贝尔，埃及服装设计，1890年版。

做表演的装饰性背景，现在它成为戏剧作品的一部分。这个改变也导致了一场剧院理念的革命。整个戏剧作品开始被认为是一个整体，而演员的表演必须从属于其他的元素，包括装饰、服装、动作、音乐、语言。因此，一个戏剧化综合体就形成了。马蒙托夫的表弟斯坦尼斯拉夫基[Stanislavsky]在19世纪80年代早期常常来此并演出这些家族内的戏剧作品，他认为自己的“现实主义戏剧”观点正是来源于此，而这一观点转而又深深地影响了西方。

马蒙托夫在业余戏剧方面的冒险很快就促使他在莫斯科成立了他的专业“私营歌剧院”。这一想法的实现离不开当时沙皇颁布的法令，它的实现意味着一个新的领域已经对艺术家敞开了大门，而且它特别适合拥有装饰艺术天赋、热爱运动的俄罗斯人。1883年，随着里姆斯基-柯萨科夫的歌剧《雪姑娘》开场（舞台场景来自于维克

11

11. 维克多·瓦斯涅佐夫，《雪姑娘》，服装设计，1883年。

12. 维克多·瓦斯涅佐夫，《雪姑娘》，舞台设计，1883年。

多·瓦斯涅佐夫）（图11、12），剧院开业。随着时间的推移，“私营歌剧院”不仅向大众推广了里姆斯基-柯萨科夫、达尔戈梅日斯基[Dargomuishsky]、穆索尔斯基、鲍罗丁的音乐，还让大众聆听到了费多尔·夏里亚宾[Fyodor Shalyapin]天籁般的嗓音。

因此，马蒙托夫的剧院吸引了大批年轻一代的画家们。波列诺夫引入了莫斯科学院两个最有天赋的学生，这两人分别是我们已经讨论过的伊萨克·列维坦以及康斯坦丁·柯罗文（1861—1939）。柯罗文于1885年首次前往巴黎时和印象派取得联系，是首个响应法国印象派的俄国画家。也正是同一年，柯罗文遇见了马蒙托夫夫妇，且几乎立刻就成为马蒙托夫家庭的好伙伴。对于剧院设计革命来说，他的贡献最大，正是通过剧院这一媒介，他最为成功地阐述了法国印象派的观念（图13）。1901年，他被任命为莫斯科学院的教授，他是学院重要的

12

开明人士，几乎所有20世纪前10年的先锋派人士都是他的学生或是他在阿布拉姆采沃的伙伴，如谢洛夫-库兹涅佐夫[Serov-Kusnetsov]，拉里昂诺夫[Larionov]、冈察洛娃、塔特林[Tatlin]、冈察洛夫斯基[Konchalovsky]、马什科夫[Mashkov]、连图洛夫[Lentulov]、法尔克[Falk]，更不用说众多开始是画家后来成为未来主义诗人的人士了——如布尔留克[Burliuk]兄弟、克鲁乔内赫[Kruchenikh]和马雅可夫斯基[Mayakovsky]。

瓦伦丁·谢洛夫[Valentin Serov]（1865—1911）对马蒙托夫来说就像儿子一样。正如之前所言，他于1874年和他的寡母一起来到阿布拉姆采沃居住，当时他还是个小男孩，因此，他从小就生活在一直富有创造力的氛围中，这种氛围正是马蒙托夫家族的特征。谢洛夫从小就开始跟随列宾学习绘画，列宾非常喜欢这个小男孩，而谢洛夫也很快就展现出

13

14

13. 康斯坦丁·柯罗文，《堂吉诃德》，场景4舞台设计，1906年。
14. 伊萨克·列维坦，《永恒的宁静之上》[*Above Eternal Peace*]，1894年。
15. 瓦伦丁·谢洛夫，《十月，德马特卡纳瓦》[*October, Domotkanovo*]，1895年。

15

异常早熟的制图能力。欢快的“绘画比拼”是阿布拉姆采沃愉悦、令人向往的生活的重要部分，而他在比拼中能够比年长的艺术家更快、更准地抓住模特的形。这种抓形的能力后来被谢洛夫完善，他还成为19世纪90年代和20世纪前10年最成功、最有天赋的肖像画家（图15、16）。但是在此之前，他是一位比他的导师列维坦（图14）更加注重感官，更少留恋怀旧风格的杰出的风景画家。谢洛夫和柯罗文都是莫斯科学院的重要人物，他在1900至1909年间一直在学院执教。尽管拉里昂诺夫认为他太忙了，无法专心教学，但是他使用众多媒介的技法是如此卓越，以至于他个人对于构成的专业态度以及对于技法教学的极端自律仍然让学生们印象深刻，在当时的俄国，这样的成就还是极其少见的。谢洛夫和柯罗文一样是少有的架起了两个艺术世界的桥梁的莫斯科人。他和彼得堡派的《艺术世界》[*World of Art*]核心杂志（我们在下一章中会谈到）合作，还参加了19世纪90年代将艺术先锋派聚集到一起的集

16

体展览。

1890年，谢洛夫将他的密友米哈伊尔·弗鲁贝尔（1856—1910）介绍给马蒙托夫。后来的事实证明这是弗鲁贝尔艺术生涯的转折点，他在1880年进入彼得堡学院，早期他的前途一片明朗。他很幸运地接受了杰出的制图员奇斯佳科夫[Chistyakov]的课程，奇斯佳科夫则非常崇敬意大利人福尔托尼[Fortuni]。奇斯佳科夫的学生几乎都是最有天赋的“漫游者”，包括列宾和苏里柯夫以及年轻一代的谢洛夫和弗鲁贝尔。所有这些艺术家们，尤其是弗鲁贝尔，都非常感激这位老师的教导，奇斯佳科夫把最好的知识都教授给了他们。

在毕业前，弗鲁贝尔所在学院的教师就已经把他推荐给了普拉霍夫[Prakhov]教授。普拉霍夫教授1883年来到学院，想要寻找能够帮助他修复12世纪基辅圣西里尔教堂[Church of Saint Cyril]的学生，到达学校时，他的这项工作业已开始。这个能够通过第一手资料近距离了解拜占庭艺术的机会对弗鲁贝尔的成长而言非常关键。从这一时刻开始，他不断地寻找新的图像语言，这种图像语言正是他作品的动力来源。正如他写给妹妹的信中所说：“阐述新语言的狂热并没有从我身上褪去……对我来说只有一件事情是明确的，那就是我的研究在学术的专业领域是独特的。”[6]

弗鲁贝尔在圣西里尔教堂的工作是帮助修复原始的壁画，由于有些壁画非常斑驳，所以他要绘制同种类型的新画作。这份任务让这个年轻的学生感到兴奋，在他悲惨的人生晚期，他说自己最想回到这段时光，正是在此，弗鲁贝尔发现了线条的表现力：

“当今尝试复兴拜占庭风格的画家最大的错误就是缺乏对拜占庭

16. 瓦伦丁·谢洛夫，《女演员叶尔莫洛娃肖像》[*Portrait of the actress Ermolova*]，1905年。

17

18

17. 米哈伊尔·弗鲁贝尔，《瓦列里·布留索夫》[*Valery Briussov*]，1905年。

18.米哈伊尔·弗鲁贝尔，《塔玛拉之舞》，1890年。

艺术家使用垂挂物的欣赏。现在的画家仅将垂挂物看成单薄的一片布，而他们（拜占庭艺术家们）却在其中展示出极大的智慧。拜占庭画作从根本上来说就和三维的艺术不同。它们全部的精髓在于用装饰性形式布局强调墙面的平面特征。”[7]

弗鲁贝尔不断使用这种强调画布平坦表面的装饰性节奏。其中一例就是1890年的水彩画《塔玛拉之舞》[*The Dance of Tamara*]（图18）。这是弗鲁贝尔接受银行家冈察洛夫斯基[Konchalovsky]委托为1980年出版的莱蒙托夫[Lernontov]诗歌《魔鬼》一周年版本而作的系列插图之一。这是弗鲁贝尔在莫斯科接到的第一个委托。在《塔玛拉之舞》中，弗鲁贝尔并置了一些形式化的元素，创造出一个复杂的表面图形和一个有节奏感的拼合设计。这个作品可以分成三个不同的平面，这三个平面就像梦中的图形一样互相交织。悲伤幽怨的魔鬼倚靠在被荒凉群山包围的岩石上，可爱的塔玛拉和她优雅的乔治王朝风格的新郎共舞于一块装饰富丽的地毯之上，这条地毯位于阶梯的尽头。正在演奏的管弦乐队似乎正在从另一个世界用音乐锤击这个装饰富丽的场景。画家随性地在画布的边缘截断了乐手的图像，因此他们入侵了现实的世界，感觉就好像他们在现实的空间里完整了起来。

基辅艺术圈燃起的对拜占庭艺术的研究热情影响了弗鲁贝尔，这促使他前往威尼斯。在基辅，他发现了线条；在威尼斯，他则发现了色彩。圣马可区[San Marco]的马赛克拼贴、卡巴乔[Carpaccio]和贝利尼[Bellini]的作品尤其令他着迷。在意大利的这一年中，他专心致志地进行研究，他一生都如此，即使后来遭到恐怖的隔离，遭受可怕的贫困，他也依然专心致志。

1885年，弗鲁贝尔回到俄国的敖德萨[Odessa]，但是找不到工作。随后一段时间他开始遭受身体上的痛苦，最可怕的是，他还遭受着精神上的折磨。他开始绘画一系列由莱蒙托夫启发而来的"魔鬼"，这些魔鬼愈来愈持久地萦绕于他的心中（图18）。弗鲁贝尔描述它为"一种集合了男性与女性外表的幽灵，这个幽灵不像折磨和伤害那么邪恶，但却是强大且高贵的存在"[8]。随着这一形象越来越多地出现在他的作品中，他的精神也崩溃得愈加剧烈。我们可以从画中看到他心情的转变轨迹。在这吐露画家心声的场景中，一个飞翔的悲伤幽灵，变成一个有敌意的哨兵和一个怒视的头颅。最后，在弗鲁贝尔富有创造力的生命的最后一年，它变成了一个支离破碎或神魂颠倒的肢体，被吸入令人眩晕的漩涡。弗鲁贝尔在最后的一些作品中重新使用了巨大的头颅的形象，头颅上的双眼悲伤地凝视着前方：一个从迷雾中出现的纯粹的幽灵，最后占据了画面，但是他的时代业已落幕。

在1885至1888年间，弗鲁贝尔在基辅过着困苦的生活，这是他在敖德萨短暂停留后回到的地方，这里曾有他许多欢乐的记忆。1887年，由于新圣弗拉基米尔教堂[Cathedral of Saint Vladimier]设计竞赛开启，他又重燃了绘制有宗教意义的纪念碑式绘画的希望。这个教堂从1862年开始建造，为的是庆祝俄国千年纪念，当时正是斯拉夫派热火朝天的时候。尽管弗鲁贝尔明显比任何同期艺术家都更适合这一任务，但还是输给了刚刚完成小阿布拉姆采沃教堂的维克多·瓦斯涅佐夫。瓦斯涅佐夫的设计并不优秀且缺乏独创性，总体而言缺乏对纪念碑式绘画独特的材料的了解，而弗鲁贝尔却已经展现了自己在此方面的优秀能力。弗鲁贝尔最后委屈地接受了在教堂下方侧壁上设计装饰性画作的工作。弗鲁贝尔带着与生俱来的谦逊，利用自己对装饰图案的直觉完成了工作，而他的直觉也一次又一次地通过他的作品震撼了我们的内心。

除了纪念碑式绘画，弗鲁贝尔在这十年中还将大部分精力放在了水彩画上，他认为水彩是最精准的学科。他还在学院时，就和好友瓦伦丁·谢洛夫开始认真地向自然学习，这种学习方式完全不是他们所在院校的传统。他们都是列宾的学生，但是弗鲁贝尔很快就开始强烈地反抗这位导师的理念。令人感到有趣的是他对1883年“漫游者”展览的反馈（这次展览最主要的作品是列宾的油画）：“形，最为精彩的可塑内容，被摈弃了：少量突出的、天才的笔触代表了艺术家和自然的情感交融，艺术家把全部的精力放在如何最有力地让观者对自己的观点留下深刻印象之上。”[9]在同一封信中，弗鲁贝尔拒绝接受“漫游者”视艺术为社会宣传工具的观点：

“艺术家不应变成公众的奴隶：他是自己作品最好的裁判，他必须尊重自己的作品，不要让作品的意义沦为公众噱头……窃取人的能够将完成艺术作品的精神和对印刷纸张的感受区分开的欢愉，甚至会丧失对这种欢愉的欲求，而这就会剥夺人生最美好的部分……”

19

20

就在他发表这些言论后不久，我们发现他开始阅读康德的作品，他向自然学习的信念随之愈加坚定。弗鲁贝尔不是随便读读德国哲学，而是非常广泛地阅读古典哲学。他是一位杰出的拉丁语学者，这种成就在当时的俄国非常罕见。从很多方面看，相对于拒绝了他的迂腐一代而言，他更像是普希金那一代人。

在后来的20年中，弗鲁贝尔给俄国先锋派带来的启发比任何其他艺术家都多。他可能可以被说成是俄国的塞尚，因为他们有许多共同的特征，包括：他们的作品都诞生于世纪之交，不仅仅是连接两个世纪，还连接了19世纪和20世纪两种完全不同的景象，连接了西欧文艺复兴后

19. 米哈伊尔·弗鲁贝尔，《瓶中鲜花》[*Vase of Flowers*]，1904年。

20. 米哈伊尔·弗鲁贝尔，《静物玫瑰》[*Still-life of Roses*]，约1900年。

21. 米哈伊尔·弗鲁贝尔，为1890年出版的一周年版莱蒙托夫诗歌《魔鬼》所作的插图手稿之一。

的“现代艺术”和“架上绘画”。

弗鲁贝尔和塞尚一样，在有生之年无甚名气；他所有的名气几乎都来自萨瓦·马蒙托夫，他曾在马蒙托夫的剧院和阿布拉姆采沃的工坊工作，仅有的画作也都是为马蒙托夫所作。

和他的好友谢洛夫不同，弗鲁贝尔没有多少风景画作，而是把大部分精力放在对自然的兴趣之上。他的画稿主要是花卉习作，但不是生长在自然环境下的花卉，而是一团交织在一起的形式组成的互相影响的近景，它们被人为隔离，这种隔离被给予了一种特别的戏剧化韵律。（图19、20）或者是一瓶花，拥挤的形式以一团漂亮的曲线的样式向下悬垂。弗鲁贝尔最擅长这种精致的水彩和铅笔速写。他的铅笔从不同的角度探索着绘画的对象：在交织的透明图案上；在物与物的平衡中；在用尖锐的角的冲撞构成的形中；在马赛克拼贴般的图形中。正是这样不知疲倦地全面观察着用图像方式表现的可能性，所以下一代人才如此尊敬弗鲁贝尔，还有他非凡的想象力。尽管他没有确切表达出任何新的图像语言，没有形成任何画派，但正是他让后来几十年的实验成为了可能，是他指明了通向未来的道路。

21

第二章 | 1890—1905

俄国“艺术世界”运动和法国纳比派人员构成类似、时期相同且在绘画史上的地位也相当。前者从一个在校男生社团演变而来，社团名为“涅夫斯基·匹克威克人”[Nevsky Pickwickians]，是19世纪80年代晚期在亚历山大·比奈斯[Alexander Benois]的带领下自发形成的“自学组织”。成员都是五月学院[May College]的学生，这个学院是一所中上阶层私立学院，学生大多来自圣彼得堡富裕的知识阶层，其中的许多人拥有外国血统，这也是19世纪90年代早期出现的“艺术世界”运动的成员们的典型背景。它和英国及欧洲“新艺术”[Art Nouveau]运动同期，代表了19世纪90年代和20世纪早期俄国的先锋派艺术。

在比奈斯的历史叙述中，他将“艺术世界”描述成一个团体、展出机构和一份杂志。

“我认为“艺术世界”不应当被理解为三者中的某一种，而是一个整体；更确切地说它是一个社区，它有自己的生活、自己的特定的兴趣和问题，它还尝试通过多种途径影响社会，激励社会形成一种渴望拥有艺术的态度。这个团体就是从最广泛意义上理解的艺术，这也就是说包括了文学和音乐。”[1]

亚历山大·比奈斯（1870—1960年）是五月学院社团的发起人，在“艺术世界”运动的背后，始终有他的智力支持。作为画家、剧院设计师、出品人、学者、艺术批评家、艺术史家，比奈斯本人就是“艺术世界”内涵的缩影，他们不仅要更新艺术，而且要让所有人焕然一新；他们不仅要影响绘画领域，还要影响到生活中所有的艺术形式。他们认为艺术是人类获得救赎的工具，艺术家是献身的教士，而艺术家的艺术则是不朽真理的媒介及美的媒介。简而言之，“艺术世界”运动的理念常常被戏谑为“为艺术而艺术”。

亚历山大·比奈斯于1870年出生于圣彼得堡，他拥有德国、法国和意大利血统。比奈斯家族居住于圣彼得堡的一个外国人聚居区，该聚居区从彼得大帝首次从西方引进艺术家、作曲家和建筑师时开始存在。从18世纪开始，这个聚居区就对俄国文化有着巨大的贡献，聚居区的许多家族和比奈斯家族一样，培育了一批杰出的艺术家。比奈斯家族自18世纪晚期到达俄国，但主要还是母系一边的威尼斯卡沃斯[Cavos]家族诞生了众多杰出的艺术家。威尼斯剧院院长的儿子卡特里诺-卡沃斯[Caterino-Cavos]就是一个非常成功的作曲家和风琴手，在共和国沦陷后，他逃离了故乡，后被任命为圣彼得堡帝国剧院的音乐指挥。他和他的家人一起定居于圣彼得堡，而他的儿子艾尔伯托·卡沃斯[Alberto Cavos]成为一位著名的剧院建筑师，设计了列宁格勒的马林斯基剧院[Mariinsky Theatre]（现名为基洛夫剧院[Kirov Theatre]），以及莫斯科大剧院[Bolshoi Theatre]。艾尔伯托的女儿卡米拉·卡沃斯[Camilla Cavos]于1848年和尼古拉斯·比奈斯[Nicholas Benois]结婚。尼古拉斯·比奈斯拥有一半法国、一半德国血统。1836年，作为彼得堡艺术学院的学生，比奈斯获得了建筑金奖，并遵循当时的传统，去往意大利。他在意大利认识了德国的俄罗斯人聚居区的艺术家们、德国浪漫主义画家奥维贝克[Overbeck]，还有俄国人伊万诺夫[Ivanov]（画家）和果戈里。这些艺术家、作家，尤其是德国拿撒勒画派[Nazarenes]复兴中世纪建筑的观点，对这位年轻的建筑师产生了深厚的影响。他受此激励，回到故乡后开始想要为俄国建筑带来同样的复兴。

亚历山大·比奈斯从小生长在浪漫主义氛围中，这种氛围塑造了他的艺术品位，并通过他传达给“艺术世界”的成员们。比奈斯家族并不热衷于19世纪六七十年代流行的俄罗斯平民主义，他们认为这种观点是迂腐而又耸人听闻的。此外，他们和同代人不一样，并没有和西方完全划清界限，相反，某种程度上由于祖先混合了多国血统，他们熟谙同时代法国和德国及意大利的艺术观念。这种对国际文化的了解是“艺术世界”成员们的基本特征，这些成员们认为，修复俄国在“漫游者”时期缺失掉的文化正是自己的使命。他们认为俄国不应当再度变成西欧的边地，或是继续秉持被西方孤立的国家传统。他们的目标是在俄国建立起一个真正的国际中心，这个中心将会史无前例地为西方主流思想做出贡献。为此，他们开始修复俄国与德国、法国、英国意识形态之间的联系，同时鼓励人们对国家遗产产生兴趣，不仅是对阿布拉姆采沃聚居区成员们曾投身其中的中世纪俄国文化的兴趣，还对那些被“漫游者”们视为异端的彼得大帝和凯瑟琳大帝时期艺术的兴趣。亚历山大·比奈斯成为了这场雄心勃勃的运动的中心人物。

“涅夫斯基·匹克威克人”社团由比奈斯学校里的伙伴构成，中坚人物包括迪米特里·菲洛索霍夫[Dmitri Filosofov]、康斯坦丁·索莫夫[Konstantin Somov]和沃尔特·纳夫罗[Water Nuvel]。菲洛索霍夫是一个优雅迷人的英俊男孩，他的父亲是一位显耀的政府工作人员，也是一名和有名的美女结婚的贵族。和比奈斯的父母一样，菲洛索霍夫出生时，父母年事已高，他还没有长大时，他的父亲就已经去世。这也许是导致这些年轻人极其复杂的另一重原因，甚至有人说他们是“20岁左右的厌世者”。菲洛索霍夫夫人的名气不仅在于她是一个时尚的女主人，且她的画室是有才能的小贵族们的云集之地，还在于她是一个很善于追求自身权利的人，她创办了俄国首个“女子大学课程”[Women’s University Courses]。虽然菲洛索霍夫并不是一个有创造力的作家，但他仍是团体中最有文学气质的成员。正是他后来引荐了象征主义宗教思想家梅列日科夫斯基[Merezhkovsky]进入团体，并为团体讨论加入了"神秘主义"腔调。其后，在杂志诞生时，菲洛索霍夫负责了文学板块的运营工作，其中刊登了俄国第一代象征主义文学代表人物勃洛克[Blok]、别雷[Bely]和巴尔蒙特[Balmont]的早期作品。

沃尔特·纳夫罗对音乐有着强烈的兴趣，他和比奈斯一样，拥有德国和法国血统，从小就会三门语言。康斯坦丁·索莫夫是另一位早期就加入的成员，虽然他起初并不活跃。索莫夫是埃尔米塔什博物馆[Hermitage Museum]馆长的儿子，他后来对《艺术世界》杂志图像板块贡献巨大。五月学院"涅夫斯基·匹克威克人"还有一些其他的成员，在1890年离开学院后，他们也都离开了这个团体。

同年，比奈斯在彼得堡艺术学院参加夜间课程（长达一年的绘画课程，这是比奈斯唯一接受过的正式艺术训练）碰见了一个年轻的学生。这个人就是列弗·罗森博格[Lev Rosenberg]，他的另一个名字莱昂·巴克斯特[Léon Bakst] 更加深入人心。他是一位画家和革命性剧院设计师，莱昂·巴克斯特这个名字来自于他敬爱的伊壁鸠鲁学派的祖父。巴克斯特很快就成为比奈斯的朋友和团体的领导者之一。巴克斯特是团体中的首位专业艺术家，但也是团体中最为热切的反学术宣传者，因为他直接遭受到当时主流艺术界对所有与传统程式相违背的东西所抱有的学术偏见。1889年，在一个主题为"圣母哀悼基督"[Pietà]的竞赛中，作为奇斯佳科夫的学生，"漫游者"宗教画家涅斯捷罗夫的仰慕者，巴克斯特满脑子想着以绝对的现实主义完成竞赛画作。顺着这些思路，他将圣母玛利亚画成一个由于痛失儿子而哭红了眼眶的老妪。让他诧异的是，当这幅画展现在评审面前时，竟然会被评审狂怒地用彩笔画上一个大叉！第二天他就离开了学院，很快"涅夫斯基·匹克威克人"对学院和"漫游者"等的反叛吸引他加入其中。

这些好朋友每周有几天会在学院课程结束后在比奈斯或菲洛索霍

夫的家中集会，他们两人的家中都有一种令人愉快的国际化文化气息。他们会为彼此读诵讲座内容，这些内容会不断被笑声和妙语打断，比奈斯常常用他母亲的铜铃号召大家保持秩序，但是仍然无法平息这些笑声和妙语！讲座内容可以是成员当时感兴趣的任何主题。因此比奈斯讲到了丢勒、荷尔拜因[Holbein]和克拉纳赫[Cranach]——还有他的家族非常崇拜的德国学派：冯·马列[von Marees]、门泽尔[Menzel]、费尔巴哈[Feuerbach]、莱布尔[Leibl]、克里姆特[Klimt]及德国印象主义者利伯曼[Liebermann]和柯林斯[Corinth]。比奈特本人告诉我们，当时的俄国人仍然不知道法国印象派，直到20世纪初"艺术世界"举办展览及后来几期杂志的发行，印象派才被直接介绍到俄国。[2]据比奈斯所言，左拉[Zola]的《杰作》[*L'Œuvre*]一书出版于1918年，此书在俄国被广泛阅读，他是印象派观点进入俄国的首个途径。到20世纪20年代前，俄国画家了解当代法国和德国艺术的主要途径还是通过理查德·缪塞[Richard Muther]具有开创性的19世纪绘画史，[3]还有宾[Bing]的伙伴，即1908年"新艺术"运动的拥护者迈耶–格拉斐[Meier-Gräefe]。[4]我们能够看到卡西米尔·马列维奇[Kasimir Malevich]常在写作中提到他们的作品。缪塞在自己的历史著作中邀请比奈斯完成有关俄国艺术的章节。缪塞在19世纪90年代初期常常访问慕尼黑，正是在那里他认识了比奈斯。

如果说比奈斯常常谈论画作和建筑，那么菲洛索霍夫则会讲到屠格涅夫和他的时代，或是亚历山大一世时期的思想。巴克斯特则看起来更像是一名职员，而非艺术生，他有着红色的头发、紧凑的蓝色小眼睛、戴着金属框架眼镜，态度谦恭、羞怯，他话语比其他人都少，但是他好像随时都准备要加入他人的谈话且能愉快巧妙地与人交流。这个谦逊的年轻人活得很艰辛，因为在他还是学生的时候就要负责照看自己的母亲、两个妹妹和一个年幼的弟弟。然而，据说他从不沮丧，

22

对好口角的伙伴们总是又大方又富有同情心。尽管他是这个团队里最没有个人色彩的人，但巴克斯特的作品比任何人的都更富有创造力。他为佳吉列夫的芭蕾舞所作的富有异国情调的装饰，如《一千零一夜》[*Shéhérezade*]或《东方之舞》[*Les Orientales*]（图22）及希腊风格的《牧神午后》[*L'Après-midi d'un Faune*]（图23）和《那喀索斯》[*Narcisse*]，都是“艺术世界”理念的充分体现。

1890年末，菲洛索霍夫的远房表弟从故乡彼尔姆[Perm]来到圣彼得堡，并被引荐给“涅夫斯基·匹克威克人”。这个双颊红润又有着大嘴的矮胖少年就是谢尔盖伊·佳吉列夫[Sergei Diaghilev]。这些年轻的

22. 莱昂·巴克斯特，《东方之舞》，背景幕布设计（未实现），约1910年。

23

美学家们开始只是小心翼翼地接受了这个笑声热烈的外乡青年，而且只是由于他们都非常敬佩菲洛索霍夫才让佳吉列夫加入。而对于佳吉列夫来说，他实在看不起这群朋友过时的着装和知识分子式的追求，他很少出现在团体聚会上，更多地是在参加舞会和大型社交集会。

在1890年，五月学院团体离开了学院，其中大部分人遵循俄国家庭的传统，将要出国一年，然后进入彼得堡大学就读。为了能够了解当代艺术，比奈斯选择了慕尼黑而没有选择巴黎，这一做法在当时是很典型的，佳吉列夫和菲洛索霍夫则到了巴黎，他们当时应该并不是被印象派吸引（他们当时对印象派画家还一无所知），而是为苏洛阿加[Zuloaga]、皮维·德·夏凡纳［Puvis de Chavannes］和斯堪的纳维亚画家佐恩[Zorn]的作品动容。

23. 莱昂·巴克斯特，《牧神午后》，背景及服装，1912年。

从国外回来后，这群朋友在大学期间更加认真地想要发展他们的艺术观念，也更加确定他们要创造一个新的有艺术意识的俄罗斯知识阶层的使命感。团体中似乎没有人认真对待自己的大学时光。我们知道，佳吉列夫对里姆斯基–柯萨科夫的音乐课及与重要人物往来的兴趣，远胜于对法学学位课程的兴趣。他花了六年时间才完成四年制的学业，这是意料之中的！

在这一时期，莫斯科人谢洛夫加入了他们，谢洛夫是巴克斯特从彼得堡学院学生时代就开始来往的好友，也是柯罗文的好友。他的加入为这个业余的团体增加了专业性。不久之后尼古拉斯·罗里奇也加入了。罗里奇也曾就读于五月学院，但是比“涅夫斯基·匹克威克人”的成员们要低几届，他热衷于考古学，从19世纪90年代就开始参加大量的考古发掘，并为历史刊物撰写了一些有关这类科学发现的论文。1893年，他进入彼得堡学院，并开始参加绘画课程，正是此时他和“匹克威克人”开始有所联系。他后来成为《艺术世界》杂志的重要供稿人，并和巴克斯特一起，成为了战前佳吉列夫剧院最出众的两位舞台设计师。罗里奇为《伊戈尔王子》[*Prince Igor*]（图24）所作的装饰让人们联想到古俄国、无限的空间、神秘的异教徒仪式和原始力量，这种风格一方面来源于象征主义，一方面直接来自于他的考古发掘工作。他当时的民俗艺术知识来源于博物馆和阿布拉姆采沃工坊，以及位于塔拉什基诺[Talashkino]的特尼舍娃公主[Princess Tenisheva]工坊。（后者是斯摩棱斯克[Smolensk]附近的一个工坊中心，成立于19世纪90年代，这个工坊中心尤其专注于马蒙托夫在阿布拉姆采沃进行的家庭手工业复兴，许多专业艺术家曾在此地的木雕工坊工作，其中包括弗鲁贝尔、戈洛文和马柳金[Malyutin]，还有罗里奇及特尼舍娃公主本人。由此，俄国第二代艺术家由于真正亲身接触俄国民俗艺术而受到启发。）（图5）

1893年，法国外交官查理·比利[Charles Birlé]开始在彼得堡的法国领事馆工作，他被介绍给“涅夫斯基·匹克威克人”，并且很快就变成他们亲密且重要的伙伴。比利在这个团体里只待了一年，但是在这段时间中他彻底改变了团体成员们对法国当代绘画的想法，他将印象派、高更、修拉和凡·高的作品介绍给他们，也正是他，将阿尔弗雷德·努诺克[Alfred Nurok]介绍给这个团体。努诺克看起来好像是一个非常愤世嫉俗而又堕落的人。比奈斯提到，“于思曼[Huysmans]的作品、波德莱尔[Baudelaire]的《恶之花》[*Fleurs du Mal*]、魏尔伦[Verlaine]带有色情意味的诗歌和萨德侯爵[Marquis de Sade]的作品是他最喜爱的读物，他总是随身携带着这些书中的任意一本[5]。”努诺克将这个团体介绍给了T. T. 海涅[T. T. Heine]、斯特伦[Steinlen]、费兹[Fizze]和奥布里·比亚兹莱[Aubrey Beardsley]。其中比亚兹莱后来在俄国的追随者尤多，他改革了书籍插图，并向大家传播了一页纸张是一个表达性的整体的重要观点。

组织的成员们开始提出创办杂志的构想。比奈斯和纳夫罗这一对因对音乐的热情，尤其是对柴可夫斯基和18世纪音乐的热情而结成的好友，对此项目尤为感兴趣。不过，可以断定的是这两人经验明显不足。实际上，可能是没有人愿意承担出品一份杂志的责任。比奈斯太过于敏感和反复无常；菲洛索霍夫没有责任心并且身体不好；巴克斯特、谢洛夫和柯罗文正在忙于自己的事业，而努诺克和纳夫罗不喜欢承担任何责任。这件事情很快就交到了佳吉列夫的手上，他能够让这些不同的人聚在一起做一些有创造性的事业，首先是报纸，然后是展览，最后就是“俄罗斯芭蕾舞”——这是“艺术世界”运动最有代表意义的事情。

佳吉列夫所受的教育明显不像他的伙伴那么多。他对学术的追求热情只局限在音乐上，即便如此，他也很快放弃了音乐，听从他的老师里姆斯基-柯萨科夫坦率的建议，转而将其作为一项娱乐活动。然而，相对于其他“涅夫斯基·匹克威克人”而言，他本人是“极其健康、有

24

力且精力充沛的”，而其他的“涅夫斯基·匹克威克人”虽然也才20多岁，却缺乏完成任何活动的斗志。1895年，佳吉列夫再次出国，但这次他是孤身一人，还开始收集画作。他带了一大批最新收集的画回到俄国，而且还和比奈斯开玩笑地暗示说自己将要借此成为S. P. 佳吉列夫博物馆的馆长！通过这趟旅行，佳吉列夫站稳了脚跟，开始和他的朋友们平起平坐。比奈斯仍然充当着他艺术方面的“导师”，而佳吉列夫的性格让他变成了一个天生的领导者，他对于实事的干劲和天分很快就引领他的朋友们投身到一系列创造性活动中去。在发表了几篇大受好评的艺术文章后，佳吉列夫对于公共事业的野心更加壮大了。从这时起，他开始找寻通往艺术行政领域的入口。两年以后他组织了自己的首个展览：“英国与德国水彩”[English and German Watercolours]和“斯堪的纳

24. 尼古拉斯·罗里奇，《伊戈尔王子》，舞台设计，1909年。

维亚画家”［Sandinavian Painters］。1898年，他继续举办了“俄国与芬兰画家展”［Exhibition of Russian and Finnish Painter］。这些都是非常优秀的艺术活动，标志着“艺术世界”作为一个展览团体的开场。不久以后，团体创办的杂志也出版了。

1896年是这个团体成员分散的时期。比奈斯从大学毕业并结婚，去往了巴黎。索莫夫和刚刚加入团体的比奈斯的小侄子兰瑟雷[Lanseray]也去了巴黎。出于对18世纪法国文化的热情，比奈斯在巴黎停留了两年，直到佳吉列夫写信给他强烈要求他回来帮助自己完成杂志出版，他才回到俄国：

“……我现在正在完成一份杂志，我希望这份杂志能够连接起我们全部的艺术生活，这意味着我会使用真正的绘画作为插图，文章将是直言不讳的，并且我以杂志的名义保证，将会每年组织一个系列展览，最后，杂志将刊登时下莫斯科和芬兰冉冉升起的新工业艺术的消息。”[6]

团体中的其他成员很快就被佳吉列夫的项目吸引了，他们展开了热烈的讨论，但是比奈斯却沉浸在巴黎抑郁的情结中，没有给予回应。佳吉列夫又一次写信给他，这封信展现了他对这些艺术家伙伴连哄带吓的态度，而这些艺术家们后来终于被聚集起来完成了这个伟大的活动，那就是“谢尔盖伊·佳吉列夫俄罗斯芭蕾舞团”［Ballet-Russe de Serge Diaghilev］。

“同我无法要求我的父母怜爱我一样，我也无法要求你大发慈悲地在我的事业上帮助我——不是仅仅给予支撑或鼓励，而是一心一意地直接用一种能够创造价值的方式帮助我。一言以蔽之，我无法同你争论，或要求你给予我任何东西，而且，上帝啊，我没有时间了，否则我会到你面前拧着你的脖子。就到此结束吧，我希望我坦白而又中肯的责备能够让你从你自己的世界走出来，希望你不再当一个外国人或是一位旁观者，而是和我们中的所有人一样，立刻穿上肮脏的工作服……”

此后不久，比奈斯回到俄国，开始为计划中的杂志撰稿。他写了一篇有关印象主义的文章和一遍有关勃鲁盖尔[Brueghel]的文章。但是编辑否决了他的后一篇文章，认为内容“不够现代”。正在这时，团体成员的意识形态分裂为“左”“右”两派，并形成两大阵营：那些支持全“新”的成员，抨击所有他们认为狭隘粗野或过时的东西；而更加保守的“右”派，很有学院风范，在知识和兴趣上是兼收并蓄的。第一类人包括努诺克、纳夫罗、巴克斯特和柯罗文，第二类包括比奈斯、兰瑟雷和梅列日科夫斯基。在二者之间的是“调解人”菲洛索霍夫和佳吉列夫，佳吉列夫总是明智地隐藏在他机敏过人的表兄身后。谢洛夫有时帮助一个阵营有时帮助另一个，但是由于他和柯罗文都只是团体的来访成员，他们的观点对后来持续的讨论没有多大影响，而这个持续的讨论后来就形成了这份杂志的基调。

当他们差不多决定好了杂志的内容和形式应当是完全划时代的之后，迎面而来的任务就是找到一个能够赞助这项事业的人。特尼舍娃公主，这位我们之前提到过的在塔拉什基诺手工艺工坊的中心人物，在过去的两年中对比奈斯一直非常友好，因此她被认为是最适合接受这个雄心勃勃项目的人选。但是，当她知道是佳吉列夫要担任杂志的总编辑时，她犹豫了，和许多社会知名人士一样，她仅仅知道佳吉列夫是一个轻浮而又聪明的年轻人，却不知道他是一个真正的艺术学习者。直到佳吉列夫在1897年组织了两个展览后，公主才决定赞助这份杂志。他们还需要寻找另一位赞助人分担创办杂志初期沉重的经济负担，而萨瓦·马蒙托夫正是最为理想的，虽然在当时他的经济状况已经相对较差了。自从在1890年破产后，他就拼命地想要东山再起，而且到当时为止他已经成功了，阿布拉姆采沃制陶作坊又拥有了不错的经济基础。实际上，他当时能够像之前一样在财政上赞助杂志。

《艺术世界》杂志首刊于1898年10月出版。这份杂志能够诞生离不开菲洛索霍夫的个人贡献，他负责杂志出版的技术层面上的事务。他准备了印在特殊的“维格尔”[verger]纸上的插图，这种纸张此前从来没有在俄国投入使用。印刷版的制作碰到了许多问题，在德国花了一年时间才制好。他们最后决定采用的铅字是一个他们找到字模的18世纪字体。因此“艺术世界”可以被认为是一个在印刷技术和艺术上都有建树的先锋团体。

也正是由于菲洛索霍夫，维克多·瓦斯涅佐夫的作品得以出现在杂志首刊中，这个决定引起了团体内一些成员的强烈反对。菲洛索霍夫和佳吉列夫将瓦斯涅佐夫当做是“新俄国的闪亮标志，他是一个偶像，任何在他面前的人都应该双膝跪地崇拜他”。比奈斯、纳夫罗和努诺克反对刊登，他们认为这样就意味着用一种文化历史现象混淆了纯粹的艺术价值，而纯粹的艺术价值正是他们信奉的“艺术世界”的根本信条。然而，他们却被告知，自己的本质仍是外国人，忽略了真正的俄国艺术。“为艺术而艺术”在其支持者阵营中就有所争议。然而，由于认为艺术独立存在，不屈服于宗教、政治或社会宣传动机的想法，启发了“艺术世界”这个简单的理念。“‘艺术世界’高于尘世，在星辰之上的雪山之巅，它统领着骄傲、神秘和孤独。”这是巴克斯特对自己设计的杂志徽章含义的解释。[7]艺术被当做是一种神秘的体验，通过艺术，可以表达和交流永恒的美，它几乎是一种新的宗教。

不久之后加入杂志的作者们发展了象征主义的观点，并且更明确地介绍了它。诗人勃洛克、巴尔蒙特及宗教作家梅列日科夫斯基及罗萨

25

诺夫[Rosanov]代表着法国学派的传承，学派中包括：波德莱尔、魏尔伦、马拉梅[Mallarmé]。《艺术世界》还谈论了史克里亚宾[Scriabin]的音乐，这使得杂志成为真正意义上的“艺术世界”。

杂志早期的图像板块包括来自西欧几个国家的“新艺术”画家——比亚兹莱、伯恩-琼斯[Burne-Jones]，建筑师与室内设计师马金托什[Mackintosh]、凡·德·威尔德[van de Velde]和约瑟夫·奥布里奇[Josef Olbrich]的插图。法国学派代表是皮维·德·夏凡纳，他在俄国追随者甚众，对涅斯捷罗夫的影响尤为深远，还有莫奈[Monet]和德加[Degas]。但是直到1904年杂志出版的最后一年，后印象派才被接纳。

25. 亚历山大·戈洛文，《鲍里斯·戈都诺夫》，幕布设计，1907年。

维也纳分离派、勃克林[Böcklin]和慕尼黑学派最初更加吸引这个团体，而团体慢慢地才开始欣赏当时法国在原始和民俗艺术上的发现，这些发现和阿布拉姆采沃及塔拉什基诺社区开展的莫斯科当代运动极其相似。从1904年开始，莫斯科当地的艺术运动才与高更、塞尚、毕加索和马蒂斯的作品有所联系，这一联系一直持续到1914年。一连串的历史性展览标志着莫斯科运动的成果，这一系列展览是“艺术世界”运动在逻辑上的延续。这两次运动联合起来一同为此后十年间俄国绘画的发展提供了力量与方向。

这一连串的展览是“艺术世界”团体在公众面前的首次露面。他们想要让展览和杂志一样具有国际性视野，但事实证明要做到这点太耗费资金了。首个展览举办于1898年，当时是杂志发行的几个月前。展览名为“俄国与芬兰画家展”[An Exhibition of Russian and Finnish Painters]。除了展示俄国团体的作品以外，展览还展示了芬兰后浪漫主义画派及阿布拉姆采沃聚居区成员的作品，作者包括列维坦、瓦斯涅佐夫兄弟、柯罗文、谢洛夫、涅斯捷罗夫、马柳金和弗鲁贝尔，这些被“艺术世界”奉为神明的人物。

第一个官方的“艺术世界”展在1899年举办。展览包括阿布拉姆采沃工厂出产的陶器和伊莲娜·波列诺娃的刺绣设计。在阐述工业设计新观点的板块中展出了蒂凡尼[Tiffany]的作品和莱俪[Lalique]的玻璃器。发展到这一年，展览更加具有国际风范了，还展出了比奈斯非常崇敬的法国雕刻师里维耶尔[Rivière]的作品，还有皮维·德·夏凡纳的作品以及少量德加和莫奈的小型作品。英国学派的代表是布朗温[Brangwyn]和惠斯勒[Whistler]，德国的代表是勃克林和另外一两个慕尼黑学派的成员。

他们的第三场展览举办于1900年，“艺术世界”团体选举了展览的永久成员，其中包括彼得堡团体的所有原始成员、柯罗文、谢洛夫和戈洛文。戈洛文是一个极其成功的舞台设计师，也是柯罗文紧密的合作者。他们共同完成了许多作品，包括为马蒙托夫的设计和在帝国剧院的作品，还有为佳吉列夫所作的早期戏剧作品，如在《鲍里斯·戈都诺夫》[*Boris Godunov*]中所作的设计。（图25）

从这一时期开始，这个展览不再“国际化”地去代表每个学派，他们甚至在第一场展览中展示了列宾的作品，展览已经更加整体化，同时又不乏个人特色。这种新的风格可以被粗略地分成彼得堡和莫斯科两大派系，即线条派和色彩派。一些年轻一代的艺术家加入了彼得堡派（如比利宾[Bilibin]和斯捷列茨基[Stelletsky]），还有比奈斯、索莫夫、兰瑟雷、多布任斯基[Dobuzhinsky]和巴克斯特。莫斯科团体的新成员有伊戈尔·格拉巴尔[Igor Grabar]、帕维尔·库兹涅佐夫[Pavel Kusnetsov]、乌金[Utkin]、米柳蒂兄弟[Miliuti brothers]、萨普诺夫[Sapunov]，还有后来十年中成为先锋派领导人的拉里昂诺夫[Larionov]和冈察洛娃[Goncharova]二人，他们正是在1906年的展览中首次进入大众视野。最为出类拔萃的象征主义画家波里索夫-穆萨托夫[Borissov-Mussatov]是唯一一个结合了莫斯科和彼得堡这两种学派风格的画家。在20世纪第一个十年快要到来之时，两个学派的区别也愈加明显。

“艺术世界”内最初占主导地位的英国和德国学派直到20世纪早期才被法国学派取代。杂志的最后几期内容都是关于法国后印象派的，包括博纳尔[Bonnard]、瓦洛东[Vallotton]的作品及纳比派的观点，1904年的最后一刊，更是将高更、凡·高及塞尚介绍给了俄国公众。

在这次对法国后现代艺术家的探索之后，杂志就停刊了。这个团体感到他们的宣传任务已经完成。他们不仅成功地修复了俄国与西欧艺术先锋派之间的联系，还让俄国知识分子从整体上认识和了解了国家艺术遗产。由于他们感觉自己曾梦寐以求的新国际文化发展的基础已经形

26

27

成，他们就不再为创造性活动的舞台进行宣传。

人们必须透过剧场审视“艺术世界”的创造性作品，尤其是透过芭蕾舞台的创造。正是在此，“艺术世界”团体对整体的、完美的存在的追求，对完美实现生活创造之艺术的理想得以实现。通过舞台，每个动作都会与音乐节奏联动，而服装和装饰还有舞者成为了一个整体，艺术家们能够以此创造出一个视觉上的整体，一个完整的幻觉，一个完全和谐的世界。

把“艺术世界”带到舞台上的人是谢尔盖伊·沃尔孔斯基王子[Prince Sergei Volkonsky]，他是当时帝国剧院刚上任的负责人。沃尔孔斯基任命菲洛索霍夫担任戏剧剧院[Dramatic Theatre]的行政职务，而佳吉列夫则成为院长的初级助理。虽然只有这两人在帝国剧院行政岗

26—28. 亚历山大·比奈斯，《阿尔米德的亭子》，两套服装设计及舞台背景设计，1907年。

位上有正式的职务，但是整个团体都会聚在一起讨论二人的新职务能够为剧院带来怎样的创新。他们的第一个行动就是接手剧院作品的官方年鉴。佳吉列夫成功地和他的伙伴们一起做了一份精美、有学术高度的且令人印象深刻的年鉴，甚至沙皇都注意到了这件事情。比奈斯同时也被委托为埃尔米塔什剧院的一个小型歌剧作品设计装饰和服装。这一项目也动员了全体的智慧，而且索莫夫还设计了歌剧的节目单。巴克斯特也通过名师切凯蒂[Cecchetti]表演的芭蕾舞《马尔基奥尼之心》[*The Heart of a Marchioness*]，在埃尔米塔什剧院首次亮相。他的设计非常成功，1900年，这个场景还被转移到了马林斯基剧院。

“艺术世界”在剧院的谢幕较为谦逊。沃尔孔斯基由于被牵扯进沙皇堂弟和芭蕾舞女情妇的丑闻中，而不幸被迫辞去帝国剧院负责人的职位，他的莫斯科助手捷列亚科夫斯基[Telyakovsky]随后接替了他的

28

职务。捷列亚科夫斯基不像前任负责人那么强势，但由于他没有主见，所以成为一个很容易被“艺术世界”成功游说的对象。但此时佳吉列夫与捷列亚科夫斯基及政府之间的关系却因不明原因破裂了，佳吉列夫不仅失去了帝国剧院的工作，还被禁止接受皇室的任何雇佣。这就是“佳吉列夫俄罗斯芭蕾舞团”[Ballet-Russe de Diaghilev]后来出现在欧洲和美国，却再也没有出现在俄国本土的原因。[8]

由此，捷列亚科夫斯基不再主要依靠佳吉列夫，而是转向了比奈斯。1903年，比奈斯和作曲家切列普宁[Cherepnin]向捷列亚科夫斯基提出创作以《霍夫曼的故事》[*The Tales of Hoffman*]（比奈斯一直非常喜爱的歌剧）的风格为基调的芭蕾舞。这个歌剧的主要情节是一位年轻的王子梦见了一块哥白林地毯，这块地毯突然有了生命，绘制在地毯上的人物爬出来与他共舞。醒来后他发现了阿尔米德公主遗落在地板上的披巾。捷列亚科夫斯基不太喜爱这个非传统的想法，所以《阿尔米德的亭子》[*Le Pavillon d'Armide*]直到1907年才真正开始制作，到这时，捷列亚科夫斯基才邀请已经出名了的比奈斯完成他早年的计划。（图26—28）比奈斯邀请了年轻舞蹈编导米歇尔·福金[Michael Fokine]来进行编排，他们和切列普宁一道花费了整个夏天编排舞蹈。快要完成时，福金推荐了一个非常聪明的学生加入芭蕾舞团，这个人就是尼金斯基[Nijinsky]。尼金斯基在首演时出演了阿尔米德的奴隶，剧中还为他加入了一段和福金及安娜·巴普洛娃[Anna Pavlova]一起表演的三人舞。这是“艺术世界”在马林斯基剧院上演的第一个且是唯一一个芭蕾舞作品。此次尝试的成功让大家萌生了将俄国歌剧和芭蕾带到巴黎上演的想法。在将西方观点输入俄国后，他们现在已经准备好要将新俄国艺术介绍到西方了。

1903年，由于杂志停刊、“艺术世界”展览结束，自己还被革去了剧院所有职务，佳吉列夫感到有些不知所措，他不像自己的伙伴们一

29

样，能得到艺术灵感的召唤。他要凭借什么来树立自己的公众形象，增强自己的信心？他从尤为现实、功利的角度出发分析了自己的天赋，并决定要致力于传播俄国艺术。他的第一步就是举办18世纪俄国肖像画展览。准备工作包括在国内的偏远乡村住宅中收集已经被人遗忘和轻视的作品。这是一项巨大的工程，佳吉列夫尤为执著地全身心投入其中，并最终促成了一个绝妙的时机。1905年他在彼得堡的塔夫利宫[Tauride Palace]举办了展览，沙皇也出席了开幕式。展览的装饰由巴克斯特设计，构想的是一座带有雕塑的花园，以减轻成排画布的乏味。对于"艺术世界"而言，就算是展览也应该是一个戏剧性的整体。将展览和剧团联系起来的想法为20世纪20年代埃尔·利西茨基进一步发展出的展览技术的到来埋下了伏笔。

一年后（1906年），佳吉列夫成功组织了巴黎秋季沙龙的俄国部

29. 亚历山大·戈洛文，《鲁斯兰与柳德米拉》，幕布设计，1902年。

分。为了这次展览，佳吉列夫动用了许多塔夫利宫展览的画作，而巴克斯特再度设计了佳吉列夫负责的巴黎大皇宫[Grand Palais]里12个房间的装饰。相对于前一年的展览而言，这是一项更加大胆的事业，它的设计目的是将俄国艺术全面地传达给西方。展览的开头是圣像画，这是展览中令人印象最薄弱的部分，因为当时只有少数圣像被清理出来了。（直到1913年在莫斯科举办展览庆祝罗曼诺夫王朝300周年时，俄国圣像画原本的色彩和线条才得以展现在世人的面前。）此外，展品还包括18世纪和19世纪早期的宫廷肖像画，还有俄国各个时期的艺术作品，但是一般都没有受人鄙视的"漫游者"们的作品。展览的结束部分是最近才在"艺术世界"展出作品的年轻艺术家们——帕维尔·库兹涅佐夫、米哈伊尔·拉里昂诺夫和娜塔丽娅·冈察洛娃。

这次展览（到现在为止仍然是在西方举办过的最全面的此类主题的展览）对于佳吉列夫来说是他最有野心的行动。展览大获成功，虽然不像后来的芭蕾舞演出季那么壮观，但也足以激励他在其他的项目中继续向西方宣传俄国艺术。一定要在西方，因为在故乡，他的展览受到太多的限制。1907年和1908年，佳吉列夫让"五位"国家主义作曲家登上了巴黎的一系列音乐会；1908年，他又为巴黎带来了帝国剧院的作品——穆索尔斯基的歌剧《鲍里斯·戈都诺夫》[*Boris Godunov*]。（图25）夏里亚宾扮演了剧名角色，比奈斯和戈洛文设计了舞台装饰和服装。此作品获得了巨大的成功，佳吉列夫和住在巴黎的比奈斯及其他一些参与了歌剧活动的伙伴也一起开始筹划日后的项目。

他们就像早期"涅夫斯基·匹克威克人"时期和后来《艺术世界》杂志出版会议时期一样联合起来，在接下来的几个月内进行了无数次的讨论，并最终令俄国芭蕾舞团获得了首个具有历史意义的巨大成功。这个芭蕾舞团于1909年5月19日在巴黎的夏特勒剧场[Châtelet theatre]成立。《阿尔米德的亭子》（图26—28）和鲍罗丁的《伊戈尔王子》（图

30

24）被选为开场节目。《伊戈尔王子》的芭蕾序列舞就是著名的《波罗维茨之舞》[*Polovtsian Dances*]，这支舞蹈在罗里奇设计的瑰丽背景前上演，受到了狂热的追捧。首个演出季的节目还包括了里姆斯基–柯萨科夫的《普斯科夫提安卡》[*Pskovtianka*]（被西方改名为《恐怖的伊万》[*Ivan the Terrible*]），还有19世纪中叶作曲家谢洛夫的流行作品以及格林卡[Glinka]的歌剧《鲁斯兰与柳德米拉》[*Ruslan and Ludmilla*]序章部分。（图29）不过当季最成功的作品还是芭蕾舞演出。除了《阿尔米德的亭子》和《波罗维茨之舞》，福金还为《仙女们》[*Les Sylphides*]和《埃及艳后》[*Cléopatre*]编排了舞蹈，前者是一部精美的浪漫主义作品，由巴普洛娃和尼金斯基表演；后者是一出融合了七位作曲家作品片段的音乐剧，由伊达·鲁宾斯坦[Ida Rubinstein]出演。巴克斯特杰出的舞台装饰设计让《埃及艳后》尤为出众，他设计了一个孔雀

30. 马蒂斯拉夫·多布任斯基，《戴眼镜的男人》[*Man in Glasses*]，1905—1906年。

31

32

31. 亚历山大·比奈斯，《白雪皑皑的凡尔赛》[*Versailles under Snow*]，1905年。
32. 康斯坦丁·索莫夫，《吻》[*The Kiss*]，1902年。
33. 瓦伦丁·谢洛夫，《彼得一世》[*Peter the First*]，1907年。

般鲜艳的异国场景，正如他在《东方之舞》（图22）和《一千零一夜》中所作的舞台设计一样，在巴黎一鸣惊人。

在1914年之前，佳吉列夫每年都会把作品带到巴黎，这些作品饱含着“艺术世界”的特色，其中包括了：比奈斯喜爱的古典复兴；罗里奇和斯特拉文斯基[Stravinsky]唤起的异教徒文化；巴克斯特的设计中渗透的希腊文化复兴，如《牧神午后》（图23）中波斯室内装饰的影响；戈洛文那带有弗鲁贝尔传统色彩的装饰性印象主义；柯罗文的印象主义设计；还有后来拉里昂诺夫和冈察洛娃的设计，他们的设计不仅仅借鉴了阿布拉姆采沃艺术家们复兴民俗艺术时采用的明亮色彩和形式图案，还预示着未来主义绘画运动的到来，他们正是俄国未来主义的先行者。

因此，在佳吉列夫的芭蕾舞团中，人们可以再次发现“艺术世界”时期俄国艺术生活的缩影。“艺术世界”团体的创作对俄国和西方都具有重要的意义，他们实现了自己的野心，创造出一种从俄国诞生的新国际文化。

在前文中我们已经区分出“艺术世界”的两个主要分支：彼得堡学派（线条）和莫斯科学派（色彩）。不论是哪个分支，最重要的作品都是在剧院完成的，而且“剧院”设计中使用的方法所产生的影响对后来的图像革命也至关重要。

让我们先从彼得堡学派说起。学派的带头人是比奈斯，他们最重

33

要的图像构成创新是在不依赖透视的前提下利用新的方法安排空间。他们的许多手法都是直接从舞台上搬来的，例如，他们利用舞台侧翼或是悬挂前方的画板创造出画面深度，画板通常用来表现树叶，创造泛神论氛围，表示由被大自然环绕和保护的神秘之境，具有典型的象征主义特征。他们的目的通常是强调“感觉”，而不在于表现观者和画面世界之间“精确”的距离感，因此他们会使用一个略高的或极低的视点，让人对画面产生即时感和临场感。（图33）比奈斯通常会使用这种手法唤起人们对凡尔赛和路易十四时期的，或是对彼得大帝时代的古典风格，或卡特琳大帝的洛可可风格的感受。（图31）另一种他们热爱的手法取材于文艺复兴时期的画家们，在场景的背后画一扇窗户，通过这扇窗可以一瞥其他场景，或是通过镜中影像重复同一个场景，或从另一个角度再度绘制同一个场景。（图16、30）还有一种从戏剧转换到架上绘画的特征是使用剪影，尤其是夸张的18世纪剪影。（图32）通过只描绘人物的侧面或展示人物的背影这两种手法，戴着大型假发的剧中人物就会被表现得更像人偶而非真人。

艺术家们尝试着利用这些方法打破传统学院派画作的构成技法。他们的主要抽象特征还是表现在将人物形象简化成一种具有装饰性的形状，这强调了画作表面的二维特征，突显了在色彩与形体分离下的线条的张力。通过“展开”和画面表面相对平行移动的剪影物体，他们强化了画作作为对某一个时间点的视觉印象的表现力，通过使用设计的服装，他们把个体缩减成同一种风格，把特殊变成了普遍。

彼得堡学派从弗鲁贝尔处继承而来的对平面构成的重现，相反地，在莫斯科学派那里就表现在了色彩上。他们通过拒绝塑造立体感并使用遍布表面的均匀色彩，打破了画面平静、封闭的形式，创造了多样的形式，正如在圣像画中一样。在谢洛夫绘制的一个古代场景中，一架双轮战车几乎飞驰在地平线之上，纹丝未动的广阔天空仿佛在嘲笑着沙地上粗略的人物形象和马匹。无处不在的旷远感是这一类画作中典型的新情绪，反映出象征主义无形、神秘、未知的特征，没有清晰的定义和确切的解释，代表了更深层次的现实。这些画家常用完整的前景导向画面中部细小的人物，扩散的光线将人的视线引回到天空之上。这种视线的来回运动后来出现在了帕维尔·库兹涅佐夫的作品中，他是这些艺术家们精神的直接继承者，例如在画作《草原的海市蜃楼》[*Mirage in the Steppes*]中，平旷的地面向地平线不断延伸，在浩瀚、均匀的蓝色之上，湿热的流水抛撒出白色的闪光曲线。

在柯罗文的作品中，印象派的影响并不表现在对场景的光与色彩的准确表达上。这位俄国画家从来不屑于表现真实的图像，而是使用铺满整个画面的连续不断的笔触将一个又一个元素融合起来，背景和物体相互制衡，所以人物就变成了一个色块，而不是一个可以被任意定义的独立元素。戈洛文也用一种类似的方式在装饰性“地毯状”编织图案中推进了弗鲁贝尔的实验，他将整体简化成一个具有色彩节奏的律动整体。戈洛文的作品和柯罗文的作品一样（二者长期合作），本质上都忠于剧院，创造了一种能够把观者拉入画作中的氛围。戈洛文和柯罗文为佳吉列夫剧院在巴黎的作品《鲍里斯·戈都诺夫》（图25）和1902年马林斯基剧院的《鲁斯兰与柳德米拉》（图29）所作的装饰是他们对构建视觉整体的最初尝试，他们直接继承了早期的马蒙托夫“私营歌剧院”作品的成果。

唯一一位能够将彼得堡艺术家们受18世纪影响的服饰画和莫斯科艺术家们的色彩实验联系起来的人是维克多·波里索夫-穆萨托夫（1870—1905）。在弗鲁贝尔之后，波里索夫-穆萨托夫成为俄国当时最知名、最有影响力的画家。

波里索夫-穆萨托夫的家乡是伏尔加河东侧的萨拉托夫市[Saratov]，在20世纪20年代前，萨拉托夫是俄国地方艺术的中心。（1924年，大型德

34

国表现主义绘画展览就在俄国莫斯科、列宁格勒和萨拉托夫举办。）萨拉托夫的拉季舍夫博物馆[Radishchev Museum]拥有一套那个时代的先进藏品，还收藏了一系列优质的蒙特切利[Montecelli]作品。穆萨托夫很小就开始参加拉季舍夫博物馆的绘画课程。由于前景看上去不错，穆萨托夫离开了故乡，进入莫斯科绘画、雕塑与建筑学院学习。1891年，他转学到彼得堡学院，成为奇斯佳科夫最后的一批学生。但是他仍然不满足，一年后他返回莫斯科，并开始热情地投入工作。他的早期作品比较学院派，线条坚硬，色调偏冷，还在莫斯科的时候，这位后来成为象征主义者的梦想就表现在了他的学生时代的创作中。1895年，他离开巴黎，而后四年，他在古斯塔夫·莫罗[Gustave Moreau]的工作室工作，这个工作室因为后来的野兽派画家短暂在此居住而为人所知。然而，穆萨托夫和这些野兽派画家没有任何联系。他和1894年的佳吉列夫一样着迷于巴斯蒂安-勒帕热[Bastien-Lepage]的作品。皮维·德·夏凡纳也很

34. 维克多·波里索夫-穆萨托夫，《秋日的傍晚》[*Autumn Evening*]，湿壁画习作，1903年。

35. 维克多·波里索夫-穆萨托夫，《沉睡的众神》[*Sleep of the gods*]，湿壁画习作，1903年。

36. 维克多·波里索夫-穆萨托夫，《水库》，1902年。

35

36

快沉迷于巴斯蒂安的作品，就像纳比派和“艺术世界”的画家一样。我之前已经指出这两个团体在兴趣和目的方面的相似性，但是列出一个详细对照也许更加有趣，尤其是在需要对比大背景下的绘画理念时。

37

在皮维·德·夏凡纳的影响下，穆萨托夫开始采用历史性的风格。他对过去的迷恋，对19世纪30年代风格的追捧，是他成熟的作品中仍然保有的特征。人们会感觉到，他并不是想要激起人们对历史上某一具体时刻的联想，这和比奈斯及索莫夫这两位18世纪彼得堡学派支持者[*devoués*]不同，穆萨托夫只描绘过去，不断悲叹已经一去不复返的时光。

穆萨托夫对于历史性服装的使用和索莫夫以及比奈斯也大有不同。他并不是将人物有意识地缩减为剪影或提线木偶状，而是让人物变

37. 维克多·波里索夫–穆萨托夫，《黄昏蜃景》[*Sunset reflection*]，1904年。

得更加遥远和神秘。

1895年在古斯塔夫·莫罗去世后，穆萨托夫回到了俄国。他返回了故乡萨拉托夫，并在一种非常忧郁的氛围中工作，直到1905年早逝。当地的一位土地拥有者为穆萨托夫提供了完美的工作场地——一个废弃的公园，还有公园里古典主义风格的废弃住宅，就像是英国画家康德尔[Conder]非常爱画的房屋和凉亭。（图34、35、37）穆萨托夫当时的作品几乎都出现了这个带有白色列柱和圆形穹顶的房子。模糊的、穿有裙撑的行人凝视着自己在水面的倒影，如此神秘、孤独而又寂静。1902年的《水库》[*The Reservoir*]（图36）就是一个典型的例子，忧郁的人物自我幽禁在一个封闭而又死寂的世界中，四周是光影和无形的水波。穆萨托夫常常使用柔和的蓝色和灰绿色，这是象征主义最重要的色彩，梅特林克[Maeterlinck]的《青鸟》[*Bluebird*]、奥斯卡·王尔德[Oscar Wilde]的绿色康乃馨和后来康定斯基及亚夫连斯基[Yavlensky]的“青骑士”都和这种色彩相关。还有“蓝玫瑰”（一个莫斯科艺术家团体），这个团体直接受穆萨托夫启发，并在1905年后继承“艺术世界”，作为新的俄国绘画运动继承发展，他们是第二代象征主义画家。

第三章 | 1905—1910

1905年革命的失败催生了动乱的政治氛围，然而所有艺术领域中却都出现了新的生机。巨额外资投入为工业化迅速扩张提供了条件，并使俄国进入了欧洲经济圈，因此从1905到1910年这五年中，俄国艺术运动和其他欧洲艺术中心的发展息息相关。正是在这段时间之内，俄国成为慕尼黑、维也纳和巴黎进步观念的汇集地，基于这种国际性的氛围，俄国发展出了一种新的艺术风格，在未来的十年中，这种风格催生了一支独立的俄国艺术学派。

这一段能够和西欧艺术中心自由交流并复兴俄国文化的时期之所以能产生，直接得益于"艺术世界"成员的努力。如果追溯他们发起的运动，会重新发现一些事件的发展脉络。

《艺术世界》杂志停刊后，杂志的供稿人开始继续创立自己的出版物。1904年，《天平》[*The Scale*]杂志诞生了。[1]两年后，《新方式》[*The New Way*]杂志诞生。[2]通过这些杂志，"艺术世界"最重要的创见得以延续，那就是：艺术作为一个整体的概念，不论采用何种表达媒介，它都是所有灵感的来源和灵感与灵感间本质的关联。"艺术世界"成员和象征主义学派在精神上的密切相关性后来体现在文学与艺术的交相发展之中，这是1910至1921年俄国未来立体主义[Cubo-Futurist]和一系列抽象画派的最显著的特征。因此这些象征主义杂志不仅刊登了包括布留乌索夫[Briussov]、巴尔蒙特、勃洛克及法国前辈作家的启蒙之作，还给绘画、音乐和建筑发展留出了空间。

由"艺术世界"开启的对俄国艺术史的探讨，在这一阶段表现为大量杂志的出版。这场运动的中心人物是比奈斯。早在1903年，他就出版了《俄国艺术瑰宝》[*The Artistic Treasury of Russia*]杂志；[3]1907年，出版了《旧时光》[*The Old Years*]；[4]1909年，《阿波罗》[*Apollon*]杂志也开始出版。[5]这些杂志标志着系统性的艺术史研究，尤其是俄国艺术史研究的尝试已经开始。在此，我们能够找到将俄国艺术运动与相对应的欧洲运动联系起来的首次尝试。他们还追溯了俄国的拜占庭传统，以及民间艺术的来源。在这些出版物中，一些伟大的私人收藏家也开始被刊登出来，包括早期圣像画的赞助者、近年来收集晚期欧洲宫廷画的莫斯科商人们，甚至还有更近代的东方及现代欧洲艺术收藏家们。

《阿波罗》杂志对于俄国现代艺术史家而言更有价值，因为它包含了杂志刊行的年代里那些展览的历史细节，包括从生机勃勃的1909年到1917年革命之间的展览。这些记录是研究当时大部艺术运动唯一的可靠文献。

然而，《阿波罗》并没有延续"艺术世界"的传统，继续充当先锋派的倡导者。从开始发行后，它经常记述小型展览，这些展讯非常学术，也非常准确，但是信息的呈现方式却通常是学究式的。它的贡献更多地在于巩固已有的成果，而不是有所创新。

完美地承接了"艺术世界"传统的是"金羊毛"[Golden Fleece]组织。[6]它不仅在自己的杂志中倡导先锋派，而且还积极组织、赞助展览。这本杂志出版时间不长，仅从1906至1909年，但在这段时间内，"金羊毛"非常重要，很快我们就会详述它的成立、发展和意义。

纳夫罗和努诺克，这两位"艺术世界"的音乐成员，于1902年在圣彼得堡成立了一个名为"当代音乐之夜"的社团。社团的目的是把先锋派音乐家聚在一起，社团的音乐会通常上演首次在俄国表演的国内外音乐作品。成员们喜爱马勒[Mahler]、雷格[Reger]和理查德·斯特劳斯[Richard Strauss]、德彪西[Debussy]、拉威尔[Ravel]、赛萨尔·弗兰克[César Franck]和福莱[Fauré]的作品，国内则包括斯克里亚宾[Scriabin]、里姆斯基–柯萨科夫、拉赫马尼诺夫[Rachmaninov]和梅特纳[Medtner]的作品。17岁的普罗科菲耶夫[Prokofiev]就是在这些晚会中进行了第一场公开的音乐会，同样也是在这里，里姆斯基–柯萨科夫的年轻学生伊戈尔·斯特拉文斯基[Igor Stravinsky]首次表演了原创作品《火花》[*Fireworks*]。谢尔盖伊·佳吉列夫曾在1909年参加过晚会，他碰巧聆听了这些不知名的年轻作曲家的音乐片段，并为之狂热，他用他独特的方式，要求一位作曲家接管正在筹划的芭蕾舞表演《火鸟》[*Firebird*]的总曲谱编写工作。（他已经任命利亚多夫[Liadov]谱曲，但是由于当时利亚多夫还没有写出任何作品，佳吉列夫决定把此任务交给斯特拉文斯基。）由此，这变成了一项快乐而又富有历史意义的合作，斯特拉文斯基为佳吉列夫谱了十场芭蕾舞的曲，他的作品因此被传播到了西方，他最终也在西方定居。

“艺术世界”运动的另一个直接后果，同时也是未来15年中俄国绘画领域的一个重大的发展，就是中产阶级开始购买画作。对于有身份的富有市民来说，“文化”和画作收集是不可或缺的。他们收集的画作主题各式各样，同时反映了“艺术世界”对后来一代品位的影响。俄国18和19世纪早期肖像画在佳吉列夫1905年的展览后变得非常流行，他的展览把这个早已被人遗忘的流派带回到大众的视野中，且让俄国的公众重新爱上这些画作。新的收藏需求还产生了更重要的影响，那就是法国后印象派画作因此被带到了俄国，这些画作深深地影响了俄国年轻一代的画家们。其中最为著名的收藏家是谢尔盖伊·休金和伊万·莫萨托夫，他们两人都是莫斯科人。

谢尔盖伊·休金是个小个子，有部分蒙古人的特征，在刚硬的眉毛之下有着闪亮的黑眼睛，亨利·马蒂斯曾经用非常戏剧化的方式记录下了这个男人。休金收集了极多马蒂斯和毕加索的作品。

他有四个兄弟，也都是收藏家，但是他们之中只有谢尔盖伊对当代艺术感兴趣。如我们在第一章中所见，他的收藏家伙伴波特金[Botkin]（后定居于巴黎）向他介绍杜兰德-鲁埃尔[Durand-Ruel]的画廊，并让他注意到一幅克劳德·莫奈的画作。这是他首次接触到法国印象派，他是莫奈的狂热崇拜者，在俄国也是超前的崇拜者。休金很快就购买了一幅莫奈的画作——《阿让特伊丁香》[*Argenteuil Lilac*]。这件事发生在1897年，标志着休金非凡的收藏的开端。1914年第一次世界大战爆发时，他的藏品中已经有221幅法国印象派和后印象派的作品，其中超过50幅是马蒂斯和毕加索的画作，包括马蒂斯重要的野兽派和后野兽派作品，以及毕加索后期的分析立体派[analytical Cubism]作品。[7]通过这种方式进入俄国公众视野的不仅仅是毕加索和马蒂斯的作品，19世纪70年代的巴蒂诺尔学派[Batignolles school]——包括马奈、方丹-拉图尔[Fantin-Latour]、毕沙罗[Pissarro]、西斯莱[Sisley]、雷诺阿[Renoir]、德加和莫奈的作品也通过休金进入俄国。也许直到1904年，他才购得首幅塞尚的画作（虽然他可能在1899年就从维克多·肖凯[Victor Choquet]的手中直接购得一幅《瓶中花》[*Flowers in a Vase*]）。从1904年开始，休金就把精力集中于后印象派，他曾经在独立沙龙[Salons des Indépendants]和秋季沙龙看过这些作品，他本人常去这些沙龙。凡·高、高更、纳比派、“海关员”卢梭[Douanier Rousseau]和德兰[Derain]最好的作品，很快就出现在他位于莫斯科的大宅的墙面上，这个宅邸现在每周六下午对公众开放。年轻一代的莫斯科画家突然面对这些画作所受到的冲击是显而易见的。但是相对于休金收集的马蒂斯和毕加索的杰出作品来说，莫斯科画家们很少吸纳这些画作的内容。虽然休金在1904年已经收集过一些马蒂斯的作品，但大约在1906年，他才第一次碰见马蒂斯。[8]在1906年到1907年间，休金购买了四幅早期野兽派作品，到1908年，他在收藏了重要的《保龄球比赛》[*Game of Bowls*]和大型画作《蓝色和谐》[*Harmony in Blue*]（这幅画后来为了和休金的餐厅协调，改成了《红色和谐》[*Harmony in Red*]）后，成为马蒂斯最重要的赞助人。第二年，他又购买了《宁芙与萨蒂尔》[*Nymph and Satyr*]，还委托马蒂斯绘制了大型画作《音乐与舞蹈》[*Music and Dance*]，这幅画是1911年冬天马蒂斯亲自前往莫斯科安置的。据说马蒂斯在这趟旅程中对俄国城镇活跃的艺术氛围留下了深刻的印象，而且在俄国花费了很长时间研究俄国圣像画和民俗艺术。“我在莫斯科研究圣像画时，才首次理解拜占庭的画作。”[9]莫斯科画家则相应地对马蒂斯的画作印象尤为深刻，即使是塞尚、高更、毕加索这些对当代莫斯科先锋派有巨大影响的画家们也无法唤起如此的热情。马蒂斯的绘画语言简化到了最基本的元素，采用装饰性的平面风格，这和莫斯科画家们的想法非常接近。在莫斯科杂志《金羊毛》的马蒂斯特辑中，就反映了当时俄国人对马蒂斯的认可。[10]特辑中包括《金羊毛》在巴黎的永久记者亨利·莫塞罗[Henri Mercereau]的论文，他在文中谈到马蒂斯在法国先锋派运动中的地位，还包括一篇马蒂斯的《一位画家的笔记》[*Notes d'un peintre*]译文。阿尔弗雷德·巴尔[Alfred Barr]将拥有大量插图的这一刊《金羊毛》描述为在1920年前所有语言中，最为全面的关于马蒂斯的独立作品。[11]

正是马蒂斯将休金介绍给毕加索。从1908年首次见面到1914年之间，休金购买了50幅毕加索的作品，还在莫斯科为马蒂斯和毕加索的画作准备了单独的房间。马蒂斯于1911年前往莫斯科并亲自布置好了房间。毕加索的房间包含了来自刚果和马达加斯加的非洲雕塑作品，用来与他的立体主义作品相配套。休金收藏了一大批极端立体主义的作品，包括1908至1909年间的早期作品和后来近乎抽象的作品，如1912—1913年的《乐器》[*Musical Instrument*]。（图120）后者是少有的画在椭圆形画布上的作品，直接成为马列维奇的立体主义作品（这之后他就开始绘画至上主义[Suprematist]抽象画作）的范本。（图117—119）

莫洛索夫家族和休金不同，他们是传统的艺术收藏家。也许正是如此，莫洛索夫的选择更加保守，相对于休金这种不顾他人意见选择画作的方式而言，他的选择更加不确定，也更没有个人倾向。莫洛索夫和休金相反，需要他人的鼓励。他在1908年首次被休金带到马蒂斯的工作室时，还不了解近期的作品，休金似乎很乐于激怒莫斯科的中产阶级，他则和这位大胆的俄国同胞迥然相异，所以最初莫洛索夫只购买了马蒂斯的早期作品。然而，在短短数年中，莫洛索夫就开始被马蒂斯的天赋打动，以至于不管质量如何，他的马蒂斯藏品数量甚至超过了休金，但莫洛索夫不太敢在毕加索的作品上冒险。实际上，在他收集的全部135张画作中，只有一张来自毕加索。主要的藏品还是来自塞尚、莫奈、高更和雷诺阿。他也购买了许多纳比派的作品，并且委托莫里斯·丹尼斯[Maurice Denis]、博纳尔和维亚尔[Vuillard]为他的住宅绘制大型画作。[12]丹尼斯在俄国追随者众多，在这段时期，他还到过俄国几次，他的作品比任何其他法国画家的作品都更加贴近彼得堡象征主义文学学派。在这个学派中，他找到了热情的支持者，他的作品和文章常常被转载在支持者的杂志上。

因此，通过莫洛索夫和休金的藏品，俄国艺术家如同走进了一个专题课堂，课程内容为过去的40年中的法国绘画革命，十年内最先进的观念和运动也因此更加深刻地影响着莫斯科人，甚至超越了其对巴黎的影响。在巴黎，公众反而没有机会看到这种极具眼光的人挑选出的藏品。

这样的刺激将会引发一场革命，这并不令人惊讶。1905年成功建立的“艺术世界”运动和它的宣传者们已经让年轻一代画家们焦躁不安地想要反叛，尤其对于莫斯科的画家而言，“艺术世界”主导的抽象化平面风格让他们感到陌生。他们反对“艺术世界”画家一直强调的博学，尽管后者为了与“漫游者”较量而开始追求博学这一更高的艺术标准，且其战争业已胜利。当时，莫斯科画家们自身和公众接受基础文化教育的需求不再急迫，年青一代认为“艺术世界”成员是在为知识而追求知识，并且早已迷失在那些令人费解，除了高级知识分子以外，与谁都无关的问题中。在《金羊毛》的第一期，新一代发出了反对之声：

“要理解哪怕一点点索莫夫、多布任斯基、巴克斯特、比奈斯和兰瑟雷的作品，人们必须了解18世纪的艺术，还要了解19世纪早期艺术。他必须研究过庚斯博罗[Gainsborough]和比亚兹莱、列维茨基[Levitsky]（俄国18世纪肖像画家，1735—1822）和布留洛夫[Briullov]（俄国古典主义画家，1799—1852）、委拉斯贵支[Velasquez]和马奈，还有德国16世纪木板雕刻……但是有人可以从这样的历史中创造出一种能够与普通大众交流的艺术吗？”[13]

1906年的展览显示出他们对“艺术世界”相当程度上自相矛盾的反抗。展览展出了大量作品，创作这些作品的艺术家们当时看来并没有什么共同点，他们包括最早的“元老派”[old guard]，彼得堡第二代艺术家们，如比利宾和斯捷列茨基，还有一大批年轻的画家，这些年轻画家主要来自莫斯科，他们受到佳吉列夫的邀请参加了这个展览和同年正在巴黎组织的另一个展览。

“元老派”的作品主要是当时为剧院所做的设计。比奈斯在法国暂居三年以后，展出了一系列凡尔赛公园的《路易十四步道》[*Walks of Louis XIV*]。罗里奇展出了一系列古代山景。柯罗文也刚刚从法国回国，他现在模仿毕沙罗和莫奈，并且展出了传统的印象派巴黎街道场景。谢洛夫展示了少量杰出的著名人士肖像画，如女演员叶尔莫洛娃的肖像。（图16）弗鲁贝尔展现了他最近在莫斯科附近的精神病院中绘画的作品（他当时就住在那里），其中还有一张他的印象派诗人朋友布留

索夫的肖像。（图17）

然而，展览最令人激动的部分还是波里索夫-穆萨托夫的遗作，他活着时只在一小群画家中有点知名度。佳吉列夫非常崇拜这位画家，认为他被极大地低估了。翌年（1907年），佳吉列夫在莫斯科组织了一个大型的波里索夫-穆萨托夫回顾展。1906年“艺术世界”展览的波里索夫-穆萨托夫部分是首次整体展现波里索夫-穆萨托夫作品的一次尝试。在整合这些画作的过程中，佳吉列夫毫无疑问也影响了“蓝玫瑰”[Blue Rose]团体的成立，这是第二代象征主义艺术家们的团体，他们宣称波里索夫-穆萨托夫为自己的灵感来源。

后来组成“蓝玫瑰”的艺术家们对展览贡献巨大，“给展览带来新的色彩、新的色调和新的生命”。[14]团体中大部分成员是谢洛夫和柯罗文在莫斯科学院的学生。“蓝玫瑰”艺术家中最为著名的人是帕维尔·库兹涅佐夫、亚美尼亚人乔治·亚库洛夫[Georgy Yakulov]，和后来成为构成主义剧院设计师的娜塔丽娅·冈察洛娃、米哈伊尔·拉里昂诺夫[Mikhail Larionov]、希腊的尼古拉·米柳蒂[Nikolai Miliuti]以及瓦西里·米柳蒂[Vassily Miliuti]兄弟二人，还有亚美尼亚人马尔季罗斯·萨良[Martiros Saryan]。

在1906年12月的“俄国艺术家联盟”[Union of Russian Artist]展览之后，“蓝玫瑰”团体形成了独立的实体组织。“俄国艺术家联盟”是一个成立于1903年的莫斯科展览团体，他们在一定程度上取代了“艺术世界”团体。联盟没有标榜任何特定的哲学或风格，只是一个每年组织展览的团体，并且任何人都可以参展。许多彼得堡“艺术世界”成员就参加了，这些展览成为莫斯科学院成员展现自己作品的中心。然而，这些年展通常缺少激情，因为其中包括任何流派的艺术家们。但是对于年轻学生和刚刚出道的画家来说，这常常是第一个展示画作的机会。

在1906年12月的展览中，团体展出的作品中有许多都在之前的

“艺术世界”展览出现过，相较于这场莫斯科展览多元的背景而言，这些年轻画家的作品更为引人注目。

弗鲁贝尔和波里索夫-穆萨托夫的影响在这些年轻画家的作品中显而易见。一方面，人们可以从中辨认出弗鲁贝尔那富有想象力的意向和装饰性的图像构成方式；另一方面，则是波里索夫-穆萨托夫柔和的蓝色色调和流动的线条。正是基于这些原因，“蓝玫瑰”团体通过大胆地简化形式，使用更多的纯色、暖色调，反抗“艺术世界”所追求的精致和世故。用他们的发言人尼古拉·米柳蒂的话来说，他们的目的是“把清晰的事物带入到嘈杂的境界中……创造一个中心，使所有鲜活的东西都开始流动……创造一个更加审慎和清醒的团体”。[15]

次年（1907年）3月，“蓝玫瑰”在莫斯科的库兹涅佐夫住宅举办了自己的展览。15位画家和雕塑家马特耶夫[Matveev]参加了展览。在回顾此次展览时，谢尔盖·马科夫斯基[Sergei Makovsky]这位象征主义

38

39

40

38. 帕维尔·库兹涅佐夫，《假日》，约1906年。

39. 尼古拉·萨普诺夫，《化装舞会》[*Mascarade*]，约1906年。

40. 尼古拉·萨普诺夫，为梅耶荷德[Meyerhold]戏剧作品《哥伦拜恩的伴郎》[*Colombine's Best Man*]所作的三套服装设计，1910年。包括哥伦拜恩的伴郎、舞蹈指挥、访客的服装。

41

诗人和《阿波罗》杂志的未来的编辑写道："他们深爱着色彩和线条的律动……这预示着新原始主义的到来，我们的画作也将迎来现代化。"[16]

不管从哪方面看，帕维尔·库兹涅佐夫都是"蓝玫瑰"团体的典型。在1895至1896年间，他从巴黎回国，成为波里索夫-穆萨托夫的学生，后者是他们公认的灵感源泉。他也是萨拉托夫本地人，当地顶级的拉季舍夫博物馆以及库兹涅佐夫在当地的老师——意大利人巴拉奇[Baracci]对外光画法的强调影响了团体，激发了"蓝玫瑰"独特的泛神论绘画方式。在库兹涅佐夫的早期作品中，可以找到风景画家波列

41. 帕维尔·库兹涅佐夫，《出生——与周围神秘力量的融合：恶魔的觉醒》[*Birth-fusion with the mystical force in the atmosphere. The rousing of the devil*]，约1906年。

42. 帕维尔·库兹涅佐夫，《葡萄丰收》[*Grape Harvest*]，约1907年。

诺夫和列维坦以及法国巴比松画派的影子。库兹涅佐夫在1897年进入莫斯科学院，跟随列维坦和他的同事谢洛夫教授工作。谢洛夫对这个19岁的青年没有多大的影响，而库兹涅佐夫当时已经发现自己对色彩是最有兴趣的。然而，还是由于谢洛夫认为他这位早熟的年轻学生非常优秀，佳吉列夫才邀请库兹涅佐夫参加1906年“艺术世界”展览，我们之前已经谈到过这个展览。这是他作品的首次露面，画作即刻就获得了观众的认可。

与穆萨托夫不同，库兹涅佐夫和其他“蓝玫瑰”艺术家并没有沉醉于一种宿命感中，或是带有悲观情绪，或是感到自己在世界中是异类。死亡、衰败和疾病对于早期象征主义运动来说是最受欢迎的主题，但是代表了第二代象征主义运动的“蓝玫瑰”没有表现这些主题，他们的绘画与生活本质息息相关。母爱[*Maternal Love*]、清晨[*Morning*]、诞生[*Birth*]（图41）是库兹涅佐夫作品最常见的标题。在他的作品

42

中，人物好像刚从熟睡中醒来，仍然昏昏沉沉。他们的周围非常平静，这种平静不同于穆萨托夫作品中那种濒临死亡的平静，而是为生命的神秘而感到敬畏所带来的宁静。穆萨托夫的元素带有一种泛神论的整体性，同时又展现了一个人作为大自然景观中亲密的一分子的，令人愉快的视觉形象，而不是被当作一种被更强大的力量所吞没的生物。有一位当代评论家把他的作品评论为“把我们带进一个形式缥缈、轮廓模糊的世界的诱人幻象……这些幻象带有苍白的蓝色，无光泽的平静色调，颤抖着的超自然的剪影，透明的神秘花枝沐浴在清晨的阳光中，每件东西都是那么不可言喻，仿佛被不祥的预感攫住”[17]。

库兹涅佐夫的作品则实际都来自于自然，虽然也有幻想成分。这是对“艺术世界”的剧院方式的反抗。但是库兹涅佐夫还是采用了许多“艺术世界”画家的手法。他的作品中气氛是主要的元素，几何透视和形式在体量方面的特征是完全没有的。他的画是平面的，人物相对于平面来说刻画更为有力一些。重复是其中的重要特征。库兹涅佐夫和波里索夫–穆萨托夫一样都有着强烈的抒情气质，也同样使用蓝灰色调。他强烈弯曲的笔触带有一种柔软的感觉，这种感觉也来自穆萨托夫。不论是从库兹涅佐夫自己的画作中，还是从俄国画作的总体来看，这种平面、装饰性的绘画特征后来都变得更加极端。

在1907年展览中，一个更加惹人注意的特征就是，许多作品都不是有画框的图片，而是画板。这个趋势和架上绘画不再与现代生活一致的感受相吻合。对于纳比派和奥地利及德国的“新艺术”画家来说，这也非常普遍，艺术现在是社会不可或缺的一部分。他们希望能够反对文艺复兴的绘画观念，这种观念认为绘画反映的是不同于现实的理想世界。

展览中最出众的作品之一是尼古拉·米柳蒂的《悲伤天使》[*Angel of Sorrow*]（图44）。画面仿佛拼凑了从上而下流动的笔触，笔触结合了明亮的粉红色、淡紫色、青绿色。它强烈的节奏和刺绣般的表面让人

43

联想到弗鲁贝尔，花哨图案中失魂落魄、饱经沧桑的脸的意象，鲜明地让人想到后来弗鲁贝尔的“魔鬼”。在“蓝玫瑰”艺术家们的作品中，经常出现各种形态的水，这又让人想起波里索夫-穆萨托夫。但是，这些年轻画家笔下的水很少是静止的湖泊或池塘，并且它一般充当了隐藏的光源，这光源就像要穿透整个画面，并充满其中。因此在苏杰伊金[Sudeikin]的《威尼斯》[*Venice*]中，漂浮的物体掠过水面，画中人物

43. 帕维尔·库兹涅佐夫，《蓝色喷泉》[*The Blue Fountain*]，1905年。

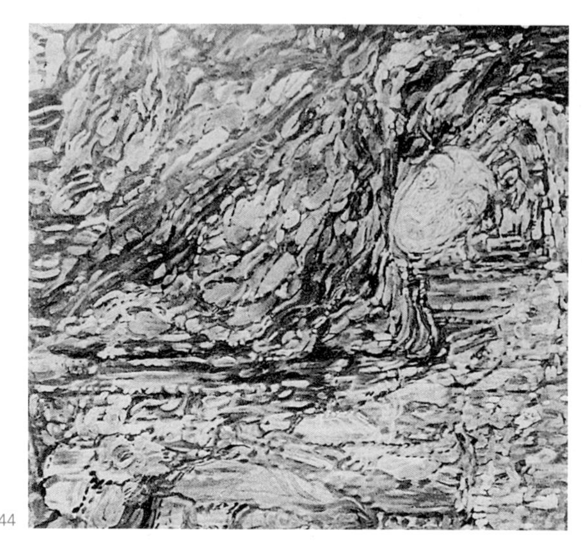

44

44. 尼古拉·米柳蒂，《悲伤天使》[*Angel of Sorrow*]，约1905年。
45. 马尔季罗斯·萨良，《人与瞪羚》[*Man with Gazelles*]，约1905年。
46. 马尔季罗斯·萨良，《荒凉的村庄》[*Deserted Village*]，1907年。

都精神恍惚并且面庞向后退缩，但是在他们身后，有一片美丽的树木，光线柔和地穿过树林，露出痕迹，就好像哥特式大教堂的窗前的光线一样，存在在远处无限的光芒和空间当中。乌金也使用水的波纹渗透自己的作品。《海市蜃楼》[*Mirage*]就描述了一个神奇的意象，人物站在水边，或者更确切地说，被水波吹散，人物和水波好像是同一种物质做的。在这些修长、摇摆的人物身后，升起了骇人的、扭曲的波浪，南瓜状的水汽被一束明亮的光线照亮，就好像被一只看不见的手触碰一样。乌金另一幅名为《天堂的胜利》[*Triumph in the Heaven*]的作品把我们带到了世界的边缘。我们透过一片由细密的线条组成的面纱，看到无穷的蓝色。在这种有形的碎片之外，人们能够感觉一片虚无正在等待着自己。

除了这些制造出“度量缺失的人”的非物质性的缥缈意象的画以外（这些意象让人想到马列维奇的至上主义画作《白底上的白色方块》[*White on White*]系列）（图211），亚美尼亚人萨良的作品则是非常厚

45

46

重的。他的画法是令人愉悦的，他的用色是大胆的，但是他的作品中同样具有神秘感。《人与瞪羚》[*Man with Gazelles*]（图45）展现了一个有着蓬乱黑发的白人形象，带领着他的一群羚羊走向矗立着一片空白墙面的荒凉城市。天空没有出现，又宽又矮的建筑环绕着这个空间和时间都无限的场景。萨良的象征主义手法也表现在他对有水的场景的热爱中，例如《仙女湖》[*Fairy Lake*]。这幅画作中，两个裸体的女孩在一个装饰过的花园里，对着雾气朦胧的湖水中自己修长的白色倒影舞蹈，这幅画作带给人与世隔绝的感受和安全感，让人想起波斯细密画。萨良和其他"蓝玫瑰"成员一样，他的人物形象也是难以辨认的，只是支离破碎和条纹状的明亮色块，基本看不到实物。这是一个重新物质化的、原始的、生长到一半的世界，这些艺术家猛然冲入这个世界，通过这个世界他们的画面中很快形成了大胆的形式和明亮的色彩，充满了生机和动态。

尼古拉·米柳蒂的弟弟瓦西里是另一位继承了弗鲁贝尔传统的画家。（图47）在像《传奇》[*Legend*]（图47）这样的画作中，马赛克图案和形式构成与弗鲁贝尔作品之间的关系非常明显，他还明显使用了类似的意象。

《金羊毛》杂志是"蓝玫瑰"的组织报刊。杂志创刊于1906年，次年有一期关于富有的莫斯科商人尼古拉·里亚布申斯基[Nikolai Ryabushinsky]的内容，后者也编辑且赞助过这份杂志。在社论中，杂志声明："我们意图把俄国艺术传播到俄国以外，在它发展过程中将它完整地呈现给欧洲公众。"[18]杂志最开始就印有俄文版和法文版，印刷的作品名称和作者名都非常谨慎地采用罗马字体，或根据情况采用西里尔字母，虽然这有时只是心血来潮。

"金羊毛"组织了三次有历史意义的展览。第一个是1908年的莫斯科展览，包括法国和俄国画家的作品。法国的画作可能是由亨利·莫

47

塞罗和里亚布申斯基挑选的，他们经常去巴黎，而且肯定看过近些年的沙龙，这些沙龙上的许多画作都曾经被送到莫斯科展出过。尤其是许多最早期的野兽派作品，在1905年秋季沙龙引起公愤之后，又一次出现在首届“金羊毛”展览上。“这是当时所有国家中最有品位的法国后印象派画作综合展，就算是法国也不能与之匹敌，直到‘一战’前，1912

47. 瓦西里 · 米柳蒂，《传奇》，1905年。

年伦敦格拉夫顿画廊展览[Grafton Gallery Show]出现，才改变这种局面。”[19]《金羊毛》杂志后来声明了组织者的目的：

“通过邀请法国画家参加展览，‘金羊毛’团体有两个目标：一方面，通过并置俄国和西方所作的实验绘画作品，更清晰地展示出俄国新一代画作的发展特性及其出现的新问题；另一方面，强调俄国和西方画作之间的共性，尽管国家理念不同（法国偏向感性，俄国更精神化），但是进行实验的年轻画家们有着某些同样的理念基础。在此，我们是在探讨如何摆脱美学和历史主义；而在法国则是对新学院艺术的反抗，因此产生出了印象派。”[20]

此次展览规模巨大，包括282幅画作和3个雕塑作品。在雕塑作品中，马约尔[Maillol]送展了两个，罗丹[Rodin]送展了《躺着的女人》[*Femme couchée*]。其他纳比派成员几乎都参展了：博纳尔、维亚尔、塞律西埃[Sérusier]、瓦洛东、莫里斯·丹尼斯，他们当时是《金羊毛》的永久通信成员。野兽派团体以马蒂斯为首，他可以完美地代表野兽派。他展出了四幅作品，从1901年的《病弱者》[*Invalid*]到1904年的新印象派画作《圣特罗佩排屋》[*Terrace of Saint Tropez*]，还有1905年的《科利乌尔海港》[*Harbour at Collioure*]，最后一幅画作是他早期野兽派画作之一，也是他次年绘制的杰作《生活的欢乐》[*Joy of Life*]的底本。德兰送展四幅色彩明亮的伦敦图景，马奎[Marquet]送了两幅塞纳风景，名为《卢浮宫码头》[*Quai du Louvre*]。另一个在莫斯科获得巨大成功的参展野兽派画家是凡·东根[Van Dongen]，他狂放不羁的色彩点燃了莫斯科画家的想象力。

旧印象派也首次出现在这次展览中，代表人物有毕沙罗、西斯莱；还有几幅雷诺阿和图卢兹–劳特累克[Toulouse-Lautrec]的手稿，而劳特累克的影响力不久就反映在冈察洛娃和彼得罗夫-沃德金[Petrov-Vodkin]的作品中。展览中还出现了勃拉克[Braque]和勒·福科尼耶[Le Fauconnier]的早期作品，最后还有三位伟大的后印象派大师塞尚、凡·高和高更的作品被展出，但不管是从展品数量还是从重要性来说，都只有凡·高能和纳比派相提并论。凡·高的五张作品包括《摇篮曲》[*Berceuse*]、《林间阳光》[*Sun in the Trees*]和《夜间咖啡馆》[*Night Café*]，莫洛索夫在展览上购买了《夜间咖啡馆》。有趣的是，不论是莫洛索夫还是休金，都不愿意把自己的任何藏品借给“金羊毛”的展览。根据组织者之一拉里昂诺夫所说，在联系休金时，休金回复说他和莫洛索夫将要组织自己的展览，因此无法借出任何作品。然而，他口中的展览却从未实现。里亚布申斯基借出了一些质量上乘的鲁奥[Rouaults]作品系列，当然他还组织并且赞助了展览。据大卫·布尔留克[David Burliuk]回忆，展览场地布置极端奢华，画作的后面用丝绸悬挂作为背景，还使用香槟庆祝。[21]他的描述略带不满，因为他的画作没有被选上用来代表前景优良的同类俄国运动，而拉里昂诺夫和冈察洛娃这两位曾经还参加过1907年布尔留克在外地组织的“花冠”[Wreath]展览的艺术家，已经是展览成员中的主力军。

首届“金羊毛”展览的俄国部分和法国部分是分开的。俄国部分出现了一些“蓝玫瑰”成员的作品，包括库兹涅佐夫、乌金、萨良，里亚布申斯基只展出了两幅画作。在这个房间中，画作数量最多的是米哈伊尔·拉里昂诺夫。他贡献了20幅类似于印象派风格的作品，包括《花园》[*Garden*]系列中的《春日景色》[*Spring Landscape*]，这一系列画作反应了维亚尔和博纳尔对他的影响。冈察洛娃的作品也出现在展览上，尽管只有七张画作，其中包括《一束秋叶》[*Bouquet Autumn Leaves*, 1902—1903]。库兹涅佐夫和萨良的作品相较于之前的作品，色彩和轮廓更加大胆，形式明显更加原始。库兹涅佐夫的《一位劳动的母

48

48. 马尔季罗斯·萨良，《自画像》[*Self-protrait*]，1907年。
49. 马尔季罗斯·萨良，《诗人》，约1906年。

亲的幻象》[*Vision of a Mother in Labour*]中，怀孕的高大女性紧贴在未出生的孩子的意象中央，这个意象是五颜六色的，有着方形下巴的矮胖女性形象用厚重、横扫的线条组成。在《假日》[*Holiday*]（图38）等其他作品中，可以发现这种新的原始主义越来越明显，画面有着简化轮廓和扭曲脸部的特征，这种手法来自于俄国农民艺术，尤其是农民木板雕刻艺术，而非来自法国画派中的高更，人们从这一特征中可以更清晰地察觉到这种新原始主义。然而，库兹涅佐夫对法国学派非常熟悉，对高更的作品更是特别感兴趣，但是他却更喜欢直接转向东方，如波斯和吉尔吉斯的蒙古人的画作当时都令他着迷，在后来的十年中，这些画作深深地影响了他之后的风格。和同时代的许多俄国人一样，库兹涅佐夫经常在巴黎沙龙展出作品，也经常去巴黎。拉里昂诺夫和冈察洛娃也在1906年参加佳吉列夫组织的俄国艺术展时去往巴黎。实际上俄法两国之间当时有许多交流，莫斯科那时非常欧洲化，人民生活也与之息息相关，当地的激进画家几乎都是“巴黎派”的。

不过，萨良作品中的原始主义特征却又更有东方传统，而非新法国学派传统，比如此次展览的画作《诗人》[*The Poet*]（图49）。但是他明亮的色彩和有冲击力的图案与野兽派类似，都带有无所畏惧和自由自在的风格。和野兽派的作品一样，他的色彩是饱满的、纯色的，而且他会用明确的轮廓线描绘人物。相较之前一年，他的作品变化巨大，当然其中有一部分是受在休金家所见的马蒂斯新画作的影响。由于亚美尼亚血统的影响，他把画作转换出了一种东方风格。

在V.米柳蒂的作品中也出现了变化，在《牧羊女》[*The Shepherdess*]和《秘密花园》[*The Secret Garden*]中，他卷曲、缠绕的线条追求的是一种更加自由的有机律动。

在接下来几期《金羊毛》杂志中，他们用了许多版面讨论此次展览。法国学派有单独的一期，[22]在这一期中，印刷了许多展览作品图片。塞尚的《画家夫人肖像》[*Portrait of the Artist's Wife*]和《静物》

49

50

[*Still-Life*]都采用全页彩图刊出。文章包括凡·高的信件选段和诸如印象主义诗人麦西米兰·沃罗申[Maximilian Voloshin]的《法国绘画新趋势：塞尚、凡·高、高更》[*Trends in new French painting : Cézanne, Van Gogh, Gauguin*]，以及另一位俄国艺术评论家G. 塔斯蒂文[G. Tasteven]的《印象派和新运动》[*Impressionism and New Movements*]等文章。

接下来的一刊是关于俄国参展作品的。[23]这是一份非常有用的文

50. 米哈伊尔·拉里昂诺夫，《两位河中沐浴的女人》[*Two women bathing in a river*]，约1903年。

51. 米哈伊尔·拉里昂诺夫，《雨》[*Rain*]，1904—1905年。

52. 米哈伊尔·拉里昂诺夫，《花园一角》[*A corner of the Garden*]，约1905年。

献，因为杂志复印了展览中俄国部分的许多作品。由于1911年里亚布申斯基的所有藏品都被大火烧毁，许多库兹涅佐夫、萨良的画作以及拉里昂诺夫和冈察洛娃的早期作品都丢失了，如果没有这份杂志，那么这些作品将不再为人知晓。1911年烧毁的藏品中还包括鲁奥早期的优秀作品，里亚布申斯基很早就开始崇拜他，并狂热地赞赏他的作品。虽然在佳吉列夫1906年的展览、维也纳分离派展览和“一战”前的巴黎沙龙中出现过俄国作品，但是在这一时期内，只有少量俄国作品到达西方。任何“蓝玫瑰”团体成员的画作，或是1914年前的莫斯科绘画运动中诞生的画作，都极少出现在西方博物馆或私人藏品中。就算是在俄国国内，这些作品也很少出现在展览中。因此，这一时期的俄国画作鲜为人知，而且，天啊！我们对它们的理解都依靠第三手的资料，而且都来自于复制品。以现代的标准来看，这些复制品质量平庸，对于只存有复制品的画作来说，更加糟糕。这些画作的色彩才是令人激动的地方。波里索夫-穆萨托夫和库兹涅佐夫独一无二的柔和且精致的蓝灰色、米柳蒂兄

51

52

弟明亮的粉红色和淡紫色，对于他们的作品来说都非常重要，因为在他们的作品中，形是非常不确定且短促的。不过我们还是可以从拉里昂诺夫的早期作品中了解一些“蓝玫瑰”的典型色彩体系，虽然拉里昂诺夫的形式构成更加成熟，而且当时相对于他的俄国同伴们而言，他的形式构造反而与法国学派有更直接的关联。

1909年1月，“金羊毛”赞助了第二个法俄展览。这个展览的目的不再是将法国艺术呈现给俄国公众和顺便介绍俄国新绘画。相反，这个展览不分国籍，而是展出了理念类似的艺术家的作品。画作不再像之前一样被分成法国部分和俄国部分，而是将法国野兽派作品和俄国的同类作品混合，而后者的主要代表就是拉里昂诺夫和冈察洛娃。

此次展览中的法国作品包括一些重要的前立体主义作品，如勃拉克的《健美的形体》[*Le Grand Nu*]（1908）和《静物》[*Still-Life*]（两幅画作都出现在了《金羊毛》后来为此次展览出版的期刊中）。[24]此次展览中，代表法国的是一个更小、更明确的团体，除了勃拉克和勒·福科尼耶以外，只有野兽派的马蒂斯、弗拉芒克[Vlaminck]、马奎、凡·东根和鲁奥参展。勃拉克和福科尼耶给展览送去了受毕加索1907至1908年前立体主义作品影响的近作。马蒂斯送去的作品不像去年那么重要，主要是手稿，其中比较重要的作品是《斜靠胳膊的人体》[*Nu appuyé sur le bras*]（1907?）。对于那些熟知休金近来的杰出收藏品的莫斯科画家来说，马蒂斯当时具有很高的声望。

和这些画作一起展览的俄国画作相对去年的展览而言变化很大，因为现在的俄国和巴黎一样变化飞快。在拉里昂诺夫的作品中，纳比派的影响如影随形。在他温和的室内装饰中，以及在《鱼》[*Fishes*]（图53）等静物画中，维亚尔和博纳尔的影响尤其明显可见。他作品中平静的色彩和坚定的笔触唤起人们对新印象派、克罗斯[Cross]和西斯莱的印象。修拉在俄国和在法国一样，都被忽视了，不管是在莫洛索夫还是

53

在休金的藏品中，都没有任何一幅他的作品。就我所知，任何其他俄国藏品系列都没有包含过修拉的作品。

也有画家用画框随性地打乱了画面，这也曾经是纳比派最喜爱的手法，现在则成为娜塔丽娅·冈察洛娃在第二届“金羊毛”展览中的特色。她的画面主要展现喧闹的场面，人物摆着兴奋的姿势，夸张的剪影配以极为戏剧化的仰视或俯视，展现了画家对图卢兹-劳特累克的兴趣。同样受劳特累克影响，并且在第二个展览中展出作品的还有罗伯特·法尔克[Robert Falk]（1886—1958）和库兹马·彼得罗夫-沃德金（1878—1939），这两位是莫斯科团体的新成员。彼得罗夫-沃德金曾经在慕尼黑的阿兹比工作室学习，也曾在莫斯科学院当过列奥尼德·帕斯捷尔纳克[Leonid Pasternak]（“俄国艺术家联盟”的开创人之一、

53. 米哈伊尔·拉里昂诺夫，《鱼》，1906年。

54

肖像画家）、列维坦、谢洛夫的学生（图1）。在1905年离开学院后，他前往非洲，受到当地原始艺术的触动，但更让他感兴趣的还是非洲大陆独特的光线和色彩。他回国后成为“蓝玫瑰”团体的亲密伙伴，不过他没有参加1907年的展览。他没有宣称自己属于任何俄国或其他国家的流派。不久之后，在20世纪20年代中期，彼得罗夫-沃德金开始采用一种新的绘画系统，这种绘画系统基于在绘画中空间能被横向曲线轴充分表示的理念，他后来在两本书中用长篇讨论了这一理论。[25]在俄国现代绘画历史中，他的主要角色还是教师。革命后，他成为列宁格勒艺术学院[Leningrad Art Academy]最有影响力的教授，帮助塑造了许多第一

54. 库兹马·彼得罗夫-沃德金，《玩耍的男孩们》，1911年。

代苏联画家的审美。《玩耍的男孩们》[*The Playing Boys*]（图54）是他早期作品的典范。无论是人物形象和背景的配色，还是平涂色彩，他的作品都明显体现了来自拜占庭艺术的影响。他可能也受到马蒂斯的影响，在这两位画家的作品中，都存在神秘、泛神论的元素，他们的蓝绿配色有着非常强烈的关联，如马蒂斯的《音乐与舞蹈》和彼得罗夫-沃德金的《玩耍的男孩们》。这幅作品的形式构成以及逐渐向上延伸的曲线，后来都常见于俄国作品中，作为狂喜的韵律下的人物背景。

罗伯特·法尔克和彼得罗夫-沃德金一样曾是莫斯科学院的学生，但是他们鲜有交集，因为在1905年，另一位艺术家去非洲时，法尔克还只有17岁，才刚刚入学。法尔克实际上是“蓝玫瑰”组织的另一代画家。他并没有被这些人的象征主义情绪影响，他从最初就毫不掩饰地热衷于法国学派的作品。首先是图卢兹-劳特累克影响他的作品并为之指明了方向，然后是马蒂斯，最后影响最为深远的是塞尚。他成为1909年成立的莫斯科“方块杰克”[Knave of Diamonds]小组最有名的成员，这个小组后来主导俄国先锋派的运动长达两年的时间。在苏联时期，他成为一位举足轻重的教师，直到他过世之前，他仍然会画一些感性、忧郁的人像和静物。

和“蓝玫瑰”“金羊毛”的艺术家们不同，萨良和库兹涅佐夫并没有像他们的伙伴们一样，完全参照法国后印象派，但是他们的方向还是非常一致的。在第二个展览中，他们作品中的原始主义元素都有所发展，但是相较于西方的原始主义，他们更加倾向于东方的原始主义，他们更多地是进行自然的直接表达，更少因隐秘的动机而刻意进行抽象。在库兹涅佐夫的作品中，含蓄的特征几乎消失了；虽然他的人物仍然非常缥缈，但人物的轮廓更硬朗了；虽然他的色彩仍然非常暗淡，但是暖色更多了；荒凉的色彩、黄色和棕色代替了从前的象征主义的蓝灰色。画作的场景更明显来源于生活，而且来自饱受画家喜爱的吉尔吉斯草

55

原。在这一时期，他一直通过后退的沙丘和前景中偏暖色的天空暗示着第三个维度，因此画作的内在发展规律和法国后印象派运动类似。很快，法国学派在俄国就面临一场剧烈的反抗运动，反抗运动标志着俄国艺术运动下一阶段的到来。其实在1909年末，这场运动就已经露出端倪，当时“金羊毛”举办第三次展览，展出作品几乎全是拉里昂诺夫和冈察洛娃的。这两位画家已经成为当时俄国绘画界的新领袖，这也折射出俄国现代艺术运动新的阶段的到来。

55. 娜塔丽娅·冈察洛娃，《切割干草》，1910年。

56. 娜塔丽娅·冈察洛娃，《跳舞的农民》，1911年。

第四章 | 1909—1911

从19世纪80年代开始，在俄国画作中就出现了起主导作用的文学元素，但是到了1907年，这些元素已经被“纯画作”给取代。这场新运动的第一个标志是我们在上一章中谈到的“蓝玫瑰”团体展览和支持法国后印象派和野兽派的《金羊毛》杂志。在接下来的三年中，俄国爆发了原始主义运动，这场运动形成了一种有意识的风格。这种风格从民俗艺术中孕育而来，又综合了当时的欧洲流派。它的主要倡导者是画家拉里昂诺夫和冈察洛娃。

在标志着新俄国画派形成的三年中，莫斯科成为欧洲最有革命性的艺术运动的汇集地。来自巴黎的立体主义、后来在慕尼黑诞生的“青骑士”［Blaue Reiter］运动中的“美术家协会”［Kunstlervereinigung］、

57

58

马里内蒂[Marinetti]的未来主义都对俄国艺术有着直接影响。

意大利未来主义和俄国未来主义之间的关系复杂，争议颇多。例如关于马里内蒂究竟何时首次造访俄国，有些人说他在1909年末或1910年初就到过莫斯科和圣彼得堡，当时他正在环游欧洲各国，宣传自己刚刚形成的未来主义思想。[1]其他的苏联评论家们，尤其是当时俄国文艺领域最有声望的杰出的学者尼古拉·哈尔杰夫[Nikolai Khardzhev]，认为马里内蒂只在1914年早期到过俄国一次，而且当时他被俄国的未来主义艺术家和诗人猛烈地抨击。唯一能够确定的是：在此次访问之后，马里内蒂曾被报道说“俄国人是虚假的未来主义者。通过未来主义，世界本将焕然一新，俄国人却误解了这一虔诚的信念[2]。”然而，讨论马里内蒂首次到访俄国的日期可能只有表面意义而已，因为当他的未来主义宣言1909年在《费加罗》[*Figaro*]上刊登之后几乎立刻就被翻译成俄文出版。[3]

俄国和意大利未来主义运动只是名称相同。就像大部分“一战”

59

60

57、58. 人形姜饼，采用阿尔汉格尔斯科州[Arkhangelsk]的传统木雕模具制作。

59. 尼可·皮罗斯马尼什维利[Niko Pirosmanishvili]，《女演员玛格丽塔》[*The actress Margarita*]，1909年。

60. 一张19世纪俄国鲁波克印刷（农民木版画），表现了一个克雷洛夫[Krilov]写的故事。

61

前俄国艺术运动的名称一样，“未来主义”有着明显的西方渊源。但是和印象主义及立体主义一样，俄国对未来主义的解读几乎就是根据西方未来主义所作的字面意义的肤浅解读。“立体未来主义”[Cubo-Futurism]其实更适合用来描述这场俄国运动，绘画和文学紧密地联系在一起，同步地发展。我曾经也用这个词形容俄国1910年后、原始主义后的画作。

实际上，此后直到1914年“一战”爆发之前，俄国成为一个真正意义上的国际中心。由于国际观念在此汇集，俄国的立体未来主义运动

61. 米哈伊尔·拉里昂诺夫，《士兵们》（第二版），1909年。

出现了。虽然它在本质上和当代西欧运动密不可分（它的名字就体现了这点），但是立体未来主义是一个俄国特有的运动，它的地位很快就超越了1911至1921年间在俄国崛起的抽象画派，在这段时间中，俄国最终成为“现代运动”的先锋。

米哈伊尔·拉里昂诺夫领导和组织了许多小型展览，这些小型展览是1907年到1913年间特有的。领导人拉里昂诺夫和他聪慧的学生冈察洛娃是俄国现代运动史上两个关键人物。回顾历史，他们的作品缺乏卡西米尔·马列维奇和弗拉基米尔·塔特林的专注性和发展逻辑，但是他们的作品在1914年之前的俄国艺术世界中具有举足轻重的地位，如果没有他们的作品，很难想象马列维奇和塔特林能够获得历史性的成果。冈察洛娃和拉里昂诺夫在20世纪初到第一次世界大战之间作为佳吉列夫芭蕾舞团设计师离开了俄国，他们当时一轮又一轮地筛选出欧洲和俄国最生动、最激进的观念。最重要的是，他们对于艺术家作品的接受力强，筛选严格。在这一过程中，人们可以发现他们吸收了俄国国内外的各种观念，这些观念的综合形态正是至上主义和构成主义运动的基础。

在当时，也就是这些因素开始综合起来的时刻，第三个人物出现了，他接替了拉里昂诺夫和冈察洛娃的位置。这第三个立体未来主义学派的领衔人物就是卡西米尔·马列维奇。弗拉基米尔·塔特林在1911年也通过性格强势的拉里昂诺夫的帮助加入了这个活跃的团体。通过拉里昂诺夫和他的展览，这两位艺术家得以认识，随之俄国学派的形成才能成为现实。

在1909年12月举办的第三届“金羊毛”展中，拉里昂诺夫和冈察洛娃首次展现了他们的新“原始主义”风格。从他们送展的作品中人们很容易首先发现他们自由地使用了来自于野兽派的大胆线条，抽象化地使用自己的方式将色彩用作一个有表达能力的整体。他们自由的新风格也表现在转向俄国民俗艺术传统和对高更和塞尚作品中简洁、直白

62

62. 娜塔丽娅·冈察洛娃，《圣母子》[*Madonna and Child*]，1905—1907年。
63. 19世纪早期俄国“鲁波克印刷”——《海妖》[*The Siren*]。
64. 娜塔丽娅·冈察洛娃，《装饰研究》[*Study in Ornament*]，1913年。

形式的欣赏。拉里昂诺夫和冈察洛娃的这种新原始主义风格灵感来源于西伯利亚的刺绣、传统油酥糕点和传统玩具的造型，还有“鲁波克印刷”[lubok]（一种农民木板雕刻）。“鲁波克木雕”的历史可以追溯到17世纪的俄国，它有点类似于英国的“小书”[Chapbooks]（译者注：一种印有诗歌、民谣、故事或宗教内容的小书或小册子）（图57、58、60）。“鲁波克印刷”的主题最初是宗教，然后是政治，或者仅仅就只是在农民中传播的歌曲和舞蹈。此类印刷品在城镇制造，目的是为了在农民之间传播。“鲁波克印刷”当时在德国也影响深远，正如在俄国艺术圈中一样。另一个影响了这种“原始主义”风格的俄国传统艺术门类就是圣像画，它被冈察洛娃引入，对后来马列维奇和塔特林的作品都有着极其显著的影响。

我们必须在此暂停，先介绍一下冈察洛娃和拉里昂诺夫的生平。

娜塔丽娅·谢尔盖耶夫娜·冈察洛娃1881年出生于图拉[Tula]省一个小村庄里的一个传统贵族家庭，她的家乡位于莫斯科东南方。她的祖先曾经是彼得大帝的建筑师，她父亲谢尔盖伊·冈察洛夫[Sergei Goncharov]则继承了这一传统。像很多旧贵族家庭一样，冈察洛娃家

63

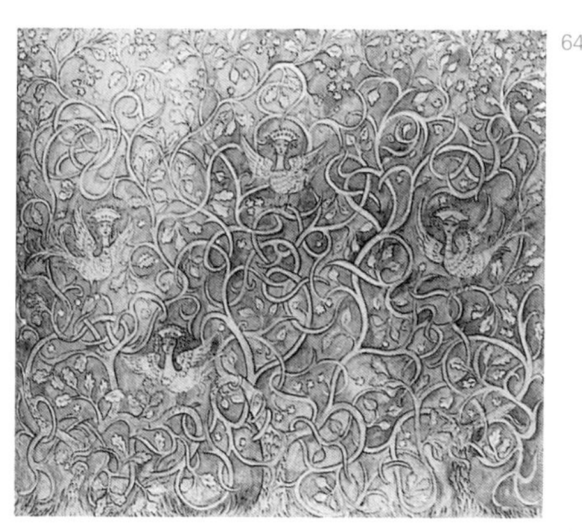

64

族从19世纪俄国商人阶级崛起后，财富量就开始锐减。谢尔盖伊·冈察洛夫是普希金家族的后代，他的母亲娜塔莉亚[Natalia]是诗人普希金的女儿。娜塔莉亚·冈察洛娃的母亲是别利亚耶夫[Belyaev]家族的成员之一，而别利亚耶夫家族对19世纪国家主义音乐运动起了极大的促进作用。这非同一般的家族底蕴让冈察洛娃明显区别于其他立体未来主义运动成员，因为其他成员多出身于农民家庭或小商贩阶层。

冈察洛娃在家族的乡间领地中长大，虽然十岁去了莫斯科的一个学校学习，但她说她始终对城市生活抱有敌意。有趣的是，她比任何同伴都更加全情投入地思考意大利未来主义者的机器生活，这种情感反映在她1912至1914年的作品中。

1898年，她开始在莫斯科学院跟随帕维尔·特鲁别茨科伊[Pavel Trubetskoi]学习雕塑。俄国雕塑家特鲁别茨科伊是“艺术世界”运动的成员，他的作品和罗丹有所关联。此后不久，冈察洛娃就遇见了拉里昂诺夫。拉里昂诺夫当时也是莫斯科学院的学生，从那时起，不论是在创作中还是生活中，这两位艺术家就再也没有分开。1903年，冈察洛娃开始在俄国大型沙龙展出作品。她此时的作品相比拉里昂诺夫更加拘束。

最开始他们都受到波里索夫-穆萨托夫的影响，冈察洛娃在1906年送到“艺术世界”展览的《冰霜》[*Hoar Frost*]就是这一时期的范例。在此展览中，两位艺术家第一次接触到了充满活力的佳吉列夫，并在后来和他成为亲密的合作伙伴。此时，得益于佳吉列夫的洞察力，他们开始在艺术领域以全新的艺术身份崭露头角。佳吉列夫不仅邀请他们参加了1906年“艺术世界”展览，还邀请他们参加他1906年正在组织的巴黎秋季沙龙中的俄国展览（见57页）。通过巴黎秋季沙龙展览，拉里昂诺夫和冈察洛娃首次前往巴黎。

冈察洛娃很早就开始对圣像画感兴趣，当时阿布拉姆采沃聚居区艺术家们已经功成名就，尤其是在剧院方面，冈察洛娃对圣像画的兴趣可能受此直接影响。在“艺术世界”第二代画家中，还有比利宾和斯捷列茨基等人参与了将俄罗斯的拜占庭传统融入现代图像中的尝试。冈察洛娃最早的此类风格作品开始出现于1903年，持续到1905年，但是她声称这一时期大部分的作品已经被毁，而即使是留存下来的作品，人们也能察觉到她后来成熟作品中所特有的明亮的色彩。（图62）这些作品也同样装饰丰富且有着强烈的线条节奏，她在后来的剧院设计中流畅地运用了这些元素。对于冈察洛娃来说，这种对装饰的洞察几乎变成了一项科学研究，加之她将圣像画作为图像构成的灵感源泉之一，这二点成为她对俄国现代运动的主要贡献。

因此，人们可以把冈察洛娃的作品分为两条脉络：她为了复兴国家传统所作的庞大的独立研究，和她更偏向于拘谨、学术的对当代欧洲风格的演绎。她作品中的这两条脉络一直持续到1910年左右。这时学生的课程建立在研究弗鲁贝尔、波里索夫-穆萨托夫、勃鲁盖尔、塞尚、凡·高、图卢兹-劳特累克和莫里斯·丹尼斯等艺术家的基础之上，而在法国野兽派的影响下，课程也与冈察洛娃俄罗斯的拜占庭风格的实验一致。如我们所见，冈察洛娃在1910至1912年间的作品，如《跳舞的

65. 娜塔丽娅·冈察洛娃，《逃往埃及》[*Flight into Egypt*]，1908—1909年。

农民》[*Dancing Peasants*]（图56）和《切割干草》[*Haycutting*]（图55）成为马列维奇这一时期的灵感来源。马列维奇不仅采用了同样的配色和类似的图像手法，甚至连主题、名称都和冈察洛娃一样。

米哈伊尔·费多罗维奇·拉里昂诺夫于1881年出生在位于乌克兰和波兰边界的蒂拉斯波尔[Teraspol]。他出生在祖父费尔多·彼得罗夫斯基[Fyodor Petrovsky]的家中。他的祖父是一个已经退休的农民，而他的父亲是一位军医，当时驻扎在附近的营房中。米哈伊尔·拉里昂诺夫的祖父曾经是一名职业水手，来自阿尔汉格尔斯克[Archangel]。1891年，在米哈伊尔去位于莫斯科的沃斯科列辛斯基“实科中学”[Voskresensky “Real Gymnasium”]后，他会回到蒂拉斯波尔和彼得罗夫斯基度过暑假。在他的绘画生涯中，这个习惯一直保留到1914

66

66. 米哈伊尔·拉里昂诺夫，《雨后的傍晚》，1908年。
67. 米哈伊尔·拉里昂诺夫，《小镇漫步》，1907—1908年。

年他离开俄国。他很多有名的画作都是在远离尘嚣的蒂拉斯波尔家族住宅中完成的。

拉里昂诺夫14岁离开学校，开始为竞争激烈的莫斯科绘画、雕塑与建筑学院入学考试做准备。两年以后，他参加了考试，这场考试要在160名考生中选出30人。他考了第33位，但是前30名考生中有3位没有其他的文凭而失去了入学资格，而拉里昂诺夫由于在实科中学取得了科学证书，所以正好可以进入学院。1898年秋，17岁的拉里昂诺夫入学并和莫斯科学院签订了为期十年的合同。

然而，在后来的十年中，拉里昂诺夫很少去学院的工作室，而是选择在家。第一年，他和父母住在一起，但是随后学校为他提供了工作室和公寓。从最开始他就工作得得心应手，创作了大量作品。他的作品太多了，以至于有一次，由于学院对学生唯一的规定是需要每月送出画作参与检查，拉里昂诺夫的作品把他同届学生分配到的空间全部占满了。学院院长列沃夫王子[Prince Lvov]单独找到拉里昂诺夫谈话，要求他移走一些作品。极其固执的拉里昂诺夫拒绝了这个要求并且随即被学校开除。被开除对他而言没有多大影响，而且在1903年秋季他又复学

67

了。他在学院待到1908年直至参军。他在部队服役了九个月，冬天他在莫斯科克里姆林宫，夏天他在莫斯科城外的一个帐篷营地里。从这时起，他开始创作“士兵们”[Soldiers]系列画作，这个系列在他从法国学派转向国家主义“原始主义”风格时，起了很重要的作用。

拉里昂诺夫第一批成熟的作品（图50—52）让他获得了“最杰出的俄国印象主义者”的名声。这段印象主义时期是在1902年到1906年。在此之后，他最初的象征主义情绪逐渐消失，画中的形更加清晰，色彩则从之前独特的苍白的蓝色和绿色转向了鲜艳的红色和黄色。他的作品主题从树木和河流变成静物、肖像以及风景和人物。虽然他的作品常常被描述为“印象派的”，但博纳尔和维亚尔的作品才应该是拉里昂诺夫当时真正的灵感来源，尤其是像《院子》[*The Courtyard*]或《春日景色》[*Spring Landscape*]这样的作品。在《鱼》中，拉里昂诺夫使用拉长的笔触，让人想起凡·高，这种笔触能够在画布表面制造一种充满整个画布的韵律，创造一个色彩和形式都能以自己的方式统一的整体。我们可以在拉里昂诺夫1906至1907年间创作的画作中发现维亚尔、博纳尔、马蒂斯、毕加索对他的影响。单独的物体和几何透视已经消失，

68

69

天空消失和构成元素采用的特写方法成为画作中持续的特征。拉里昂诺夫和冈察洛娃及马列维奇不同，即使在他后来的原始主义作品中也很少使用俄国民俗艺术的配色，他忠实于早期柔和的配色，主要采用苍白的蓝色、柔和的绿色和温和的黄色。

另一个与冈察洛娃不同的地方是，拉里昂诺夫的情绪是冷漠而克制的，而冈察洛娃则让人感觉到她归顺于浓烈的情感。冈察洛娃的作品能猛烈地撞击人心，画作的观感是即刻的；拉里昂诺夫则使用了闲散但是传神达意的线条传递信息，他的方式异常谦逊。冈察洛娃画中的美感和有韵律的线条令人惊叹；而拉里昂诺夫，就像马列维奇在至上主义作品中将画作和画布推向纯粹“精神”层面的交流一样，费尽心力对物质进行抽象化。

68. 米哈伊尔·拉里昂诺夫，《理发师》[*The Hairdresser*]，1907年。

69. 米哈伊尔·拉里昂诺夫，《理发的士兵》，1909年。

冈察洛娃的作品非常兼收并蓄，尤其是在剧院中；拉里昂诺夫则是在静静地追求一种内在的逻辑，这种内在逻辑本身的直观运动是理性和审慎的。《鱼》是他最后一幅“印象派”作品，它的风格后来被《清晨的游泳者》[*Bathers in the Morining*] 取代，后一幅画作被他送到了1909年的第二届“金羊毛”展参展。这次展览不论是从所展画作的形式构成还是主题上，都可以清晰地看到塞尚、凡·高和马蒂斯的痕迹。然而，拉里昂诺夫这一时期并没有像同时期的冈察洛娃一样完全地模仿这些艺术家的作品风格。塞尚打阴影时的笔触被拉里昂诺夫换成了不规则的低矮形状，典型的塞尚风格的树被挂在河边，裸体的游泳者几乎是漫画式的，且每个人物都在做自己的事情，和其他人没有互动。这一夸张的社会场景被缩减为一系列私人的、与他人毫无关联的活动。这种将社交场景缩减为一系列个人的、无关的动作的漫画化方式在《雨后的傍晚》[*Evening after the Rain*]（图66）和《小镇漫步》[*Walk in a Provincial Town*]（图67）中有所发展。这两张画作是画家最早期的原始主义作品，都被送到1909年12月第三届“金羊毛”展中，我曾提到过，这个展览是这种原始主义风格首次登场。

这次展览中大部分拉里昂诺夫的作品，几乎都没有了造型和几何透视，例如《理发的士兵》[*Soldier at the Hairdresser*]（图69）。在《花花公子》[*Provincial Dandy*]系列中，人物变成了像娃娃一样的漫画人物，几乎就是容易辨认的滑稽短剧。这里面的很多作品都有明显的横向元素。这是受 “鲁波克印刷”影响而来且持续存在的新风格。这种横向的元素把作品中的动态约束在了一条很窄的条形之内；只剩下轮廓的人物强调出横向的平面，好似他们正在与画作平面一致地移动。因此人们会感到一个时刻被武断地截短，这破坏了图像本身是一个完整世界的概念。许多此类“带状卡通”作品都带有像孩子一样冷漠地看待陈规的效果。例如，《小镇漫步》中人物的刻意扭曲被用来传达每个人的主

70

要特征；无关紧要的标志被悬挂在树上；没有关联的人物和开心、高雅的猪，这些庄重和坚定的人物，全部趾高气昂、装腔作势地走在空间中，这片空间被大众认为是一条街道，而不是仅仅看起来像一条街道了。

拉里昂诺夫开始以各种方式嘲讽正在流行的教条。在1908至1911年的“士兵”系列中，我们可以看到他扭曲人体的不同阶段。例如，1908年《士兵们》（图70）的前景中的士兵形象在1911年《休息的士兵》[*The Relaxing Soldier*]（图71）中再次出现。后一张作品中，人物的腿靠向画框部分，而人物的手和脚的比例变得非常大。之后的几年，

70. 米哈伊尔·拉里昂诺夫，《士兵们》（第一版），1908年。

71. 米哈伊尔·拉里昂诺夫，《休息的士兵》，1911年。

拉里昂诺夫同样也喜欢采用色情主题。因此我们可以看到他的“妓女”[Prostitute]系列（图72—74），还有“士兵”系列中潦草的色情言论和夸张形象。1907至1913年拉里昂诺夫作品中故意作出的“粗鲁”特征，即对图像和社会教条的蔑视是俄国所谓的未来主义运动的总体特征，这和意大利的未来主义运动很不一样，它最先出现在拉里昂诺夫的作品中。在俄国，未来主义首先出现在绘画领域中，然后出现在诗歌中。实际上几乎所有的诗人都是从绘画转到写作，且许多俄国未来主义者的诗歌写作手法可以直接与拉里昂诺夫当时的画作相关联，例如，使用“不受礼教、无关紧要”的元素；模仿孩子们的艺术；改编民间艺

71

术的意象和图案。俄国未来主义作家的宣言，如“狠扇大众品位一巴掌”，还有下文中引用的这一段，显示出他们如何紧跟着拉里昂诺夫，批判所有陈规：

> 反对意义的文字
> 反对（学术的，“文学”的）语言的文字
> 反对（音乐的、常规的）韵律的文字
> 反对格律的文字
> 反对句法的文字
> 反对词源的文字[4]

他们使用的描述性语言、口头语、不符合语境的语言和混乱的词汇，或是色情或孩子气的语句，或是古语，或把单词全部拆开，只剩下

72

73

74

72. 米哈伊尔·拉里昂诺夫，《曼娅》[*Manya*]，约1912年。
73. 米哈伊尔·拉里昂诺夫，《曼娅》（第二版），约1912年。
74. 米哈伊尔·拉里昂诺夫，《1912年春》。

毫无意义的声音，这些都是俄国未来主义诗人马雅可夫斯基、克鲁乔内赫[Kruchenikh]、赫列布尼科夫[Khlebnikov]、伊莲娜·古洛[Elena Guro]和布尔留克兄弟在1912至1914年这一文学运动兴起时常用的写作手法。这些写作手法都可以追溯到拉里昂诺夫和冈察洛娃在1908至1913年间的作品。[5]俄国绘画开辟了先河，绘画和诗歌则仍然紧密相连，几乎所有早期未来主义诗人的著作中都有拉里昂诺夫、冈察洛娃及其他团体成员的插图。正如拉里昂诺夫也把文字加入到1908至1909年的“士兵”系列（图61）和1913年的塔特林肖像（图99）中；加入到《1912年春》[*Spring 1912*]（图74）中；还加入到他后来的舞台设计，如为佳吉列夫设计的《弄臣》[*Bouffon*]中。诗人们也把立体未来主义图像手法加入到自己的诗歌中。诗歌的文字和装帧设计往往由同一个人完成，这两个元素互相融合，制造出一个统一的视觉整体。这表现出艺术家和诗人之间的和谐关系，偶然地预示了构成主义和至上主义字

体设计实验的到来，正是这些实验将这种视觉整体作为表达目的。（见第八章）

在短暂离题去介绍拉里昂诺夫和冈察洛娃在1912年立体未来主义运动前的作品发展过程后，我们现在必须回到主线当中来，继续讨论这几年的发展。

原始主义运动发展表现在拉里昂诺夫和冈察洛娃的作品和活动中，从这两位艺术家会见布尔留克兄弟起，这一原始主义运动就露出了苗头。这次会面发生在1907年。

大卫·布尔留克和弟弟弗拉基米尔·布尔留克的父亲是一位富有的管家，当时管理着黑海附近切尔尼安卡地区[Chernianka]（两兄弟常用此地的古希腊名字："希利亚"[Hilea]称呼这个地方）莫尔德韦诺夫伯爵[Count Mordvinov]的庄园。兄弟二人就读于敖德萨[Odessa]当地的喀山艺术学校，1903年他们离开此地，在慕尼黑和阿兹比[Azbé]一起求学两年。此后，他们在巴黎工作了一年，然后回到俄罗斯的家中。因此尽管他们最初受训的学校与莫斯科学院相比等级要低很多，但他们的受教育背景和拉里昂诺夫及冈察洛娃还是非常相似的。大卫·布尔留克后来通过1911年到1913年间进入莫斯科学院学习弥补了这方面的不足，在这之后他和好友及同事弗拉基米尔·马雅可夫斯基被学院开除。

大卫·布尔留克在1907年秋季首次到达莫斯科，这次到访是由于莫斯科商人舍姆舒林[Shemshurin]的邀请。舍姆舒林是当时俄国典型的小艺术赞助人，任何下午5点30分到达他家的艺术家都可以和他共进晚餐。但对于来得太晚的人而言，这有些麻烦，因为舍姆舒林极度守时，他的餐厅向任何在5点25分之前出现在前厅的人敞开，5点半之后则紧闭大门。在这场原始主义运动中，非常贫困、毫无名气的画家们尤其感谢他的热心，例如，卡西米尔·马列维奇就是这里的常客。舍姆舒林的家对于这些艺术家而言几乎就是一个展览大厅。但是这位商人拒绝购买他

75. 米哈伊尔·拉里昂诺夫，《弗拉基米尔·布尔留克肖像》[*Portrait of Vladimir Burliuk*]，约1908年。

75

们的画作，他说金钱会破坏人与人之间的情感，但是他会允许这些画家将画挂在他的墙壁上。画家们很乐意接受这一点，因为许多画家住的地方都太糟糕了，以至于无法看到自己作品的全貌。据说冈察洛娃用于绘制大型画作的房间就太小了，以至于到了展览时，她才见到自己的画作拼起来的样子。

在1907年首次到达莫斯科时，大卫·布尔留克很快就和俄国先锋派取得联系。他不仅会见了"蓝玫瑰"团体，更重要的是，他还遇见了拉里昂诺夫、冈察洛娃和来自基辅的艺术家亚历山德拉·艾克斯特[Alexandra Exter]。在大卫和他的弟弟弗拉基米尔（当时也已经到达莫斯科）来到莫斯科后不久后，他们就举办了一个名为"史蒂芬/花冠"[Stefanos/Venok]（也就是"花冠"[Wreath]）的展览，这个展览聚集了上述艺术家们。这个小展览十分重要，因为它成为了许多小团

76

体展览的范本，而这些小展览代表了直到1917年革命前俄国绘画的发展历史。

布尔留克兄弟和这些莫斯科画家的会面似乎为现代运动带来了新的动力。接下来的几年中，俄国艺术世界的步伐异常快速，太多地方发生了太多事情，一切发生地都太迅速，人们甚至很难把这些事件拼接起来，得出一个完整的发展模式。如果把这一切缩略为一个模式，那么就会与真相失之交臂，因为这个杂乱、困惑的图景就是故事的背景，是故事不可分割的一部分。因此，我试着挑出少量重要事件和重大发现，以便指出观念的发展方向。

大卫·布尔留克和米哈伊尔·拉里昂诺夫两人都有着令人惊叹的活力和组织能力。在他们的势力短暂地汇合之后，他们共同吸引了当时俄国艺术世界里所有最有活力的人物。这几个人都很高大，强壮有力。尤其是年轻的布尔留克兄弟，身形尤为高大（图75）。弗拉基米尔是职业

77

76. 大卫・布尔留克，《我的哥萨克祖先》[*My Cossack Ancestor*]，约1908年。
77. 弗拉基米尔・布尔留克，《本尼迪克特・利夫希茨像》[*Portrait of Benedict Livshits*]，1911年。

摔跤运动员，在为了新艺术和新文学而前行的旅途中，他总是带着一对二十磅重的哑铃。然而，因为弗拉基米尔坚称这对哑铃会伤到自己的肌肉，大卫不得不负责搬运这个沉重的设备。

在“花冠/史蒂芬”展举办后不久，由于二人的妹妹柳德米拉[Ludmilla]结婚，布尔留克兄弟搬到圣彼得堡。和他们在莫斯科时一样，他们身边开始聚集一批同类的诗人、画家和作曲家。很快他们就组织了另一个展览——“联系”[The Link]，所有人都参加了这个展览，这里的每个人都绘画、写诗或作曲。然而，“联系”展无甚名气，已有名声的“蓝玫瑰”团体中没有一个人参展，而不知名的拉里昂诺夫、冈察洛娃、艾克斯特、方韦津[Fonvisin]、布尔留克兄弟及连图洛夫没有卖出任何画作。不过莫斯科学院的学生连图洛夫在展览举办不久以后就和一个莫斯科富商的女儿结婚了，这后来为他的朋友们带来了巨大的好处，例如，通过这层关系，他为1910年12月的“方块杰克”展览找到了经济支撑。

由于展览没有什么反响，布尔留克兄弟在夏季失望地回到了希利亚的家中。拉里昂诺夫跟他们一起回去了。他们一起度过夏季，并讨论他们的艺术理念，畅想未来，这些想法自然非常具有革命性且野心勃勃。正是在这个夏季以及之后的一年（1909年），在拉里昂诺夫的示范下，兄弟二人开始绘画更加不同于法国学派的作品，还对在绘画中吸收国家民俗艺术传统产生兴趣（图76、77）。大卫·布尔留克这一时期的画作虽然和拉里昂诺夫和冈察洛娃有相似的灵感来源，但是它的方式主要还是文学性的。（1911年，大卫和拉里昂诺夫分道扬镳，随后和马雅可夫斯基成为朋友，开始全身心地投入到诗歌写作中。大卫和马雅可夫斯基都尝试着把画家时期的经历融入到诗歌中。）

1908年秋季，布尔留克兄弟访问了身在基辅的亚历山德拉·艾克斯特。他们在基辅的街道上组织了另一个展览，这个展览获得了巨大的成功。展览几乎和他们当年早些时候在彼得堡组织的一样，只是加入了一些基辅周边的画家的近期作品。画作开始出售之后，布尔留克兄弟就返回了莫斯科过冬。

1909年的大事件尤其多。随着更多同类艺术家加入到团体中，理念也更加确定，原始主义运动开始成为一个固定的流派。1909年1月第二次法俄“金羊毛”沙龙之后，众多的团体小展览也相继出现，如“印象派”展览。“印象派”展览在圣彼得堡举办，艺术界知名人士军医库尔宾[Kulbin]赞助了这次展览。库尔宾的故交们常常把他亲昵地称为“疯狂的医生”，他是激进绘画的狂热爱好者，出手甚至比舍姆舒林还要大方，因为库尔宾不仅为报刊撰写展览相关的文章，赞助了许多展览，甚至会购买画作。他也涉足绘画领域，而且为“印象派”展览贡献了14幅画作。风景画是这次展览的主要内容，展览的举办形式则是谦逊而又无甚新意的，它主要是为了介绍先锋派艺术领域的新成员。未来主义作曲家、画家马秋申[Matiushin]（马列维奇的好友）和马秋申的妻子、诗人、画家伊莲娜·古洛，以及马列维奇后来的追随者、未来主义诗歌领袖阿列克谢·克鲁乔内赫[Alexei Kruchenikh]（当时还从事绘画活动）都在此之列。阿布拉姆采沃陶器当时已经是一家繁荣的莫斯科工厂，它的领导者沃林[Vaulin]也带着陶器参加了这次展览。原始主义和阿布拉姆采沃聚居区这两个国家主义运动之间也因此产生了联系。

"印象派"展览没有展出拉里昂诺夫和冈察洛娃的作品，但在1909年12月举办的第三届"金羊毛"展中，他们的新原始主义作品独占全场。

1910年，这些散落在莫斯科、彼得堡、敖德萨和基辅的小团体开始聚集开展了统一的运动，这表现为一系列更加野心勃勃的展览的出现。这些展览于1910年在几个城镇中举办，并在当年12月以莫斯科"方块杰克"展览作为压轴，在年末的展览中这一批先锋派艺术家们也首次联合在一起。

三月，彼得堡刚刚成立的"青年联合会"[Union of Youth]社团举办了一个展览，这是首个"青年联合会"展览。展览介绍了两位新成员，奥莉加·罗莎诺娃[Olga Rosanova]和帕维尔·菲洛诺夫[Pavel Filonov]。然而展览非常混乱。这个社团接下来每年都会举办两次展览，由于其将彼得堡和莫斯科艺术家最新的作品放在一起展出，所以有趣且意义重大。"青年联合会"的赞助人也是一位商人，名为L. 热韦尔热耶夫[L. Zheverzheyev]。除了展览以外，联合会还赞助了许多公开的讨论，这些讨论成为之后几年莫斯科和彼得堡人生活中的特色之一。每场讨论都引起了广泛的参与，未来主义者们因为疯狂的激情、野性的激辩和荒唐的外表而被当作是最好的娱乐。实际上，这些讨论成为许多团体的主要生活来源。为了打破陈规，艺术家和诗人用任何可能的形式与之战斗。人们经常能够看见这个小世界中的人——拉里昂诺夫、冈察洛娃、马雅可夫斯基或布尔留克兄弟，手捧鲜花，脸上画着代数符号或辐射主义[Rayonnist]标志，游走在莫斯科的主干道上。通过1913至1914年“未来主义游行”，马雅可夫斯基、卡缅斯基[Kamensky]和布尔留克兄弟穿越了17个俄国城镇，传播了自己的观点，大卫·布尔留克还在自己的前额上赫然涂写：“我——布尔留克”。1913年，他们一起拍了一部电影，名为《卡巴莱歌舞剧，13号》[*Drama in Cabaret No.13*]（图78）。这部电影就是他们的每日活动记录，他们身着色彩明亮的马甲在商店和餐馆内外溜达来溜达去，男性带着耳环，衣服扣眼上别着萝卜或勺子。这是在用一种滑稽的方式模仿象征主义者们精致的、过分讲究的教养，还有像奥斯卡·王尔德那样热爱绿色康乃馨和百合的审美。这些艺术家们正是他们想要攻击的社会阶层中的一员。他们的诗歌和画作与著名的象征主义诗人及“艺术世界”画家的没有什么不同，只不过他们是率直的、粗犷的、简单的，言论比他们的先行者们更明确而已。通过将这些“象牙塔”创造者们的语言“带回现实”，带到大街上，带到人们每日生活中，带给普通市民。这些艺术家利用他们仅有的武器，来调和艺术与社会的关系，将艺术从“象牙塔”中剥离出来。通过他们滑稽的举止和在公众面前戏谑的态度，人们可以发现一种直觉上的、稚嫩的尝试，旨在试图修复艺术家与日常生活的紧密联系，让艺术家深切地认

78. 《卡巴莱歌舞剧，13号》场景之一，1914年。这张图片展现了拉里昂诺夫和他怀中的冈察洛娃，拉里昂诺夫的眼睛涂上了绿色的眼泪，他的头发梳到脸前；冈察洛娃的头发向下垂坠，她的脸上和胸前画着一张人脸。

79. 电影《创造力是买不到的》[*Creation can't be bought*]中的一幕，1918年。站在背景中的人物是大卫·布尔留克和弗拉基米尔·马雅可夫斯基。

80. 芭蕾舞《弄臣》（英文名为*Chout*，法文名为*Bouffon*)中的一幕近景。服装和场景首次出现在佳吉列夫1921年在巴黎的演出中，由米哈伊尔·拉里昂诺夫在1916年设计。

78

79

80

识到自己应当成为一名活跃的市民。是否正因为这个原因，人们可以看见这些年轻艺术家们将大部分精力都放在了激起公众的回应上？反之，人们还能通过什么方式解释这些人在卡巴莱夜总会和餐馆频繁出现，解释他们面向公众时的荒唐行径和自我嘲讽或是他们可笑的衣着？（图79、80）他们为什么这样发狂般地渴望着把自己推销出去，费尽心机地直到被人注意？虽然形式如此怪异，但是这难道不是另一种俄国艺术常对社会良知激昂的号召吗？

弗拉基米尔·伊兹捷布斯基[Vladimir Izdebsky]在敖德萨举办的沙龙延续了第一届“青年联合会”展览。沙龙标志着慕尼黑学派被引进俄国。弗拉基米尔·伊兹捷布斯基、瓦西里·康定斯基、阿列克谢·亚夫连斯基[Alexei Yavlensky]三人同为“新艺术家联盟”[Neuekunstlervereinigung]的发起人，这个组织在慕尼黑成立，时间为沙龙举办的前一年。这个俄德画家团体是1911年和1912年“青骑士”运动的核心，这项运动还包括了许多莫斯科艺术家。康定斯基在本次沙龙上首次遇见布尔留克兄弟、拉里昂诺夫和冈察洛娃，这个由伊兹捷布斯基组织的展览就在他和康定斯基的故乡举办。这是康定斯基在俄国唯一参加的展览，他一共展出了52张画作，加布里埃尔·蒙特[Gabriele Münter]、布尔留克兄弟、拉里昂诺夫、冈察洛娃、艾克斯特也展出了画作。

从这一点上可以看出俄国先锋派和欧洲其他的激进团体之间的联系有多么紧密。实际上，慕尼黑“青骑士”团体中的许多成员都是俄国人。如果想一想在19世纪90年代和20世纪初，相对巴黎而言，俄国艺术生更倾向于前往慕尼黑学习，如比奈斯等“艺术世界”领袖们，这就不足为奇了。需要注意的是，康定斯基也属于“艺术世界”一代，这也就解释了为什么他的观念与他的下一代俄国同乡们有所差别。尽管康定斯基和19世纪90年代最初的“艺术世界”运动成员之间没有多少联系，但他在1911年以前的画作和手稿与康斯坦丁·索莫夫等人有

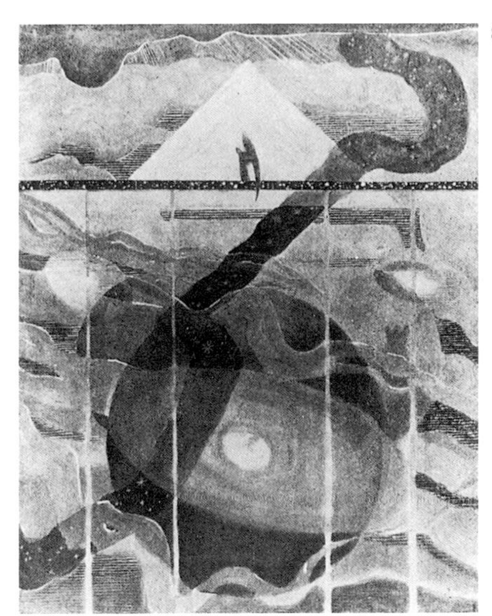

81. 米卡罗杰斯・丘尔里奥尼斯[Mikalojus Čiurlionis]，《星辰奏鸣曲，行板》，1908年。

莫大的关联，而他的文章和“艺术世界”的诗人（尤其是安德烈·别雷）也非常接近。康定斯基在精神上和立陶宛作曲家、画家丘尔里奥尼斯[Ciurlionis]也非常接近（图81），后者从1906年开始在圣彼得堡工作，直到1911年逝世。1912年，丘尔里奥尼斯在当时的“艺术世界”展览中有一个专门的部分，许多“阿波罗”成员也将这位奇怪的艺术家奉为圭臬。[6]康定斯基和“青骑士”团体的态度本质上来说是象征主义的，即主观的真相、灵感到来的神圣时刻、“艺术精神”（[*Spiritual in Art*]，这也是康定斯基的书名）的特殊理念。这些元素将他们的艺术运动与“艺术世界”运动紧紧相连。

布尔留克兄弟也跟随着这股俄国人转向德国学派的潮流，1902年，他们出发去慕尼黑并且正如大卫·布尔留克在文章中所言，就和比奈斯在十年前一样，他们被荷尔拜因、门采尔、利伯曼、莱布尔的作品深深地吸引。[7]在慕尼黑，兄弟二人跟随阿兹比学习，与此同时，康定斯基已经开始在德国工作，不过当时似乎他们之间没有联系。

和“艺术世界”画家们一样，康定斯基把作品送到维也纳、慕尼黑、柏林分离派展览中，而不是巴黎的沙龙。因此，这些中心的俄国先锋派画家和建筑师比巴黎的出名更早。下文中的选段就来自于1909年在维也纳举办的一个建筑与室内设计展的俄国部分回顾：

> 不久以前，有人说如果有人动了俄国人一根毫毛，那么他立马就会遭受野蛮的待遇。现在我们终于能够更加正确地理解这一点，而且在这种野性中找到了绝妙的艺术优势。这个被地理环境和人种环境拯救的原料库，是一个国家宝库，从这个宝库中，俄国人不断汲取灵感。在几年以前，西方艺术必须承认日本艺术的入侵的事实。而去年春天，在我们的建筑展览上，俄国人站了出来，每个人都被他们的作品吸引。我们天生就应当羡慕他们保持至今的野性。西方已经成为一个常见的集会地，就如往日的罗马帝国一样，拥有来自远方的朋友和国外的友人的涌入，这些朋友意图向我们学习的同时，也教会了我们新的知识。野性和现代主义中最为高雅的部分是能够互相接纳的，并且能够互补。[8]

上述引文接着说：“我们西方艺术中的极左运动和俄罗斯的融合”很快就导致俄罗斯人关注巴黎胜过德国。从1904年开始，情况有所改变，当时《艺术世界》杂志停刊，莫洛索夫和休金开始收藏后印象派作品，而后又发生了“金羊毛”运动。到1906年，俄国艺术家开始更多地参加巴黎的工作室，更少去到慕尼黑或维也纳。由于佳吉列夫1906年在秋季沙龙的展览，巴黎也认识了俄国学派，并且为佳吉列夫的芭蕾舞作品感到疯狂。1910年后，由于几个学派的影响实在太广，混合程度又太深，以至于人们无法再说俄国就是几个运动的模仿地。俄国变成了独

82

82. 娜塔丽娅·冈察洛娃，《镜子》[*The Looking-glass*]，1912年。

立的中心，而“方块杰克”展览就是对此的证明。

第一届“方块杰克”展览极其重要，我们有必要详细分析参展的作品。

亚历山大·莫塞罗[Alexandre Mercereau]挑选了当年的法国展品。自从莫塞罗担任《金羊毛》的记者后，他就成为一位经常访问俄国艺术世界的法国作家、评论家。他为这次展览挑选的作品主要来自格列兹[Gleizes]、勒·福科尼耶和洛奇[Lhôte]，因此，这些画家当时在俄国的知名度越来越高，影响力越来越大。格列兹和梅辛格[Metzinger]的著作《立体主义》[*Du Cubisme*]在法国出版一年后，就出版了两个俄文版本，[9]这两人的作品和伯纳德[Bernard]有关塞尚的规则总结和研究文章一起，成为1910年到1914年间俄国运动最主要的文本。

除了这些次要的立体主义者的作品以外，展览没有展出其他法国画家的作品，但是在下一届同名展览中，许多其他人的画作被纳入，尤其是莱热[Léger]的画作，他在俄国追随者众多。尽管德劳内[Delaunay]的名字出现在1912年第二届“方块杰克”展览名单中，但他本人并没有展出任何作品。值得一提的是，毕加索和马蒂斯没有在这个展览中展出任何作品，但是由于休金和莫洛索夫持续收藏他们的作品，所以他们的近作在莫斯科仍然非常知名。

慕尼黑的团体也在第一届“方块杰克”展览中出现了，这比首个“青骑士”展览还要早六个月。第二届“方块杰克”展览甚至更加倾向于慕尼黑学派，实际上，第二届展览的参展人员几乎和1912年“青骑士”展览人员是同一批。

在第一届“方块杰克”展览中，康定斯基和亚夫连斯基各展出了四张作品。（康定斯基展出了《即兴作品a、b、c、d》[*Improvisations-a, b, c, d*]。）除了对民俗艺术有一致的兴趣以外，慕尼黑学派和其他参展人的作品基调格格不入，只有布尔留克兄弟的一些作品与之类似。直

83. 伊利亚·马什科夫，《E.I.吉尔卡达肖像》，1910年。

到第二届“方块杰克”展览，“青骑士”团体和“桥社”[Brücke]才完全被介绍到了俄国。当时，莫斯科团体的主要人物拉里昂诺夫和冈察洛娃已经走向了极端国家主义，因此他们摆脱了“慕尼黑的堕落”和“巴黎学派廉价的东方主义”。[10]

第一届“方块杰克”展览的重心是1909年由于“左派思想”而被莫斯科学院开除的四位俄国学生的作品。这四人就是阿里斯塔尔赫·连图洛夫[Aristarkh Lentulov]（1878—1943）、彼得·冈察洛夫斯基[Piotr Konchalovsky]（1876—1956）、罗伯特·法尔克（1886—1958）及伊利亚·马什科夫[Ilya Mashkov]（1884—1944）。他们最开始是知名的“塞尚主义者”。他们的“左派思想”明确带有对塞尚、凡·高和马蒂斯的致敬。当德国学派和原始主义者们摈弃他们后，他们就接过了“方块杰克”这一名称，并继续使用，他们把“方块杰克”变成了一个官方展览协会，拉里昂诺夫对此明确地表示了厌恶。

84

84. 伊利亚·马什科夫，《穿着刺绣衬衫的男孩》，1909年。

85. 罗伯特·法尔克，《鞑靼记者米德哈·里发托夫肖像》[*Portrait of the Tartar journal-ist Midhad Refatov*]，1915年。

85

在说到布尔留克兄弟时，我们已经谈到过连图洛夫。在过去的三年中，他和布尔留克兄弟、拉里昂诺夫及冈察洛娃出现在每个圣彼得堡以外的小展览中。连图洛夫的连襟提供了3000卢布以举办第一届“方块杰克”展览。连图洛夫当时的作品是三位“塞尚主义者”中的典型。从他展出的作品中可以明显看到勒·福科尼耶的影子（勒·福科尼耶分别在第一届和第二届“方块杰克”展览中展出了1909年的《朱夫肖像》[*Portrait of Jouve*]和1910至1911年的《富足》[*L'Abondance*]），他名为《学习》[*Study*]的肖像画展现了传统的透视和明暗画法，但是很快这些就被马蒂斯般横扫的线条和装饰性的图案、明亮的色彩取代。

明度、厚度都很高的色彩、密集的表面图案以及极度简化的形式后来成为这四个画家作品的主要特征。伊利亚·马什科夫的作品可能是其中最为典型的。在他的《E. I. 吉尔卡达肖像》[*Portrait of E. I. Kirkalda*]（图83）中（他曾在第一届“方块杰克”展览中展出这幅画），马蒂斯的影响异常明显，但却非常突兀。这幅画尤其让人想起马蒂斯的《格丽泰·摩尔肖像》[*Portrait of Greta Moll*]，这幅画曾经彩印在1909年的《金羊毛》杂志中。他们同样用了厚重的线条刻画轮廓；同样采用了明亮、极不自然的色彩，尤其是皮肤的色调，两位女士都有着雍容华贵的发型轮廓。画家不寻常地将完全二维的中国画背景与坐着的三维人物并置，强调了形式构成的矛盾。画作的形式介于传统的空间透视和马什科夫特有的装饰性平面图案（如《穿着刺绣衬衫的男孩》[*Portrait of a Boy in an Embroidered Shirt*]）之间（图84）。马什科夫除了受法国野兽派影响，还和德国表现主义者基希纳[Kirchner]、佩希斯泰因[Pechstein]和黑克尔[Heckel]有所关联，这些人也都参加了1912年的“方块杰克”展览。他们的作品中同样有着狂热、强烈的色彩，不过俄国人的作品形式和主题没有那么张扬，而且马什科夫的作品图案节奏都是圆形的、封闭的，但德国人的画作则是有尖角的。

86.彼得·冈察洛夫斯基，《乔治·亚库洛夫肖像》，1910年。

肖像画、静物画是这四位莫斯科画家的典型题材。他们使用简单、微不足道的物品来避免出于叙事而文学化的元素。实际上，他们只是要为自己在形式构成和色彩上做的抽象实验找“借口”。

马什科夫最关注的是色彩，彼得·冈察洛夫斯基在他的早期作品中也是如此。彼得1910年的《乔治·亚库洛夫肖像》[*Portrait of Georgy Yakulov*]（图86）再次揭示了他的作品和马蒂斯作品之间的紧密联系。在他后来的作品中，塞尚的影响占据了首要地位，他对色彩的全部关注转变为典型的塞尚主义者的单色调，还有松散的、排线的笔触。

罗伯特·法尔克是四个画家中最为严肃和感性的。他的作品更多地借鉴了塞尚的画作，而非马蒂斯的。他画作的主题也是肖像（例如《鞑靼记者米德哈·里发托夫肖像》[*Portrait of Midhad Refatov*]）（图85）和静物。然而，相对于他的“方块杰克”同伴们浅显和稚嫩的作品而言，他的作品带有一种与众不同的犹太式的忧郁和强烈情感。干燥的色彩层次、安静的

87

88

色调以及持续的笔触节奏将他的作品和这个初级的团体区分开来。法尔克是这几个人中唯一一个后来基于塞尚风格，形成了个人风格的艺术家。后来他和冈察洛夫斯基以及库普林[Kuprin]（团体中的另一个早期成员）对培养下一代苏联画家作出了很大贡献。

拉里昂诺夫送到第一届“方块杰克”的作品是他和布尔留克兄弟停留在希利亚时的作品（他曾经将当时许多作品送到第三届“金羊毛”展），还有他在展览之前一年完成的众多画作及1906到1907年间的早期画作。《士兵们》（第二版）（图61）是他当时展出的最新的作品之一。这幅画作包括很多元素，拉里昂诺夫在随后的一年中强化了这些元素，它们包括栅栏上用粉笔画的带有原始主义色彩的背部平滑的动物，采用涂鸦式的风格；特征刻画粗糙的人物完全忽视了传统的透视，或者说这是对透视法则有目的的亵渎。强烈的横向动势和栅栏顶处突然被裁

87. 娜塔丽娅·冈察洛娃，《摘苹果的农民》，1911年。

88. 娜塔丽娅·冈察洛娃，《钓鱼》，1910年。

89. 娜塔丽娅·冈察洛娃，《福音布道者》[*The Evangelists*]，1910—1911年。

切的画面，除去了的天空部分，这些都延续了他前一年的作品《小镇漫步》中的特征，拉里昂诺夫也将后者送到了展览中。

冈察洛娃展出了非常类似于拉里昂诺夫的原始主义风格的画作。在《钓鱼》[*Fishing*]中（图88），仍然存在法国学派的影响，但是这种风格相较之前一年已经更加融洽和自由。她画中的场景转到了俄国，题材则来自俄国农民的农业生活，例如《清洗亚麻布》[*Washing the Linen*]（现藏于俄罗斯博物馆，列宁格勒）。展览还展出了她的四张宗教画。她的作品中不再有之前一年出现的莫里斯·丹尼斯式的白色和柔弱的粉红色，例如被她送到最后一届“金羊毛”展览的《摘苹果》[*Picking Apples*]（图87）。她从之前的学派中自信地解脱出来之后，

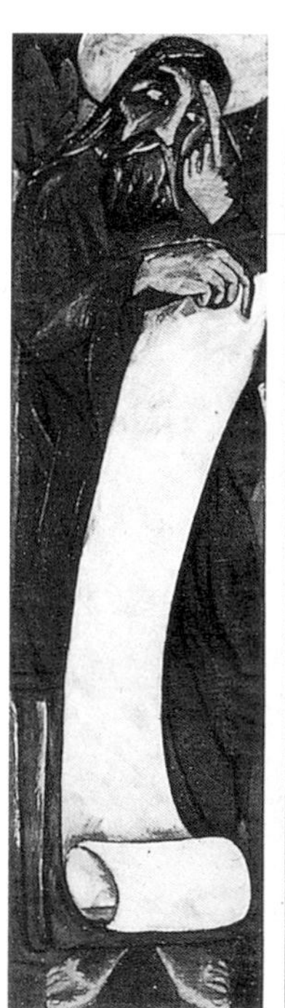
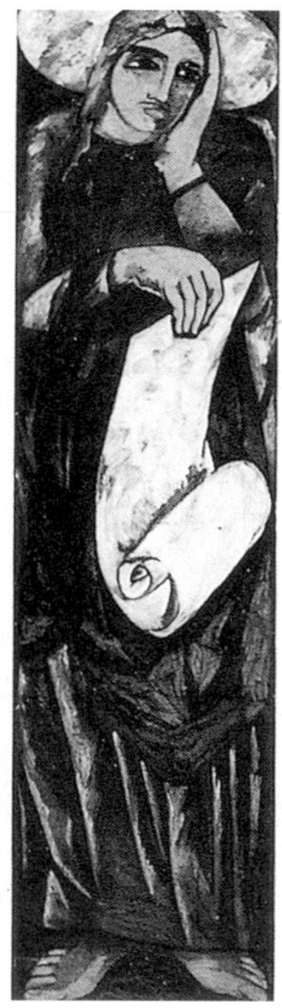

89

就进入了一个显眼的色彩世界。

卡西米尔·马列维奇是展览的新成员。虽然他在1905年就已经到达莫斯科，但是他当时还不是莫斯科团体的密友。他从来没有参加过任何小团体展览，只在大型公众沙龙中展出作品。他把具有博纳尔和维亚尔风格的作品送到了这次展览中。虽然马列维奇的作品在这次展览中没有引起注意，但重要的是他认识了拉里昂诺夫和冈察洛娃。这三个人成了后来四年中的领导人物，而在拉里昂诺夫和冈察洛娃随同佳吉列夫出国之后，马列维奇更是成为唯一的领导人。

在"方块杰克"展览中，布尔留克兄弟和拉里昂诺夫及冈察洛娃之间短暂的合作告终。大卫·布尔留克展出了与早期和拉里昂诺夫、冈察洛娃共同组织的团体展中的作品风格类似的画作。作品主要的主题是乡下风光，绘画手法则刻意地模仿小孩涂鸦。在这一时期结束后，他和团体中的人一样，致力于在诗歌领域发展这种风格。

弗拉基米尔·布尔留克比他的哥哥更有绘画天赋，康定斯基对他也更加认可。康定斯基后来也成为兄弟二人的密友，在战争爆发期间康定斯基回到莫斯科后，他甚至就住到了兄弟二人隔壁的公寓。他还是大卫·布尔留克第二个孩子的教父。在这个未来主义者圈子中的诗人本尼迪克特·利夫希茨[Benedict Livshits]在书中回忆了这一时期[11]，描述了当他与亚历山德拉·艾克斯特一起停留基辅时是如何遇见大卫·布尔留克的。那是在1911年的圣诞节期间，一个穿着礼服大衣和华丽丝绸马甲的彪形大汉炫耀地拿着一个长柄眼镜，突然出现在朋友亚历山德拉·艾克斯特的公寓前，然后突然对他说："小伙子，难道你不要和我们一起到切尔尼安卡过圣诞节吗？"这完全消除了艾克斯特对布尔留克原有的敌意。利夫希茨在后文中叙述了他们坐着火车从基辅到布尔留克兄弟位

90. 米哈伊尔·拉里昂诺夫，《辐射主义风景》[*Rayonnist Landscape*]，1912年。

于黑海边住宅的疯狂经历，布尔留克一边潦草地写下诗句，一边在客车厢里走来走去，向利夫希茨引用波德莱尔、魏尔伦、马拉梅的章句，而利夫希茨则向布尔留克介绍自己最喜欢的兰波[Rimbaud]。这段描述能够让人一窥当时在绘画、写作、交流活动中狂热的、极速的节奏。弗拉基米尔·布尔留克在这一期间为利夫希茨所画的画像是他少有的存世画作（图77），六年以后他就英年早逝了。

当利夫希茨看见弗拉基米尔拿出一幅刚刚画好的作品，拖着画作穿过泥水洼，且泥水还会溅到画布上时，他感到了不适。但令他惊讶的是，大卫·布尔留克竟无动于衷……而且还安慰他说："弗拉基米尔会在厚重的沙和黏土上再覆盖厚重的颜料，他的作品将会变成带有希利亚土壤的风景画。"[12]

第五章 | 1912—1914

1912年2月，在大卫·布尔留克于莫斯科组织的“当代艺术”公开研讨中，拉里昂诺夫和冈察洛娃终于和“方块杰克”团体划清了界限，且这一举措颇有一点闹得不可开交。在这场讨论中，拉里昂诺夫指责布尔留克是“跟随慕尼黑学派的堕落者”，而塞尚主义者们是保守主义者和折中主义者。这一指责大概和当时布尔留克与康定斯基的紧密合作有关，拉里昂诺夫认为这是莫斯科和慕尼黑之间的暗中来往。“青骑士”的作品会出现在1911年和1912年“方块杰克”展览中虽然是得益于大卫·布尔留克的安排，但是从一封康定斯基于1911年3月写给冈察洛娃

的信中可以看出，在1911年的春季，康定斯基就已经对冈察洛娃和拉里昂诺夫的活动有兴趣并且有所联系。他在信中写道："关于他（拉里昂诺夫）的作品，你只是附带地向我提起，但是我很想知道他的作品是怎样的……还有'驴尾巴'[Donkey's Tail]的成员有哪些。"[1]然而，到了1912年，拉里昂诺夫对"慕尼黑学派的堕落者"的态度似乎变得和对"巴黎学派的匮乏者"——塞尚主义者们的态度一样轻蔑，他没有回复康定斯基邀请他去第一届"青骑士"展览时致以的问候，而是加入了"驴尾巴"团体，这个团体在1912年3月于莫斯科举办了首个展览，时间正是在上述大众讨论后不久。"驴尾巴"[2]团体旨在成为第一个有意识地与欧洲分割开的团体，他们主张自己是独立的俄国学派。

团体的展览于1912年3月11日在莫斯科开幕。不算"青年联合会"在1911年12月举办的小型展览的话，这是第一场"四人组"（拉里昂诺夫、冈察洛娃、马列维奇、塔特林）全部参加的展览。拉里昂诺夫、冈察洛娃、塔特林各自展出了50幅画作，马列维奇展出了23幅。除了从巴黎送来了作品《死亡》[*Death*]的夏加尔[Chagall]以外，其他的参展艺术家都是莫斯科先锋派的次要成员。参展人中还包括格鲁吉亚人尼可·皮罗斯马尼什维利[Niko Pirosmanishvili]（1862—1918），一位自学成才的广告画家。当时，他完全沉迷于拉里昂诺夫和其他未来主义成员的风格。媒体和公众奋力地抨击和嘲笑着此次展览。和拉里昂诺夫往常的事件一样，展览还涉及了一则丑闻，审查者们认为把冈察洛娃的《福音布道者》[*The Evangeists*]（图89）等宗教画挂在名为"驴尾巴"的展览中是一种亵渎，所以这些作品后来就被没收了。

拉里昂诺夫展出的作品多为士兵题材，延续了1908至1910年"方块杰克"展中的作品风格，使用了"稚拙的原始主义"[Infantile

91. 米哈伊尔·拉里昂诺夫，《海滩》[*Sea Beach*]，1913—1914年。

92

Primitive］表现风格。有些作品刻意画成下流的、亵渎神灵的，不过这些画作太过于深奥晦涩，以至于审查者们并没有对此感到介意。

冈察洛娃的展品中包括许多新原始主义作品，如《摘苹果的农民》［*Peasants Picking Apples*］（图87）、《切割干草》［*Haycutting*］（图55）等农业题材的作品。在展览目录中还写着她展出了一系列“采用俄国刺绣、木版画和传统托盘装饰方式的中国、拜占庭、未来主义风格”作品。

93

我们可以将“驴尾巴”和与它同期举办的慕尼黑“青骑士”展览做一对比。这两个展览不仅有许多相同的参展人，而且都对民俗艺术和儿童艺术感兴趣，“青骑士”团体展览中甚至还有七张19世纪俄国农民木版画。康定斯基和马列维奇都从俄国民俗艺术中吸取配色，尤其是从

92. 米哈伊尔·拉里昂诺夫，《玻璃》，1911年。

93. 米哈伊尔·拉里昂诺夫，《蓝色辐射主义》[*Blue Rayonnism*]，1912年。

木版画中。实际上，马列维奇甚至制作了许多模仿俄国“鲁波克印刷”的平版印刷品。拉里昂诺夫和德国表现主义都喜爱深奥的事物。在拉里昂诺夫的《弗拉基米尔·布尔留克肖像》（图75）和冈察洛娃的《摔跤手》[*Wrestlers*]中，人们同样也能看见受德国艺术家影响的痕迹。

马列维奇这一时期的作品和慕尼黑学派之间没有那么直接的关联，而是更多地表现出马蒂斯和野兽派的影响，不过对他影响最大的还是冈察洛娃。在他的农民主题画作中，这一时期的色彩和图像构成可以直接与冈察洛娃的画作联系起来。他本人曾经这样评价他们的合作：“冈察洛娃和我都多以农民为主题，虽然我们都采用原始的形式来表达，但是我们的每幅作品都揭示了一种对社会的关怀。这是我们和采用塞尚法则作画的‘方块杰克’之间最基本的不同点。”[3]

塔特林的贡献是为“驴尾巴”展览提供了一大批为《马克西米利安大帝》[*Emperor Maximilian*]所作的服装设计。（图141）这些作品不像一些人想的那样是受人委托而作的；在当时的俄国，艺术家们可能会为一整个剧目设计背景和服装，然后就像一个建筑师一样制作微缩模型，呈献在那些他认为会购买的戏剧出品人面前。除了这些服装外，塔特林还展出了他1901至1911年间在土耳其、希腊、利比亚当水手时以及间歇性地在莫斯科学院学习时完成的草图和研究记录（图94—97）。塔特林的这些早期作品完成于他刚刚结束学校训练之后，反映了他对凡·高、塞尚、拉里昂诺夫的原始主义作品的兴趣，而拉里昂诺夫当时也和他关系不错。

接下来的一年，拉里昂诺夫组织了第二届展览，名为“靶子”[The Target]。这是辐射主义[Rayonnism]正式登场的时刻。首张辐射主义作品《玻璃》[*Glass*]（图92）曾经在1911年的“自由美学协会”[Society of Free Esthetics]一日展中展出；根据尼古拉·哈尔杰夫的评论，1911年12月的“青年联合会”展览也展出了一张辐射主义风格

94

的作品。而到了1913年的展览，拉里昂诺夫才发表他的辐射主义宣言：

我们声明：当今的特征是——裤子、夹克、鞋、有轨电车、巴士、飞机、铁路、大型船只。多么令人喜悦啊！在历史上这是一个多么无与伦比的时代啊！

我们否认个体在艺术中的任何价值。人们应当只是注意到艺术作品，并且根据它的制作方法和规则审视它。

致敬美丽的东方！我们和当代东方艺术家共同努力。

致敬国家主义！——我们和房屋油漆工携起手来。

94. 弗拉基米尔·塔特林，《鱼贩》[*Fishmonger*]，1911年。

95

96

致敬我们的辐射主义，它独立于绘画法则的真实形式、存在和发展之外。（辐射主义是立体主义、未来主义、俄耳甫斯主义的综合体。）

我们声明永远不存在复制，并且建议根据过去的作品绘画。我们声明绘画从来不受时间的限制。

我们反对西方，反对使我们的东方形式通俗化，反对把每样东西都处理得毫无价值。我们强烈地需要精深的技术。我们反对会导致停滞的艺术团体。我们不要求公众的关注，而是请求公众不要求我们关注。

我们推广的辐射主义风格画作在风格上关注的是空间形式，这种形式源于不同物品上反射光线的交错，以及被艺术家抽离出来的

95. 弗拉基米尔·塔特林，《花束》[*Bouquet*]，1911年。

96. 弗拉基米尔·塔特林，《水手契约贩子》[*Vendor of Sailors' Contracts*]，1910年。

97. 弗拉基米尔·塔特林，《水手》[*The Sailor*]，1911—1912年，可能是一幅自画像。

形状。

光线通常表现为从表面反射的有色线条。绘画的本质就是表现这些光线——色彩搭配、饱和度、色块之间的关系、画面的张力。画作揭示了短暂一瞥留下的印象（马雅可夫斯基在对公众解释当代画作时，把‘辐射主义’指为一种‘立体主义’对‘印象派’的解读），我们对它的理解超出了时间和空间，它引起了可能名为“第四维”的感觉，那就是对色彩层次的长度、宽度和厚度的感觉。这些是画作中展现出来的唯一的感知的表征，而画作

97

本身有另一种秩序。通过这种方法，绘画和音乐并驾齐驱，却又保持自身特色。至此，一种绘画方法诞生了，即努力遵循独特的色彩法则，并将该法则运用到画布上。

从此，新的形式诞生了，新形式的意义和表达方法完全基于色调的饱和度及这种色调与其他色调产生关系时所显示的状态。这自然包含所有当前的风格和已有的艺术形式，因为它们就像生命的过程一样，只是开启了一段辐射主义画作理念和构成的新征程。

从此开始，艺术真正解放；从此开始，一个从绘画法则中

98

99

100

孕育出来的生命诞生了，它是一个独立的存在，它采用自己的形式、色彩和音色作画。[4]

拉里昂诺夫的辐射主义画作开始于1911年末，一直持续到1914年，也就是他和冈察洛娃离开俄国成为佳吉列夫的芭蕾舞团设计师后不久。辐射主义是一个短暂的运动，它只是拉里昂诺夫和冈察洛娃在这一时期中采用过的众多风格之一。虽然其中一些画作毫无疑问是“抽象”的，但是这些没有什么说服力的作品无法表现出它作为“抽象”画派先锋的重要性，这些作品背后所蕴含的将俄国现代思想合理化的学说那

98. 娜塔丽娅·冈察洛娃，《猫》[*Cats*]，1911—1912年。

99. 米哈伊尔·拉里昂诺夫，《弗拉基米尔·塔特林肖像》[*Portrait of Vladimir Tatlin*]，1913—1914年。

100. 娜塔丽娅·冈察洛娃，《有绿色和黄色的树林》[*The Green and Yellow Forest*]，1912年。

101

102

样，给予我们一种他们认为合乎逻辑的结论，即所谓的野兽主义、立体主义和俄国本土装饰原始主义。正是基于这一合理化的进程，马列维奇后来建立了至上主义，这是现代运动中第一个系统的抽象画派。

然而，拉里昂诺夫的辐射主义作品和冈察洛娃的差别巨大。首先，拉里昂诺夫的作品是理论上的实验，是采用柔和色彩进行的客观分析（图90—93），而冈察洛娃的作品不论从主题还是观感来看，都更加接近于意大利未来主义。再者，拉里昂诺夫的主题主要是静物和肖像，而冈察洛娃则常常使用《骑自行车的人》[*The Cyclist*]（图103）、《工厂》[*The Factory*]、《电器装饰》[*The Electrical*

101. 娜塔丽娅·冈察洛娃，《发动机》，1913年。

102. 娜塔丽娅·冈察洛娃，《拉里昂诺夫肖像》[*Portrait of Larionov*]，1913年。

103. 娜塔丽娅·冈察洛娃，《骑自行车的人》，1912—1913年。

Ornament]、《发动机》[*The Machine's Engine*]（图101）等名称。最后，冈察洛娃使用鲜艳的色彩：主要是蓝色、黑色还有黄色，关注速度和机器的动态，而不是拉里昂诺夫在1913年宣言中倡导的对色彩和线条抽象特征的客观分析。

在1910年“方块杰克”展览中，马列维奇展出了三幅作品，这是他首次和拉里昂诺夫的团体取得联系。这次展览也开启了一场激动人心的合作。

马列维奇于1878年生于基辅附近。他来自朴实的波兰-俄罗斯世系。他的父亲曾经是基辅一家制糖厂的工头。他的母亲是一个富有爱心的女性，可能不识字，她一直在马列维奇身旁，1919年以96岁高龄去世，她一直和儿子住在一起。马列维奇小的时候没有受过多少教育，但是通过他不懈的努力和惊人的敏锐天赋，后来拥有了渊博的知识。他除

103

104

105

104. 卡西米尔·马列维奇，《游泳者》，1909—1910年。

105. 卡西米尔·马列维奇，《拿花的女孩》，1904—1905年。

了热衷于读书以外，还会用一种传统的俄罗斯方式锲而不舍地用最快的速度集中精力探索观念直到找出这个观念的逻辑结论。他的许多文章充满了父权社会的论调，然而，文章中含混不清的想法和语言，也暴露了他缺乏系统的教育。他平庸的背景可能成为他和康定斯基之间的另一道屏障，因为康定斯基成长于一个有教养的国际化家庭中；虽然这两位画家在生活中没有联系，但是他们的观念有许多共同之处，而且他们都主要和象征主义运动有关。

马列维奇是个优秀的演说家，他富有魅力，为人幽默。虽然他本人非常矜持，而且会保留自己的感受，但是在艺术方面，不管是在公共讨论中，还是在他自己的小册子和宣言中，他都是激昂的。

马列维奇在19岁进入基辅艺术学校。1900年，他离开学校，开始独自工作。在俄国，人们把他的早期作品描述为“印象派”的，但是这形容的是画作的绘画方法而不是绘画的原则。对于马列维奇来说，从最开始他就不关注自然或想要分析自己的视觉感觉，而是关注人与宇宙的关系。

27岁那年（1905年）他来到莫斯科，正好碰上了十二月革命，和许多画家一样，他对于非法的文学作品感兴趣，甚至参与这些文本的传布。马列维奇从来没有进入莫斯科学院学习，但是他曾经在同行中被认为是最为先锋派的罗尔布格[Roerburg]的工作室工作。他一直在那里工作到1910年。正是通过罗尔布格，拉里昂诺夫注意到了马列维奇。马列维奇在1905至1908年之间的作品采用了富有节奏的笔触，作品的构成则是基于塞尚、凡·高、高更、博纳尔、维亚尔和德兰的作品（他曾经热衷于通过期刊研究这些作品），以及休金和莫洛索夫的藏品。

在1904至1905年的《拿花的女孩》[*The Flower Girl*]（图105）中（他曾经在1910年首届“方块杰克”展览中展出过此画作），人们已经可以感觉到大师的风范。他借鉴了博纳尔的双层平面，然后采用一种将显眼的前景人物和向后的透视简单地分隔成两个平面的方式。画面强烈的横向分割加深了人物的即时感，这种横向分割将背景画面分割成一个独立的整体。值得关注的是背景场景是用一种典型的印象派轻盈笔触绘制的，而拿着花的女孩形象则是用一种近于平均的笔触描绘轮廓，不同绘画方法之间的对比再次出现在巴黎人和背景建筑中，而拿花的俄罗斯模特也没有采用描绘人物的方法画成。马列维奇的具象作品都有人物，但却只是象征的人形。

106

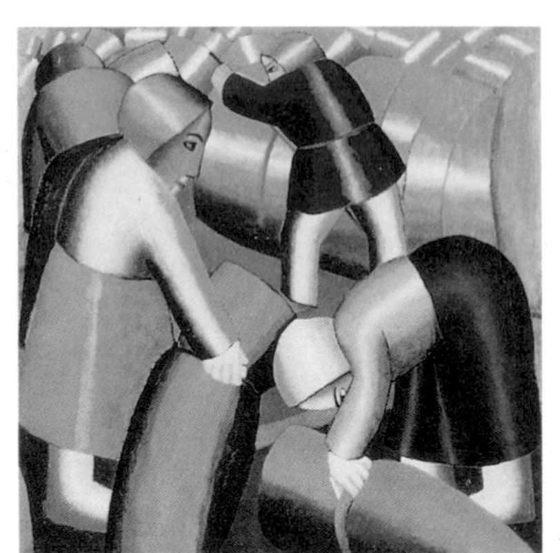
107

拿花的女孩伸出的手臂和肩胛骨呈一条直线，这个像警员一样的动作强调了画面的平面性，使这个女孩给人被画布表面压缩成平面的印象。人物与画面平面对比形成的讽刺效果能够消除三维透视，这种方法后来被马列维奇持续地发展，直到立体未来主义时期之前。

马列维奇最早的独立作品可追溯至1908年。这些画作是以乡村农民为题材的大型水粉画。他的题材主要来自于拉里昂诺夫和冈察洛娃在1909年第三届“金羊毛”展览展出的“农业”[Agricultural]系列，他的许多画作名称，如《教堂中的农民》[*Peasants in Church*]（图110）和《伐木工》[*Woodcutter*]（图112）等也和前述二者作品的名称一样。在图像构成和处理手法上，这些作品的灵感主要来自于休金当时正在收藏的马蒂斯作品——1908年的《保龄球比赛》[*Game of Bowls*]、1909年的《宁芙与萨蒂尔》[*Nymph and Satyr*]，以及著名的1910年的《舞蹈与音乐》[*Dance and Music*]。马列维奇的作品《游泳者》[*The*

106. 卡西米尔·马列维奇，《挑着桶子的女人和一个小孩》，1910—1911年。

107. 卡西米尔·马列维奇，《丰收》，1911年。

Bather]（图104）就和这些作品关系明显。这些“农民”题材的水粉画中，有五张被送到1911年春第二届“青年联合会”展览，标志着马列维奇归属于拉里昂诺夫的团体。马列维奇、拉里昂诺夫、冈察洛娃这三个人形成了拉里昂诺夫麾下那些完全由俄国人组成的展览容阵——1912年3月的“驴尾巴”展览和1913年3月的“靶子”展览的先锋。

马列维奇在“驴尾巴”展出的23幅画作包括了大量1909至1910年“农民”水粉画系列中的许多作品——如《拿着大袋子的人》[*Man with a Sack*]和《澡堂中的足病诊疗师》[*Chiropodist in the Bathroom*]（图108）。后者特别有趣，能够表明他的作画方式，画作明显基于塞尚的《玩纸牌的人》[*The Card Players*]（图109）而成的。这是马列维奇最喜欢的画作，虽然他可能从来没有见过原作，但是他在自己的墙上始终挂着一幅复制品。

在《澡堂中的足病诊疗师》中，马列维奇将塞尚的画作作为图像构成的原型，唯一的不同就是视点升高了。在马列维奇的画作中，三个人物被唐突地放到借鉴来的图案中。有一张没有完成的作品也体现了他对塞尚的借鉴，在这张作品中，他以塞尚《圣维克多山》[*Mont Sainte-Victoire*]的形式框架草图作为底本。这个初期的风景画草稿与另一幅画作《农民女孩头像》[*Head of a Peasant Girl*]（图116）相反，马列维奇未完成的作品上方根据塞尚的指引轻巧地切割着立方体、球体和圆柱体，虽然本应当是来源于自然，但是它却没有丝毫自然的影子。

在1909至1910年的水粉画中，马列维奇使用了一种松散的粗糙笔触。用黑色或蓝色线条横扫形成的人物形象有着巨大的手和脚，这些人物被视作动态图形的元素。在《擦地板》[*Washing the Floor*]中有个有趣的细节，那就是面向观众的人物有两个左脚，而在同年创作的《游泳者》（图104）中，他又一次使用了这种手法，以此强调画中人物非常结实而庞大的体格。然而，人们可以感觉到，这种巨大体格是被束缚

108

的。从这一时期开始，最固执和最难以移动的东西屈从于一种流动的韵律就成为了马列维奇作品的显著特征。在《游泳者》中，人物紧张的态度和感受再次表现出这种臣服于一种无法消解的宇宙韵律当中的感受，这种感受直到1912年他创作了《磨刀匠》[*The Knife-Grinder*]（图157）后才消失。

另一个这些水粉画中已经出现并且预示了艺术家后来发展的特点，即缩短的透视。在《澡堂中的足病诊疗师》（图108）中，观看的视野被空白墙壁向前压缩，以至于巨大的人物形象看起来就好像是被生硬地塞进画框当中。在《游泳者》（图104）和《擦地板》中，除了人

108. 卡西米尔·马列维奇，《澡堂中的足病诊疗师》，1908—1909年。

109. 保罗·塞尚，《玩纸牌的人》，1890—1892年。

物以外，所有的图像元素都被缩减为简洁的意象，而人物则变成了抽象的图案，传达了一种动态的节奏。

1909至1910年的画作《教堂中的农民》（图110）中的透视缩短更进了一步。之前的水粉画系列中清晰的交错的节奏变成了一团重复的静态手势和表达。三维空间完全被排挤出去。这一群裹着围巾挤在一起的农妇形象已经失去了任何的个人特色，她们的脸和动作都已经难以辨认，让人联想起拜占庭圣像画中的“有一群人的场景”。画面最后只剩下圆柱形，通过时不时地使用对比强烈的高光色块，圆柱体的固态得以强调。马列维奇从水粉画转回到了油画中，他的笔触节奏变得更加紧凑，在画布上更加连续，这种特点在他之后的作品中显得尤为明显。《教堂中的农民》中毛糙的线条轮廓被《挑着桶的女人和一个小孩》[*Woman with Buckets and a Child*]（图106）中轻松的笔触取代，而且

109

人物形象有了清晰且精致的轮廓。这种构成虽然没有出现在“驴尾巴”展览中，但却是从《教堂中的农民》直接发展出来的。在此，画家更加强调了人物尖尖的额头和极度简练的形象，而人群则是复制了同一批看上去差不多的形象，只是用了两种不同比例。人物张开的手掌和脚显出人物在画布表面的平面性，而背景中强烈扭曲的线条和动态进一步把这两个前景中的人物独立出来，而这两个人物依然保持静止。《木工》[*The Carpenter*]（1912年12月“青年联合会”展览首次展出）以及另外两幅名为《农民头像》[*Peasant Head*]的绘画习作（1912年“驴尾巴”展览和“青骑士”展览展出）是类似的作品。这些作品标志着马列维奇从装饰性原始主义阶段发展到立体未来主义阶段。

《木工》的创作直接基于他早年的“农民”画作，那幅画是1909至1910年的《一座小乡间宅邸》[*The Little Country House*]（这两幅画现在都藏于列宁格勒的俄罗斯博物馆[*Russian Museum*]）。马列维奇在这两幅画中把色彩和形式都做了抽象处理以创造一个高度组织化的几何整体。粉红和黄色的前景和背景色，还有蓝色、白色和黑色的人物在画面上变得非常平滑，色调饱满且平均。光和影被摒弃了，面部和手掌的自然主义色彩被漆红色取代。画作中的不同元素，如男人的服装通过同时使用对比强烈的色调被统一成了几何图案。背景的透视被压缩了，其中的元素在一个动态的十字图案上按照几何顺序排列。

1911年的《制作干草》[*Haymaking*]（图111）延续了这种几何化的人物，还把人物和背景联系了起来。人物的头部、躯干以及大干草堆被形式化地画成一个大的锹形图案，然后被对比强烈的色块进行分割以进一步抽象。前景中央的人物纵横双向地跨越着画布，几乎占满整个画面。在高处，一个透视很深的装饰画面由极端缩小的人物构成。横向和斜向交叉的块状土地加深了距离感，就好像是从空中看到的田野一样，通过这一方法，这个巨大的人悬在了渐渐远去的自然世界的上方。

110

《制作干草》中地平线的自然主义触感在马列维奇创作于同年的《丰收》[*Taking in the Harvest*]（图107）中已经完全消失。这是马列维奇在“驴尾巴”中最激进的画作。在这幅画中，整块画布都笼罩在持续的立体动态韵律中。早期原始主义“农民”作品中明亮的色彩现在又增加了金属的质感，这种质感来源于画作的机械韵律、管状的造型和抽象化人物的排布。

1911年的《伐木工》（图112）是马列维奇的第一幅成熟的立体未来主义作品。它在1912年12月一个名为“当代绘画”的莫斯科画展上展出。这个画展本身微不足道，几乎是在画展刚刚结束后，这幅画就参加

110. 卡西米尔 · 马列维奇，《教堂中的农民》，1910—1911年。

111

112

了彼得堡的“青年联合会”展览。除了《伐木工》以外，马列维奇在莫斯科展览的作品都比在彼得堡的更加重要和激进。这些作品一共只有五张，但是足以概括马列维奇立体未来主义风格的发展，这五张画作分别是：《挑提着桶的女人和一个小孩》（图106）、《农民头像》、《制作干草》、《丰收》及《伐木工》。

《伐木工》将马列维奇的这种绘画方式引出了一个逻辑性的结论。通过一系列刻意的、动态的圆柱形式，画中人物和背景融合在了一起。在这个整体中，三维的透视被色彩对比取代，马列维奇转而用色彩对比表现实体形式。伐木工的形象塑造让步于总体的节奏，他举起的抓着斧头的胳膊被封锁在静止的时间中。挤在一起的塞子一样的原木也产

111. 卡西米尔·马列维奇，《制作干草》，1911年。

112. 卡西米尔·马列维奇，《伐木工》，1911年。

生了一系列的冲突。这是一个在自然世界之外，时间、空间都无尽的场景。一个小的不合理处打破了无机质、非写实性的理念，这就是伐木工左脚穿的拖鞋，它的形象非常现实，艺术家也许通过这个细节表达了“非逻辑”[Alogist]理论。[5]

1912到1913年间，马列维奇继续发展这种立体未来主义风格。在1913年3月“靶子”画展及11月“青年联合会”画展中，这些画作中最重要的作品被放在拉里昂诺夫和冈察洛娃的辐射主义作品旁边。随之，通过人物的机械化（如《伐木工》），一个机械化的男人（如《磨刀匠》，图157）逐渐出现了；通过一个从属于机械韵律的自然世界的视觉形象（如《雨后乡间清晨》[*Morning in the Country after the Rain*]，图114），在《提着桶子的女人》（图113）中他创造了一种动态的机械力量。马列维奇1911年的画作《伊万·克留恩肖像》[*Portrait of Ivan Kliun*]（Ivan Kliun，有时被叫作克留恩科夫[Kliunkov]，是马列维奇亲密的追随者）表现出了人的大脑的机械化过程。1913年的《农民女孩头像》（图116）由圆柱形的元素构成，几乎是抽象的构图。在这一作品中，马列维奇的抽象图像构成的逻辑方法超越了分析立体主义和莱热。

马列维奇的立体未来主义作品和莱热的同期作品有许多相似之处，例如莱热的《风景中的人体》[*Nus dans un paysage*]（1909—1911）、《吸烟的人》[*Les Fumeurs*]（1911）和《蓝衣女人》[*La Femme en Bleu*]（1912）。其中最后一幅作品1912年在莫斯科展出过，马列维奇显然看过这幅作品，他甚至通过频繁的期刊阅读熟悉了莱热的所有作品。1914年的《楼梯》[*L'Escalier*]可能和马列维奇的观念最为接近，这幅画作和1912年的《磨刀匠》（图157）有诸多共同点，但是根据时间可以看出，马列维奇的风格形成早于莱热两年。莱热是否受到了马列维奇的影响这一点仍然有待考证。如果说马列维奇和莱热都在作品图像元素的动态立体分区上采用同样的形式构成，那么他们的色彩

113

114

（这在马列维奇的作品中至关重要）则是毫无共性的。在《蓝衣女人》中，莱热的色彩呼应了立体主义的单色配色理念。他在这幅作品和接下来绘制的作品中使用了原色和明亮的绿色、白色高光，以表现机器般的质感。他的处理手法和马列维奇在这一时期（1909—1914）的手法迥然不同，莱热使用轻柔、松散的笔触，有种典型的法式优雅。但马列维奇则毫无优雅可言，他在整幅画作的表面留下的是浓烈、节奏均衡的饱满色彩。

到1913年末，毕加索和布拉克的综合立体主义[Synthetic-Cubist]作品的影响在马列维奇作品中展露痕迹，马列维奇放弃了立体未来主义，并且极大地改变了用色。通过使用毕加索和布拉克的方法，他的画作中加入了一些小的现实主义细节，如《有轨电车上的女士》[*Lady on a Tram*]中戴着圆顶高帽的男士，还有《近卫军士兵》[*The Guardsman*]

115

（图117）中男人帽子上的星星。到1914年，这些效果变成了超现实主义的部分。《在莫斯科的英国人》[*An Englishman in Moscow*]（图121）中巨大的字母，零星的文字和一些毫不相关的物品：一个小俄罗斯教堂嵌在一条大鱼的身上，而大鱼则挡住了戴着高顶礼帽的英国人的半边，英国人的肩上有一行文字，就像肩章一样，文字的内容是“骑行俱乐部”。描绘地十分精致的亮着的蜡烛放在卧室烛台上，它们被悬在半空中，梯子危险地倾倒了，精工细作的佩剑环绕着蜡烛和梯子，鱼吐

113. 卡西米尔·马列维奇，《提着桶的女人，动态布局》[*Woman with Buckets, Dynamic arrangement*]，1912年。

114. 卡西米尔·马列维奇，《雨后乡间的清晨》，1912—1913年。

115. 俄国北德文斯克省[North Dvinsk province]的毛巾刺绣边缘。这个图像名为“绅士与女士”[Cavaliers and Ladies]。马列维奇当时的作品有着很强的民俗传统倾向，这种影响直接来自于这类刺绣或是农民“鲁波克印刷”，或是间接地来源于冈察洛娃在1909—1911年之间的作品。

116

出火焰。每件事情都变成反向的，仿佛在嘲笑着达达主义的不成熟作品。然而，这种“无意义的现实主义”实际上是在用图像的方式解读赫列布尼科夫和克鲁乔内赫在当代诗歌领域中抛出的同名观点。之前我们曾经提到过当时俄国未来主义诗歌和绘画运动之间有多么的亲密。

在克鲁乔内赫的未来主义歌剧《战胜太阳》[*Victory over the Sun*]中，马列维奇的至上主义开始出现苗头（图122—125）。马列维奇设计了一张抽象的幕布，他采用了白色和黑色的方形。这部歌剧的其他背景设计和1913至1914年的立体主义作品的特征类似。如在《近卫军士

116. 卡西米尔·马列维奇，《农民女孩头像》，1913年。

兵》（图117）中，人们可以从右手边的高空秋千形状中看到之后的至上主义元素，在《战胜太阳》的舞台设计中，马列维奇也明显加入了多种不同的几何元素。

也许正如马列维奇所言，他的至上主义体系开始于1913年。现在要查明他绘制《黑色方形》[*Black Square*]（图126）的真正出发点已经很困难了。虽然这张作品直到1915年才被展出，但这并不意味着作品就创作于1915年。正如我们所见，马列维奇通常不会立刻就展出他最为革命性的作品，甚至基本不这样做。他的立体未来主义作品就是完成一两年之后才展出的。

然而，如果如同马列维奇所写的那样，至上主义是从1913年开始的，那么这些达达主义或"无意义的现实主义"作品及更加严肃的学院作品（如《站在广告立柱旁边的女士》[*Woman beside an Advertisement Pillar*]，图119）就是在差不多同期完成的。他将这些画作送到了"方块杰克"展览当作和拉里昂诺夫争吵后进行的抗议。马列维奇从1912年又一次开始送展作品，他还将这些作品送到了1913年11月最后一届"青年联合会"展览、1913年莫斯科"当代绘画"展，还有最后的"5号电车"[Tramway V]展览。最后这个展览是彼得堡举办的第一届未来主义展览，时间是1915年2月，在这一历史性的时刻，所有1922年以前的抽象画派画家以及此后成为抽象画派画家的人们首次聚集在了一起。

然而，直到1915年12月，在上述艺术家们的第二次展览"0.10"中，马列维奇才宣告了他的至上主义体系。

他一共展出了35张抽象画作，其中没有一张被展览名录分类为"至上主义"。马列维奇在展览图册的释文中这样写道："说到给其中的一些画作命名的问题，我并不希望指出它们之中可以找到的某种形式，但我希望阐明的是，在很多时候真实的形式被当成一些无固定形态的、具有绘画表现力的实体的背景，从这个实体中，能够创造出一张具

117

118

119

120

121

117. 卡西米尔·马列维奇,《近卫军士兵》, 1912—1913年。

118.卡西米尔·马列维奇,《M.V.马秋申肖像》, 1913年。

119. 卡西米尔·马列维奇,《站在广告立柱旁边的女士》, 1914年。

120. 巴勃罗 · 毕加索, 《乐器》[*Musical Instruments*], 1912—1913年。

121. 卡西米尔·马列维奇,《在莫斯科的英国人》, 1914年。

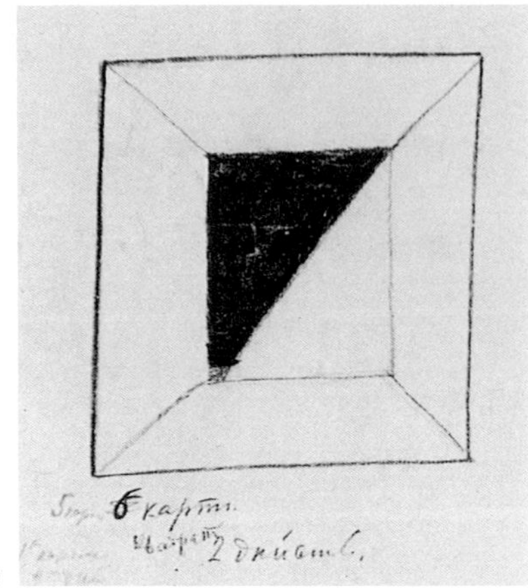

122

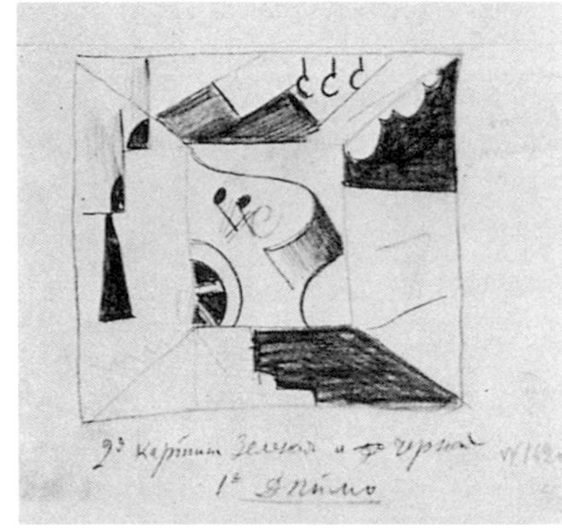

123

124

有绘画表现力的图像，这个图像与自然毫不相干。”

《黑色方形》（图126）在名单之首。这幅画作的名称是所有作品中最直白的，名单中的其他作品还包括：《一堆具有绘画表现力的二维物体处在运动的势态中》[*Two-dimensional painterly masses in a state of movement*]和《一堆具有绘画表现力的二维物体处在平静的状态中》[*In a state of tranquility*]《具有绘画表现力的现实主义足球运动员——一堆具有绘画表现力的二维物体》[*Painterly realism of the footballer – painterly masses in two dimensions*]。《黑色方形》的名称比本次展览中的其他展品都更简单，这说明该画作也许已经因为《战胜太阳》名声在外。

如此命名的作品却是最纯净和最简单的几何元素的组合。从白底黑方形开始，到圆形，再到对称摆放的两个一模一样的方形。（图127）画家随后加入了红色，黑色方块被挤向左边，同

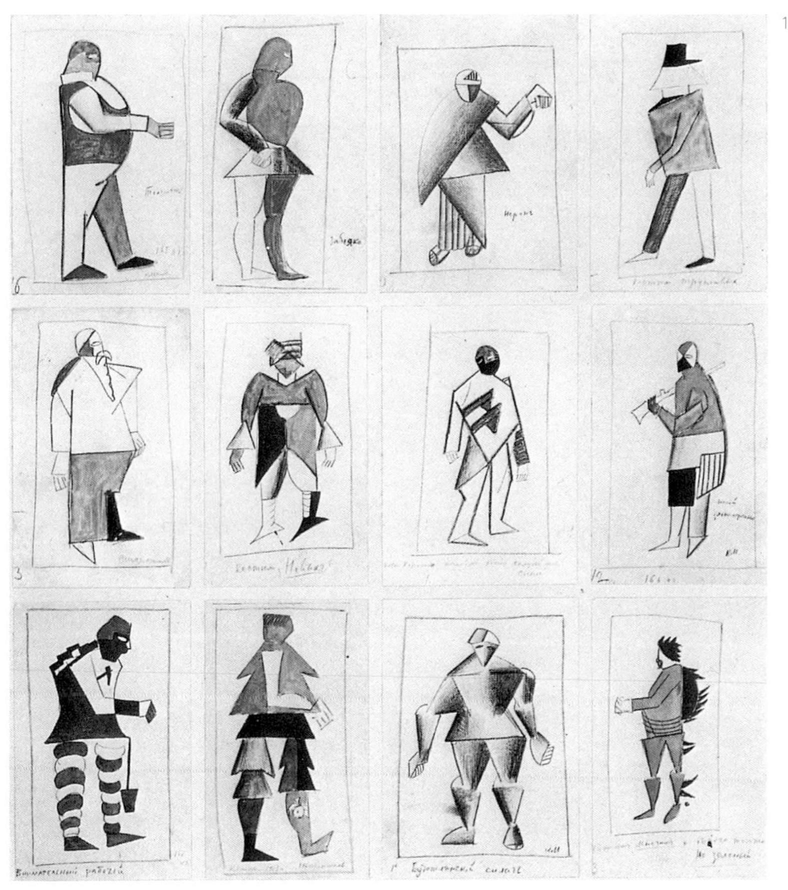

时一个更小的红色方块在斜线轴上浮动。（图129）这个动态的轴线随后变成了基础构成之一。简单的红色和黑色长条，后来又发展成蓝色和绿色的长条追逐着这种动势。长方形变成不规则的四边形（图130），

122—125. 卡西米尔·马列维奇，戏剧《战胜太阳》的三个背景幕设计和12套服装设计。马列维奇将至上主义的诞生归功于这部戏剧。背景幕中有一张完全就是抽象的几何图案。《战胜太阳》于1913年9月在彼得堡的月亮公园剧院[Luna Park Theatre]首次演出。

126

127

两条斜线轴出现了，采用不同的比例重复同样的图形，空间概念被再度引入到画面中。这些基础几何元素的变化继续出现，最开始这些基础几何元素是黑色和白色的，后来再度加入红色、绿色和蓝色，马列维奇的画面中再次出现了立体未来主义配色。

1916年左右，马列维奇开始采用更加复杂的色调，加入了棕色、粉红和淡紫色。（图134）他的画面中也出现了更加复杂的形状：剪裁过的圆形、细小的箭头形状，还有更加复杂的关系：切入、重复、堆叠、阴影，创造出了第三维空间。几乎变得无形的柔和的形状、逐渐消失的形式是这一时期至上主义作品的典型特征，同时他用作“宣传”的元素不再出现。（图133、135、145）作品最初由色彩实体和封闭的形式构建而形成的清晰、具体的感受，现在和隐约出现的圆形光影形成鲜明对比。这些神秘的新元素被马列维奇描述成一种无限的感觉，在这个新的空间中，度量衡完全消失。正如宇宙中的星辰，这些彩色的部分在预设好的路线上移动，这条路线是必然的、不可撤回的。这不是在画布上留下的某个自然瞬间，也不是独立存在的理想世界，这是宇宙一角在某一个时间节点被画布记录下来，这脆弱的物质性类似于别雷的象征主

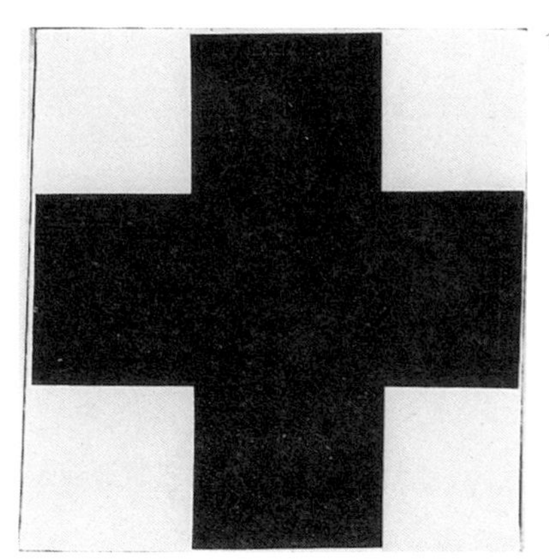

128

126. 卡西米尔·马列维奇，《黑色方形》，约1913年。
127. 卡西米尔·马列维奇，《黑色圆形》[*Black Circle*]，约1913年。
128. 卡西米尔·马列维奇，《黑色十字》[*Black Cross*]，约1913年。

义理念，这是一条架设在潜意识这个混沌世界中的桥梁。[6]

只描绘了一半的形状越来越多，盖过了色彩鲜艳这一特征，也就是马列维奇所谓的“空间的旗语”。后来出现的至上主义作品名称与之前大相径庭，如《减少的至上主义元素》[*Suprematist Elements of Diminution*]或是《构成形式的至上主义破坏者》[*Suprematism Destroyer of Constructive Form*]。在《对来自地球的神秘浪潮的感知》[*Sensation of a Mystical Wave coming from the Earth*]（1917）和《对宇宙空间的感知》[*Sensation of the Space of the Universe*]（1916）等作品中，我们不再面对空间，而是被带入了“无尽的白色”中。这种“纯粹感知”的绘画方法（正如马列维奇对至上主义的定义），在著名的完成于1917至1918年的“白色上的白色”[*White on White*]（图211）系列中迎来终结。所有的色彩都被消除了，形式也简化到最纯净的状态，大部分非自然的方形被减少成最为微弱的铅笔轮廓。

1915年，马列维奇已经开始进行理想化的三维建筑手稿实验。他把这些画作叫作“人造星球”[*Planits*]或是“当代环境”[*The Contemporary Environment*]。（图136、137）随着1918年至上主义达

129

130

131

132

129. 卡西米尔·马列维奇，《黑色方形和红色方形》[*Black Square and Red Square*]，约1913年。
130. 卡西米尔·马列维奇，《至上主义构图》，1914年。
131. 卡西米尔·马列维奇，《至上主义构图》，1914—1915年。
132. 卡西米尔·马列维奇，《构建中的住宅》，1914—1915年。

133

134

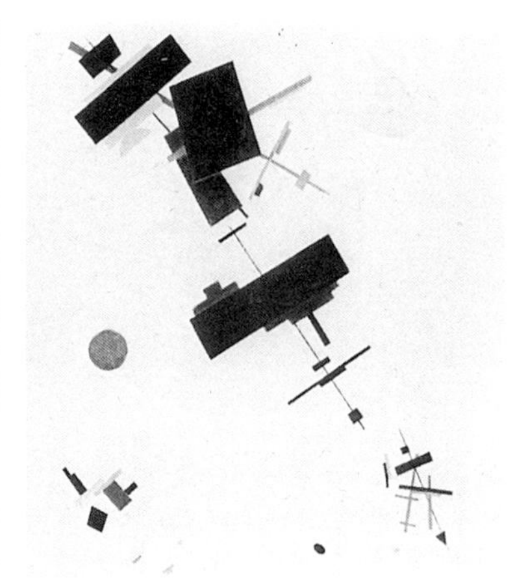
135

到极致（1917年革命也迎来终结），马列维奇几乎放弃了绘画（除了介绍艺术理论时会绘制插图）。在20世纪20年代，他试图将这些建筑草图转换为三维雕塑。（图138、139）从1918年到1935年逝世，他始终投身于教学方法的研究，撰写有关现代艺术运动史及艺术本身的文章。除了生命的最后五年中绘制的自画像、家人和朋友的肖像以外，马列维奇后来的所有画作都是这些理论的插图。

构成主义的创始人弗拉基米尔·塔特林出生于1885年。他生长在哈尔科夫[Kharkov]，乌克兰籍。他的父亲叶夫格拉夫·塔特林[Evgrav Tatlin]是一位专业的技术工程师，是受过教育的文化人。他父亲的第一任妻子是一位诗人，也是弗拉基米尔的母亲，在他两岁时就去世了。叶夫格拉夫很快就再婚了。拉里昂诺夫很小就认识塔特林，因为塔特林经

133. 卡西米尔·马列维奇，《至上主义构图》，1916—1917年。

134. 卡西米尔·马列维奇，《至上主义构图》，1916—1917年。

135. 卡西米尔·马列维奇，《至上主义：黄与黑》[*Suprematism: Yellow and Black*]，1916—1917年。

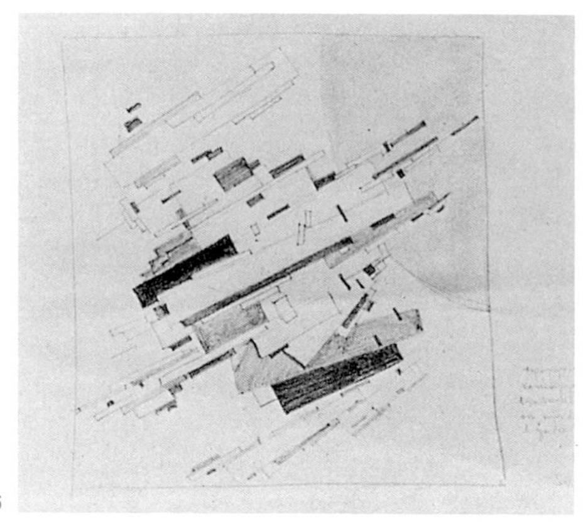
136

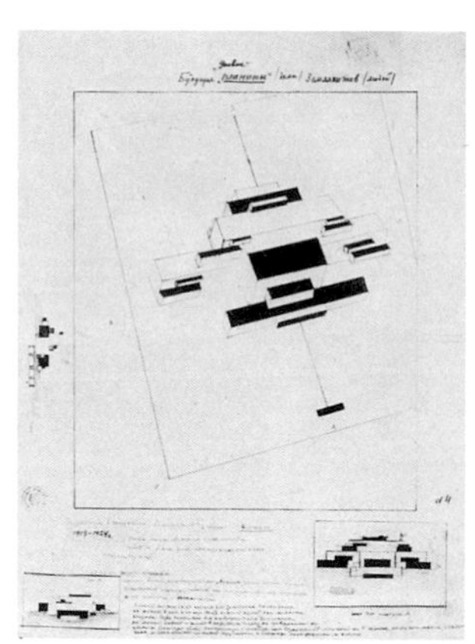
137

常在拉里昂诺夫位于蒂拉斯波尔的家中停留。根据拉里昂诺夫所言，塔特林对他继母的厌恶和对他父亲的厌恶不相上下。他的父亲似乎对他很严厉，而且毫无创造力，而他则是一个不情愿读书的学生，总体而言，他是一个桀骜不驯且叛逆的小孩。也许塔特林作品中表现出对人的疑心和不自信就是来源于不愉快的童年。18岁时，弗拉基米尔终于绝望地离家出走并成为一位水手。他登上的轮船驶向埃及。这趟旅程点燃了他的想象力，他的早期画作多数是关于海港城市和渔民的，在他的人生中，他始终对大海抱有深情。（图94、96、97）到1915年之前，他不时地依靠水手工作养活自己，在旅途中，他到访了叙利亚、土耳其和黎凡特[Levant]。

1904年，塔特林历经第一次远航后回家，他的父亲在这一年去世，而他则在这一年进入奔萨艺术学校学习。在这所学校中，他师从技能卓越的著名画家阿法纳西耶夫[Afanasiev]。1910年，他来到莫斯科，并进入莫斯科绘画、雕塑与建筑学院。他和亚历山大·维斯宁[Alexander Vesnin]在同一个工作室，维斯宁三兄弟在日后成为俄国构成主义建筑师的代表人物。塔特林在莫斯科学院学习一年之后成为一位

138

139

136. 卡西米尔·马列维奇，《至上主义18号》[*Supremus No.18*]，1916—1917年。

137.. 卡西米尔·马列维奇，《未来人造星球，地球人居住地；人》[*Future Planits. Homes for Earth-dwellers; People*]，约1924年。

138、139. 马列维奇"建筑"案例，1924—1928年。

自由画家。像大部分莫斯科学院的学生一样，他曾经把作品送到"俄国艺术家联盟"展览参展。1911年，塔特林通过拉里昂诺夫在1911年"青年联合会"展览上展出了11幅作品，并以此进入先锋派艺术圈。他送去的作品中包括受塞尚影响的静物画，还有大量海洋题材的画作。（图95）从这一时期开始，直到1913年分道扬镳之前，塔特林都和拉里昂诺夫及冈察洛娃保持着紧密的联系。在冈察洛娃的回忆中，他这时是一个瘦高的年轻人，"非常像一条鱼"，他的上嘴唇很长，鼻子翘起，眼睛凸出，眼神忧郁。但是如果说他相貌平平，那么对于能够理解他的腼腆的人来说，他又很有吸引力，而且妙语连珠，并且时不时地在艺术或航海上流露才华。

也许是通过冈察洛娃，塔特林发现了圣像画。冈察洛娃早已对圣像画充满热情，她接触过许多此类的私人藏品。直到1913年在莫斯科举办的“古代俄国绘画”[Ancient Russian Painting]展览，圣像画才被清理出来展现在大众的眼前，这个高级别的展览是为罗曼诺夫王朝300周年庆典而举办的。冈察洛娃始终记得当时展览的盛况，展览还在艺术家中有着持续的影响。塔特林的作品中就有许多圣像画传统的影子，他的用色和带有平面性、装饰性的曲线韵律都体现出了这一点，例如他1913年创作的《人体构图》[*Composition from a Nude*]（图144）。

在塔特林的剧院设计中，他很早就开始果断地将每个东西都分解为曲面并运用到三维空间中。塔特林送到1912年“驴尾巴”展览的50件作品中，有34件是为戏剧《马克西米利安大帝和他的儿子阿道夫》[*Emperor Maximilian and his son Adolf*]（图141）设计的服装，这部戏剧作品1911年由“莫斯科文学圈”[Moscow Literary Circle]搬上舞台。和马列维奇不同的是，塔特林很快就收到了“艺术世界”展览的邀约，在1913年和1914年的两个展览中，他都送出了为格林卡的歌剧《伊万·苏萨宁》[*Ivan Susanin*]所作的设计和模型。虽然塔特林为此在准备的过程中解决了大量的问题，他还为每一幕都做了三维模型，但这个项目终究没有实现。（图142）

塔特林前往柏林和巴黎之前最后参加的展览是1913年的“青年联合会”展览、“方块杰克”展览以及第二届名为“当代绘画”的莫斯科展览。他与多产的拉里昂诺夫、冈察洛娃及马列维奇等同代人不同，作品似乎不多。他送到这些展览的作品很多都是相同的，或者是很小幅的手稿。他当时仍然靠当水手维持生计，这可能也是他不够多产的原因，但他后来

140

的创作还是很缓慢而艰难。在1913年秋季前往柏林之前，塔特林最激进的作品就是《人体构图》（图144），这幅作品我们之前已经提到过。

将这一作品与几乎同时完成的马列维奇立体未来主义作品对比会非常有趣。在《磨刀匠》（图157）或《提着桶的女人》（图113）中，马列维奇追随塞尚的格言，塞尚曾经在写给伯纳德的信中说："没有线条，没有造型，只有对比。只要有丰富的色彩，那么形式一定也是完整

140. 卡西米尔·马列维奇，《动态至上主义》[*Dynamic Suprematism*]，1916年。

141

142

141. 弗拉基米尔·塔特林，《城堡大厅》[*Hall in the Castle*]，为《马克西米利安大帝和他的儿子阿道夫》所作的背景幕设计，1911年。

142. 弗拉基米尔·塔特林，《树林》[*Wood*]。为歌剧《伊万·苏萨宁》背景幕所画的手稿，1913年。

143. 《下十字架》[*Descent from the Cross*]。俄国北部画派的圣像画，15世纪。塔特林的早期画作明显受圣像画影响。在生命的后期，他又开始从圣像画中攫取灵感。

144. 弗拉基米尔·塔特林，《人体构图》，1913年。

143

144

的。”塔特林也根据这一理论造型，相比马列维奇小心翼翼地限定出轮廓的形式，他粗糙、似乎未完成的线条和塞尚本人的技法更加接近。两位画家都主要追随塞尚的造型风格，同一大环境下的许多境遇和影响将两位画家联系了起来，他们之间差异甚小。塔特林和马列维奇对造型的态度是类似的，在这一点上，他们都非常有俄国特征。塔特林和马列维奇一样，并不将物体和个人看作是单独的个体，虽然二者处理方式不同，但是他们都会让自己的人物从属于一个几何图形。但是如果说马列维奇1909至1910年的原始主义系列和他后来的立体未来主义作品强调了他的作画媒介的二维平面性，那么塔特林则不再关心新的画面空间，而将真实的空间视为根本。塔特林并非像立体主义者们一样为了制造更加真实的视觉表现而剖析物体，而是通过加入色彩和平面技法来创造真实空间。他将色彩和画布就当作色彩、画布的本身。

尽管塔特林和马列维奇之间存在着长期竞争（他们的竞争有时甚

至以武力收场），但是马列维奇似乎是塔特林唯一真正尊重的俄国艺术家。虽然后来马列维奇的嫉妒迫使塔特林走向极端，宣称自己甚至无法和马列维奇待在同一块土地上，但他私底下还是非常关注马列维奇的作品和观念。塔特林去世时留下的研究和文章可以证明这一点。除了提及自己作品的文章外，塔特林在所有提及马列维奇的部分都用蓝笔画了线。除了毕加索以外，塔特林没有这样对待过任何其他艺术家。在塔特林的遗物中，还有一两篇马列维奇的论文复印件。塔特林在1935年赴列宁格勒参加了马列维奇的葬礼，尽管他之前已经有好几年没有见过马列维奇了。

除了马列维奇以外，塔特林很少崇拜其他画家。他最为崇拜的也是他最早产生景仰之情的画家是塞尚，他是从休金和莫洛索夫的精美收藏中了解到塞尚的。在塞尚之后，他崇拜的是19世纪俄国画家、“漫游者”的导师——奇斯佳科夫（见第一章），根据他在高等技术学院（Vkhutein，高等技术学院，20世纪20年代晚期和30年代早期塔特林曾在此任教）时期的学生所言，他的言辞中只透露出他对毕加索和莱热的崇拜。他的兴趣既是狭隘的，同时也是富有激情的。例如，除了列斯科夫[Leskov]和赫列布尼科夫的诗歌故事以外，他几乎没有读过什么书，但他会一直读这些作品。实际上，赫列布尼科夫是他的私交好友，赫列布尼科夫的遗作《赞歌》[*Zan-Gesi*]是塔特林第一个重要的剧作。（图146、147）塔特林于1923年在列宁格勒推出了这部戏剧。同年，赫列布尼科夫由于大饥荒在诺夫哥罗德附近的桑塔洛沃[Santalovo]去世，他已经赤贫，状况非常糟糕。赫列布尼科夫去世的消息令所有的先锋派成员悲伤不已。因为如果说马雅可夫斯基、拉里昂诺夫、卡缅斯基和大卫·布尔留克是新艺术运动中坚定的辩护者和宣传者，那么性格温和且近乎苦行的赫列布尼科夫则被多数人当成运动中的创作奇才。

塔特林也同样在革命前和战前的莫斯科过着贫寒的生活。为了维持

145

145. 卡西米尔・马列维奇，《白底上的黄色四边形》，1916—1917年。

生计，他从事了很多奇怪的职业。在冈察洛娃的回忆中，他曾经当过马戏团里的摔跤手，但是由于他太过于脆弱，也实在不够专业，最终惨败还导致左耳失聪。1913年，他决定加入一群乌克兰歌手和音乐家伙伴的队伍，这一群人打算追随秋季即将于柏林举办的“俄国民俗艺术展”去往柏林。塔特林在团体中负责拉手风琴，他在柏林的经历非常有趣。他明显是想伪装成一个失明的音乐家，但是他却吸引了德意志帝国皇帝的注意，对方甚至还赠予他一块金表！塔特林立刻就把表卖了，他用这笔钱和他在展览中的合法收入购买了一张去巴黎的车票。这件事发生于1913年末，他此行的目的是见到毕加索。自从见到休金带回来的立体主义作品之后，他就开始梦想着见到毕加索，毕加索当时正投身于立体主义构成中。见到毕加索时他激动不已、不知所措，央求对方留下自己一起绘画，他说他会给毕加索清理笔刷、铺平画纸，甚至打扫地板，只要这位伟大的画家能够让他留下。但是这并没有用，当时毕加索身边已经有太多这样前来乞求的赤贫的朋友，以至于不论塔特林有多么诚恳，毕加索都无法答应这个陌生人的请求，但是他记得塔特林在短短的一个月中常常带着手风琴到他的工作室演奏，直到最后塔特林花光全部的钱，带着满腔的革命壮志回到莫斯科。不久以后，塔特林就在维斯宁的工作室和他位于莫斯科的工作室举办了第一场“构成画作”展览。这些画作当然和毕加索的构成画作直接相关，但是作品的抽象部分更加激进。

1913至1914年冬，塔特林完成了他的第一个“浮雕绘画”[Painting Relief]。这是他将形式概念发展到三维空间的第一步，他将一团封闭的、雕塑性的物体，变成了一个有动态构成的开放雕塑空间。我们第一次在塔特林的构成中发现他把真实空间作为一种图像元素引入画面；许多不同材料之间的相互关联第一次被发现并且得以被协调起来。

所有塔特林早期的“浮雕绘画”和他后来的“浮雕构成”[Relief Construction]只留下了本书中出现的质量较差的照片，而完成于

146

147

148

149

146、147. 弗拉基米尔·塔特林，为赫列布尼科夫的戏剧《赞歌》所作的舞台模型和服装设计，1923年由塔特林在艺术文化博物馆[Museum of Artistic Culture]制造。

148、149. 弗拉基米尔·塔特林，为奥斯特洛夫斯基的戏剧《17世纪喜剧》[*Comedy of the 17th Century*]所作的两个舞台设计，莫斯科艺术剧院，1933年。

150. 弗拉基米尔·塔特林，《瓶子》，约1913年。
151. 弗拉基米尔·塔特林，《绘画浮雕》，1913—1914年。
152. 弗拉基米尔·塔特林，《绘画浮雕》，1913—1914年。

1917年的《老巴斯曼那亚》[*Old Basmannaya*]和《构成：材料精选》[*Construction :Selection of Materials*]现存于莫斯科特列季亚科夫画廊。我最近去苏联时，就有机缘研究这两幅画作。（图150—156、158、160）任何对复制品的研究，要么是非常不充分的，要么就是完全错误的。这些作品的基本触感和作品内涵的复杂性使得对复制品的研究分外困难。例如，我们在此看见的1914年作品的照片复印自当时的艺术评论家尼古拉·普宁[Nikolai Punin]的《塔特林：反构成主义》[*Tatlin : against Cubism*]（这本书出版于1921年，是唯一一本有关塔特林的专著）。拍摄照片时倾斜的角度凸显了画中两个主要形状的动势（图154）。而在"5号电车"展览（这幅画作首次展出于此）上拍摄的一张正面照片，则带给人一种平静地折叠空间、托起空间、强调基础几何构成的印象。[7]

151

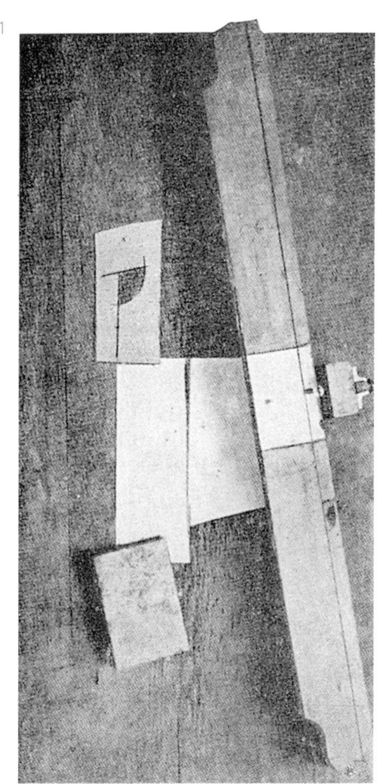

152

《瓶子》[*The Bottle*]（图150）是塔特林的第一张“浮雕绘画”。有趣的是，在早期实验的阶段，塔特林就采用了真实材料在现实空间中创作。主体物瓶子仍然是完整的，这也就是说，我们能够辨认出它。但是这个瓶子不是一个单独的物体，而是一个“瓶子一般”的构造，熟悉的瓶子轮廓被当成阴影部分，一片金属片切开了瓶子，玻璃瓶带有的反光，这种“看穿”的感觉，被独立出来，通过一个被图钉钉在“瓶子形状”上的金属格栅表现出来。玻璃则是光洁平滑的，正如我们所知，它具有反射的能力，所以在格栅和瓶子形状下方，塔特林使用了一片表面光亮的弧形金属，金属为圆锥形，这正是较宽的酒瓶所具有的典型形

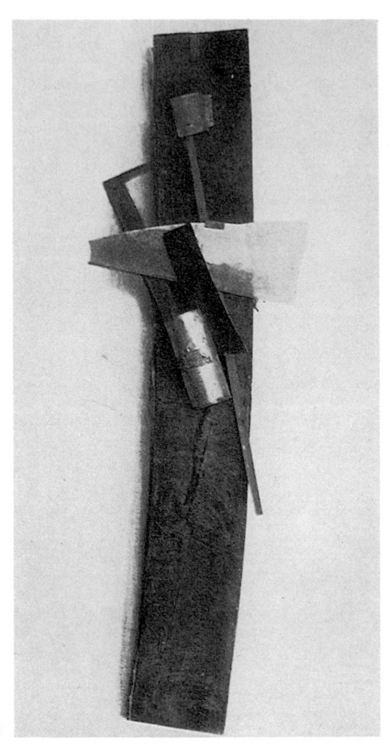

153

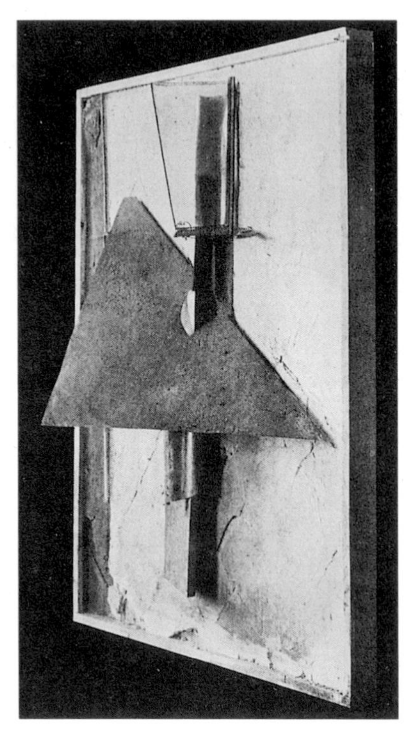

154

状。这片大弧形和酒瓶形状有着莫大的联系，它通过一张弧形的闪亮的贴片单独表现出来，它的尾部正是用来表现反光的部分，塔特林诙谐地将这个弧形部分和软弱的二维轮廓并置对比。画面中的一张墙纸进一步强调了这一特征，壁纸上有深深的透视图案，壁纸边缘已经卷曲且破

153. 弗拉基米尔・塔特林，《浮雕》，1914年。

154. 弗拉基米尔・塔特林，《绘画浮雕：材料精选》，1914年。

155. 弗拉基米尔・塔特林，《板子1号：老巴斯曼那亚》[*Board No.1：Old Bosmannaya*]，1916—1917年。

156. 弗拉基米尔・塔特林，《浮雕》，1917年。

损。圆柱的形状一方面主导了前景，另一方面也和其他通过此种方式强调平面、二维特征的元素互相呼应。通过切入其他元素，圆柱体的圆柱形被延伸到了“真实”的空间，我们可以在后方看见一小块圆柱反面的边缘。因此，典型的“封闭的”形式被一部分一部分地剖析，一再赋予特质，他的分析是在一系列平面上完成的，这个平面上产生了“真实”和“虚幻”空间概念的对比。

塔特林在下一幅锡、木、铁、玻璃、石膏构成中，引入了“真实”材料的理念。（图153）在1914年的一幅此类作品中，塔特林为我们展现了一个简单的构成，其中的每个元素都被减少到最原始的状态，并且根据其本质被用来和其他元素一起构成整体。一个圆柱形的罐头（罐头标签仍在，以此强调它的“真实性”）一边支撑起了两块连接起

155

156

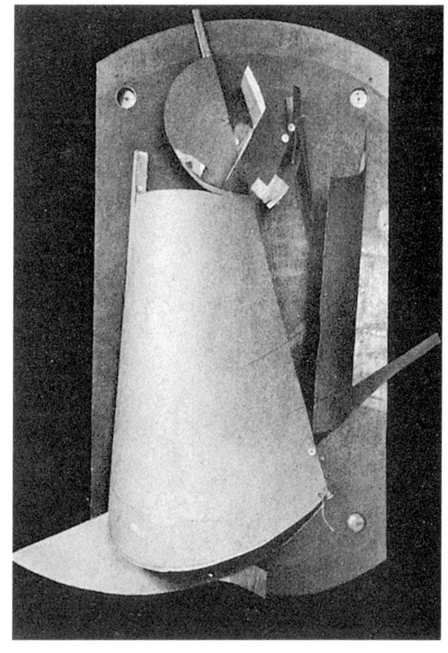

来的木头，另一边固定着一片涂有颜料的胶合板。在木头和胶合板中间插有一片有尖突的玻璃。在这些东西的后面，伸出一根薄薄的木条，木条顶部有一片方形铁片，用螺丝固定在有点弯曲的粗糙木板上，这些各式各样的未经加工的形状和材料在这块粗糙的木板上被组合起来的。

而后，塔特林把空间作为图形元素引入。在1914年的《浮雕》[*Relief*]中，他使用了石膏、铁、玻璃和沥青。（图154）两个对比鲜明的材料和形式发生着共鸣，不透光、表面粗糙的铁片嵌入一个三角形中，而透明的玻璃则切入凹陷的形状中，就好像是被切成两半的玻璃杯。被串在背景上的铁质三角形表现出一个180度向下翻折的平面。中轴线穿过三角形，它的右边支撑着那块被切开的玻璃。

在1915至1916年的转角构成中，塔特林抛开了“框架”或“背景”，这些元素曾经束缚了他的早期作品，将作品限制在一定的空间和时间中。（图158、160）因为框架常常将“艺术作品”独立出来，令某个特定的时刻显得神圣，所以它会将这个时刻变成“永恒”的平面，它会封锁出一个理想化的完美私人世界。塔特林想要打破的正是将艺术现实从生活现实中独立出来的这个框架，他所呼吁的就是“真实空间和真实材料”。

1916年的这些复杂作品实际上是用金属线穿在墙上的，人们能够感到如果不是由于制作者的技术不够成熟，那么这些画作会更加精湛，就好像将要腾飞起来一样。这些艺术家的观念远远高于他们的技术水平，这种现象很普通，但也很令人遗憾。塔特林在人生的后30年中投身于滑翔机设计（虽然从来没能离开地面飞向天空），而马列维奇在为居住环境而设计“人造星球”，这些似乎都预示着火箭时代的到来。这种控制宇宙的需求正是这些艺术家的强烈表达的合理化结果，它正来源于俄国。

这些转角构成是塔特林最激进的作品。他在其中创建了一个新的

157

空间形式，即有节奏地不断切入的平面，这些平面延伸、切开、面对、阻挡、串起空间。

从这些抽象构成开始，塔特林专注于研究经过一系列基本几何形式检验的单独材料。这些是他口中的“材料文化”，是他后来设计系统的基础。他先是在彼得格勒当地的“艺术文化学院”[Inkhuk]教授这些，然后在基辅授课，1927年他回到莫斯科并被著名的“高等技术与艺

157. 卡西米尔 · 马列维奇，《磨刀匠》，1912年。

158

158. 弗拉基米尔·塔特林，《复杂转角浮雕》[*Complex Corner Relief*]，1915年。

159. 塔特林的“飞翔塔特林”滑翔机模型，1932年，莫斯科。

160. 弗拉基米尔·塔特林，《转角浮雕》[*Corner Relief*]，1915年。

161. 柳波夫·波波娃，《坐着的人像》，约1915年。

159

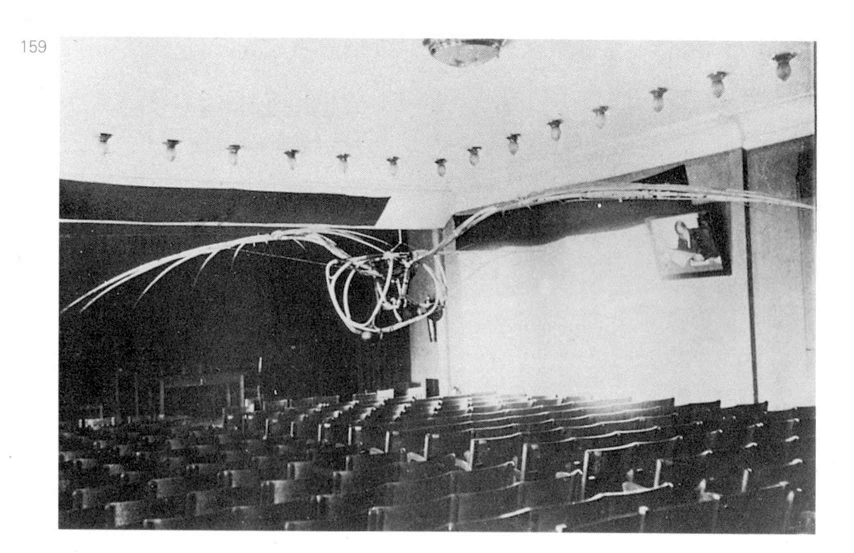

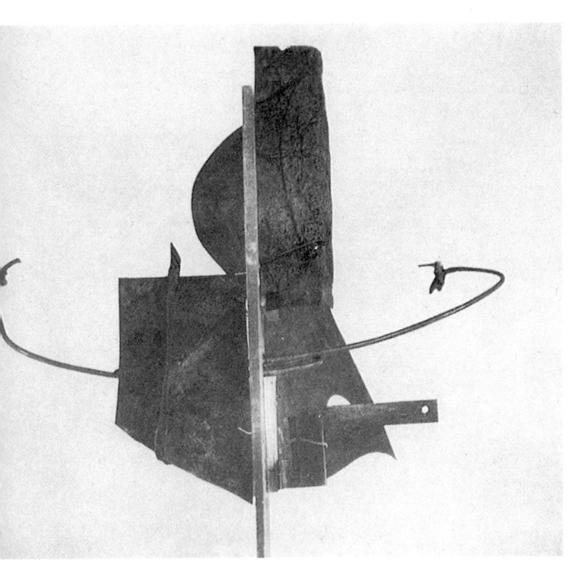

160

161

术工作室”[Vkhutemas]——高等技术学院任命为陶艺系主管的时候，他也教授这些内容。从这一阶段起，他开始制作被他称为“飞翔塔特林”[Letatlin]（这个词由“飞翔”和塔特林的名字拼写而成）的滑翔机。（图159）这个滑翔机完全由木头做成，原理基于对自然形式的深入研究。塔特林会在箱子里养小虫子，小虫完全长大之后他就会把它们带到田野中，观察它们对风如何反应、如何迎风展开翅膀，然后飞走。他制作的滑翔机就好像一个巨大的昆虫，其有机结构尤为接近昆虫。有报道称俄国现在正基于塔特林的设计在进行新的实验，因此也许塔特林的梦想将会成真。通过他的“材料文化”和对有机结构的关注，他自己可能已经找到了直觉上的解决方案，他呼吁将对“材料文化”的研究和对有机结构的关注作为所有设计的基础，“我的机器基于生活的法则、有机的形式。通过观察这些形式，我得出的结论是：最美的形式也是最经济的形式。在材料形成上下工夫即是艺术”[8]。

第六章 | 1914—1917

在追溯马列维奇和塔特林各自的发展过程时，我曾预告过要回顾拉里昂诺夫和冈察洛娃的辐射主义理论及他们在1913到1914年间的未来主义作品。立体未来主义此时势头正盛，诗人与画家之间的联系也最为密切。1913年12月“青年联合会”演出的两个戏剧作品更是将他们之间的合作推向了高潮。这两个戏剧，一出是《弗拉基米尔·马雅可夫斯基，一个悲剧》[*Vladimir Mayakovsky, A Tragedy*]，即弗拉基米尔·马雅可夫斯基的第一部戏剧，这部戏剧的装饰由菲洛诺夫设计，我们会在后文中展开对其的讨论；另一部戏剧就是《战胜太阳》，这是一部未来主义歌剧，音乐由马秋申创作，荒诞的歌剧剧本由克鲁乔内赫创作。马列维奇负责设计歌剧的舞台和服装。（图122—125）这两部戏剧都在1913年12月间于彼得堡月亮公园剧院[Luna Park Theatre]连续上演了几晚。此后，立体未来主义诗人和画家合作结束，分道扬镳，在各自的领域奋斗不息。

后来的四年中，抽象画派兴起，并主导了俄国现代艺术运动，由此还催生了众多小画派。这个抽象画派的领军人物是马列维奇，他接替了拉里昂诺夫和冈察洛娃，成为这段战争时期内主要的先锋派人物，后二者则在1915年出国加入佳吉列夫的芭蕾舞团。

从20世纪开始，俄国就成为整个欧洲观念交流的汇集地。随着1914年第一次世界大战爆发，俄国又被打回到从前的状态。这是一段被封锁的时期，这段时期从“一战”爆发持续到后来的革命时期，直到1921年封锁才被打破。莫斯科和现在所称的彼得格勒在此期间成为艺术家运动猛烈的、集中的开展之地。此时，至上主义之前的革命运动和构

162. 帕维尔·菲洛诺夫，《男人与女人》，1912年。

成主义之后的革命运动出现了，并且初具规模，所以当俄国在20世纪20年代可以发起运动并可以和外部世界进行思想交流时，这两个此前不知名的运动对战后西欧产生了巨大影响。整个欧洲的观念当时都在德国汇集，尤其是在柏林，在那里，一个充满了俄国特征的综合体诞生了。尤其是在建筑与设计中的国际主义功能风格发展中，俄国至上主义和构成主义运动发挥了至关重要的基础性作用。

未来主义和无意义现实主义[Non-sense Realism]表现了俄国战时的情绪，类似于德国的达达主义运动。这些运动中都有无用感，都让人感到被一个带有敌意的无意义世界伤害。未来主义者们戴着荒唐的面具或将这些面具形象画在脸上，如在《战胜太阳》中[1]，演员们戴着用纸做的大小为身高一半的套，在窄窄的舞台上用提线木偶般的动作呼应“无意义”的世界，穿着人形的服装，在公共场合粗鲁地斗殴，使用他们在画中和诗作中所用的吵嚷的街头俚语，这些俄国未来主义特征体现

了达达式的对现实的抗拒，他们嘲笑自己是一个腐朽的国家中毫无用处且格格不入的人。这种情绪从本质上来说是毫无创造力、负面、冷漠的。他们的画作则是像马列维奇的《在莫斯科的英国人》（图121）或帕维尔·菲洛诺夫的《男人与女人》［*Man and Woman*］（图162）一样的作品。菲洛诺夫的作品在当时和德国的同类运动的作品最为接近，他的《人和鱼》［*People-Fishes*］预示了超现实主义的到来。

俄国几乎没有什么表现主义画作，除非算上拉里昂诺夫和冈察洛娃的少量作品，还有马克·夏加尔的。但是夏加尔和菲洛诺夫当时都不是典型的俄国艺术家。对于夏加尔来说，这种不同可能是由于他的犹太血统和在巴黎求学的背景。他和拉里昂诺夫及莫斯科原始主义者们都对“鲁波克印刷”感兴趣，并且他在巴黎时确实为拉里昂诺夫1911年到1914年间举办的大部分展览送去过作品，因此他和祖国的艺术世界仍然保持着联系。俄国战争爆发后，他回到俄国，但是并没有和莫斯科立

164

163. 帕维尔·菲洛诺夫，《人和鱼》，约1915年。

164. 柳波夫·波波娃，《意大利式静物》，1914年。

165

体未来主义者们在一起，而是站在了以基辅、敖德萨及他的故乡维捷布斯克[Vitebsk]为中心的犹太平面艺术家一方。尽管他的画作总是具象的（马列维奇曾经无情地驳斥他的作品是“老派的”），他这一时期的作品还是反映出当时俄国抽象派的特点（见第八章）。就在革命之后，基辅犹太平面艺术家们出版了一些引人注目的儿童书，这成为首批“现代”设计和排版中的字体设计实验之一，这批人中就包括了埃尔·利西茨基[El Lissitzky]（图167）。

菲洛诺夫则与夏加尔不同。他在1883年出生于莫斯科，1896年成为孤儿并去圣彼得堡生活。他很小就开始绘画，但是却没有通过1902年艺术学院的考试——这是他的第一次尝试。不过一位大方的学者单独为他授课长达五年。1908年他终于进入学院，但学业十分艰难，在两年

166

165. 柳波大·波波娃，《建筑绘画》，1917年。
166. 马克·夏加尔，《墓地的门前》[*The Gates of the Cemetery*]，1917年。

后，他被学校开除，随后又被复学。1910年，他终于离开了学院，成为俄国未来主义组织“青年联合会”的初始成员之一。直到1914年，菲洛诺夫都是“青年联合会”的成员，但是他非常孤僻。他为组织的早期出版物绘制了插图。正如我们所见，他和什科尼克[Shkolnik]一起为马雅可夫斯基的第一部戏剧《弗拉基米尔·马雅可夫斯基》制作了背景布。菲洛诺夫在战时参军，但是这段时间他仍然坚持绘画。在1917年俄国革命之后，菲洛诺夫热情地接纳了未来主义艺术家，他开始采用“分析绘画[Analytical Painting]”的手法。到1925年，他已经拥有了数量众多的追随者，当年他就在彼得格勒建立了“分析绘画”学派，这个学派一直延续到1928年所有私人艺术团体和组织都解散为止。菲洛诺夫的画作极为精致，非常感性。他的许多油画都让人联想到水彩画，笔触

167

非常细腻和轻盈。这种梦幻的手法是通过狂热的投入才实现的。他每天会工作18个小时，在绘画大体量的作品之前，他会把每个细节都详细地完善起来。相对于同期其他画家而言，菲洛诺夫的作品和保罗·克利

168

[Paul Klee]的作品最为接近。他们都对儿童和精神病人的艺术作品表现出兴趣。这两位画家的作品都让观者的眼睛游离在不同物体间，就好像是一个故事或一次旅行，虽然这些图像给人的第一印象并不是一个形式整体，但是人们会慢慢地发现图像的解读方式和意义。然而，这两位画家的作品中并没有确凿无疑的联系，在“青骑士”和“桥社”参与的展览中，克利并没有贡献过任何作品；菲洛诺夫很少阅读且从没离开过俄国。菲洛诺夫过世于“二战”期间列宁格勒被围困的时候，他的死亡就和他的人生一样，充满了极大的勇气和英雄主义。

而在德国，表现主义者们和“青骑士”团体主导着战前的艺术世界；在法国，毕加索和勃拉克的立体主义则启发了德劳内和库普卡[Kupka]的俄耳甫斯主义、马歇尔·杜尚[Marcel Duchamp]及毕卡比亚[Picabia]的机器绘画、和马列维奇1911至1912年作品雷同的莱热动态立体主义作品；在意大利，未来主义者们继续创作宣传作品，逐步形成描画未来主义雕塑和绘画动态的体系。俄国艺术家曾经和这些运动都有所联系，不仅是通过期刊或偶尔在对方的展览中展出作品，还有着私下的联系。乔治·亚库洛夫在1912—1913年间在巴黎工作，他

167. 埃尔·利西茨基，犹太儿童书的一张插图，出版于维捷布斯克，约1918年。

168. 马克·夏加尔，为莫斯科国立犹太人剧院设计的饰带，1919—1920年。

169

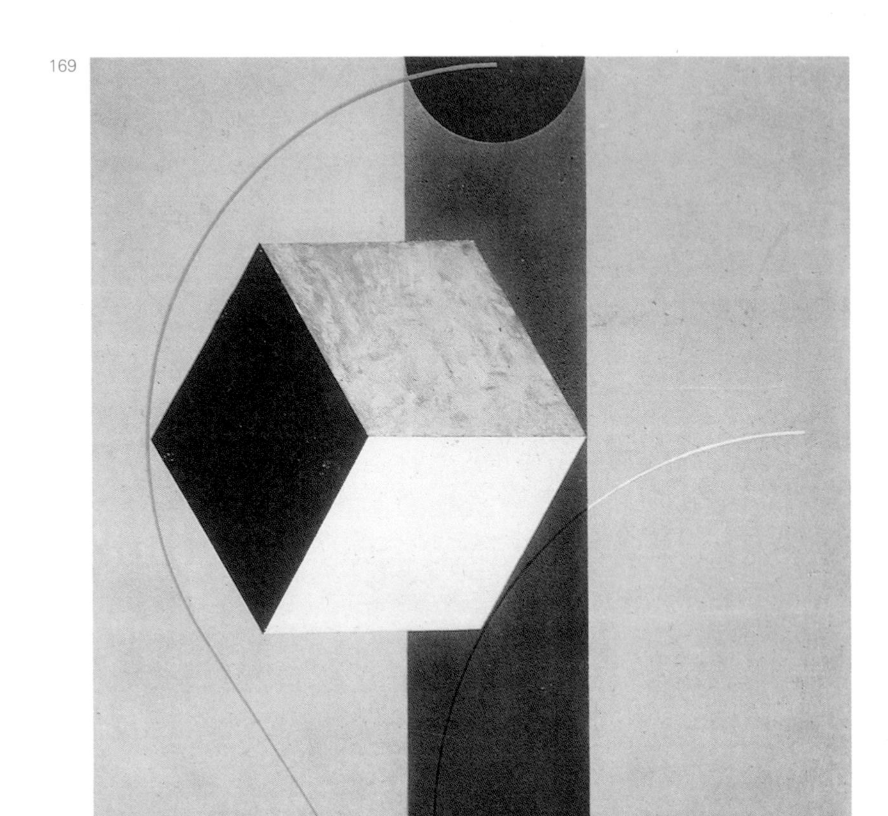

169. 埃尔・利西茨基，Proun 99号，约1924年。

和德劳内尤为亲近；亚历山德拉·艾克斯特和莱热是密友，她也常去意大利拜访未来主义画家们和雕塑家波丘尼[Boccioni]。娜杰日达·乌达利佐娃[Nadezhda Udaltsova]（1886—1961）和柳波夫·波波娃[Liubov Popova]（1889—1924）在1907到1910年间都在阿尔谢尼耶娃[Arseneva]的大学预科学习。要离校时乌达利佐娃和波波娃在莫斯科共同开设了工作室。1912年，她们前往巴黎，在那里，她们跟着勒·福科尼耶和梅辛格学习。就像大部分她们的同胞一样，在1914年战争爆发时二人回到祖国。夏加尔、普尼[Puni]、奥尔特曼[Altman]、伯格斯拉夫斯卡娅[Bogoslavskaya]都从定居已久的巴黎回国，而埃尔·利西茨基从达姆斯塔特的建筑学校回国，康定斯基和其他"青骑士"团体的俄国成员也从慕尼黑回国。

因此正当战时其他西欧的艺术中心解体，成员纷纷散去的同时，俄国的艺术家却因为战争重聚。虽然许多艺术家入伍了，如菲洛诺夫从1915到1918年都在罗马尼亚前线，亚库洛夫在1917年受了重伤，但是大部分艺术家还是停留在莫斯科和彼得格勒。他们并非对战争漠不关心，而是举办了多次展览以资助伤者。其中的一些人，包括马雅可夫斯基在内，都被当作战时艺术家派往前线，这一传统一直延续到俄国革命时期，当时这种"政治宣传"活动在新政权统治下对启发和传播知识产生了重大影响。

首个庆祝俄国先锋派发展壮大的展览于1915年2月在彼得格勒举办。展览名为"未来主义者展览：5号电车"[The Futurist Exhibition: Tramway V]。家庭相对富裕的伊万·普尼赞助了这次展览。普尼和妻子伯格斯拉夫斯卡娅1914年从巴黎回国后就迅速地联系上了马列维奇和他的伙伴们，他们成为马列维奇至上主义最早的追随者。

马列维奇和塔特林在此次展览上再度相遇。他们的首次见面（就和许多其他俄国画家一样）是通过拉里昂诺夫的展览。但是直到这时，

他们才首次作为两个不同流派的领导人出现。

塔特林的作品是当时展览中最激进的。他展出了1914年的几幅“绘画浮雕”，还有1915年的一个同类作品，共6件作品。（这是塔特林第一次在团体展览上展出这些作品。）（图154）马列维奇展出了1911至1914年的作品，包括1911年的《阿根廷人波尔卡》[*Argentinian Polka*]、1912年的《电车上的妇人》[*Woman in a Tram*]、1913年的激进画作《M.V. 马秋申肖像》[*Portrait of M. V. Matiushin*]（图118）以及大量的1914年创作的，被他称为“非逻辑”或“无意义的现实主义”作品。其中没有一个作品是新作或毫不知名的，他也没有展出至上主义画作。

其他参展人员要么没有形成完整的风格，要么受到马列维奇或塔特林的影响。普尼展出了立体主义作品，其中最激进的是《玩纸牌的人》[*The Card Player*]。这张作品不仅和毕加索的立体构成有关，还和塔特林当时的画作相关，但是相较于后者的“绘画浮雕”而言，它还是不够先进。作品展现了由粗糙的铁碎片和木头碎片相协调制造出的独特诙谐感和装饰性，但是没有反应出塔特林揭示材料本身的观念，也没

171

170. 伊万・普尼，《桌上的盘子》[*Plate of Table*]，约1915年。
171. 伊万・普尼，《至上主义构图》[*Suprematist Composition*]，约1915年。

有切割空间以制造新的维度。实际上，和这个作品关联最大的是《彼得鲁什卡》[*Petrouchka*]中有悲怆的木偶和佳吉列夫的芭蕾舞剧《钢铁的步伐》[*Le Pas d'Acier*]（其构成主义舞台由乔治·亚库洛夫设计，图240、241）。

柳波夫·波波娃和娜杰日达·乌达利佐娃送展了巴黎时期的立体主义作品。有趣的是她们提出了立体主义运动的俄国定义，正如之前的印象派一样，俄国对立体主义的解读与法国迥然不同。俄国艺术家依旧不关注如何表现看到的东西，而是采用一种新的方法构成一张画作。马列维奇、波波娃和乌达利佐娃是这个俄国学派的主要代表人物，他们构建的作品几乎完全是抽象的。这些作品由装饰性色彩平面和零星分散在各处的琐碎细节组成，这些琐碎细节可见于马列维奇《近卫军

172

173

士兵》（图117）中帽子上的星星，或乌达利佐娃的《弹钢琴》[*At the Piano*]（图172）中模糊的音乐手稿等。在这些所谓的俄国立体主义作品中，许多画作都用字母创作出另一个平面，如罗莎诺娃[Rosanova]的《地理》[*Geography*]（图174）、奥尔特曼的《彼得罗科莫纳》[*Petrokommuna*]、波波娃的《小提琴》[*The Violin*]（图175）和《意大利式静物》[*Italian Still-life*]（图164），这是拉里昂诺夫和冈察洛娃，还有布拉克和毕加索的画中常见的手法。但是，在这些俄国立体主义者笔下，这些字母是抽象的，它们不像拉里昂诺夫作品中的字母一样发挥表意的作用，也不像在毕加索的作品中一样会打断主体物以分解主体物的外观，而是像毕加索最为抽象的后期立体主义作品一样，意味着并置现实中不同层次的物体。

172. 娜杰日达·乌达利佐娃，《弹钢琴》，约1914年。

173. 柳波夫·波波娃，《旅行者》[*The Traveller*]，1915年。

俄国“未来主义”画作也从根本上就和意大利和法国学派不同。俄国所谓的未来主义画作中，和意大利学派灵感来源最接近的是罗莎诺娃的《地理》和马列维奇的《磨刀匠》。我会试着指出这两幅作品与意大利学派的运动和理念实际上有多么不相关。

在《地理》中（图174），画家为我们展现了一台机器的横切面，这是一个像钟表一样错综复杂的机械的内部。然而，机器的齿轮是静止的。虽然我们如此靠近这个毫无休止、冷酷无情的有机体，但我们并不会产生共情。意大利艺术作品中对于速度的陶醉，对于动态、坚定的节奏的疯狂沉迷，完全消失了。这里的机器丝毫没有让人感觉身不由己，而是代表了悲惨的、遥远的神秘陌生世界。由此机器只是一个新的图像元素。

马列维奇的《磨刀匠》（图157）是这场俄国“未来主义”运动中为数不多的优秀画作中的杰出范例。这幅画虽然分析了人和机器的运动，但是仍然没有表现速度。人和机器代表了一系列引人注目的动作；他们表现了从不同的视点观察到的一系列动作在时间和空间中的模式。在此画中，机器并没有支配人类，而是人类支配机器。机器似乎并不是理想中的那种，而是极度原始的。马列维奇好像全神贯注于机器的力量中出现的新人类这种理念，这个新人类是一个超人，一个人变成的机器。这里没有我们在塞维里尼[Severini]的作品中看到的主观情绪，也没有像波丘尼[Boccioni]一样将线条的动势延伸到空间当中。这是在马列维奇表现的对自然的强烈敌意中，透露出的“吞没绿色的血肉世界”的内在冲动，是一种在混乱的世界中创造秩序的力量，是以自然为主导力量的人转变为战胜自然这一宿敌的人的瞬间。在画框中，扭曲的人物被按平在了画布上，对比明显的锐利色调和形状：卷曲与平直、黑色与白色、血肉变成的钢铁，是对一种无休止的巨大宇宙力量的图像化表达，这种力量似乎驱使着人发生变化。人被赶入此新物质和韵律中，被

174

175

驱使着做出新的、未知的动作。机器的韵律在背景中的楼梯上延续，栏杆被缩短，看起来就像活塞一样。

人（如果说真的在画面中出现了）是机器的主人。在此，人不是像意大利的未来主义运动表现的那样被世界新的中心力量无可奈何地取代，而是变成了半神半人，他手中的新武器能够“从自然的手中抓过世界，创造一个属于自己的新世界[2]。”对于俄国艺术家来说，自然是人的敌对力量，可见于马列维奇的言语中：“自然创造了自己的景观……和人类景观不同。身为造物者的画家会在画布上创建新的直觉世界。”[3]因此对于俄国人来说，机器是解放的力量，它将人从自然的暴政下解脱出来，给他创建一个完全由人工构成的世界的能力，人类终将是这个世界的主人。认为机器是解放力量的看法正是几年以后人们热情

174. 奥尔加 · 罗莎诺娃，《地理》，1914—1915年。

175. 柳波夫 · 波波娃，《小提琴》，1914年。

拥戴布尔什维克政权的原因之一，这个政权许诺大家一个由机器和工业化转型而创造的新世界、新社会。所有赞同俄国革命的文艺“主义”都以这种对机器的浪漫态度为基础，尤其是构成主义美学。

在俄国现代运动史中，剧院常常是运动表达最完整的地方，未来主义也不例外。亚历山德拉·艾克斯特的作品是个中翘楚。1916年，她接受激进的导演泰洛夫[Tairov]（1914年建立了莫斯科卡默尼剧院[Moscow Kamerny Theatre]）委托，为安年斯基[Annensky]的作品《齐特拉琴师法米拉》[*Famira Kifared*]设计舞台和服装，这部戏剧获得了巨大的成功。在后来的几年中，泰洛夫和艾克斯特共同研究出了名为“合成剧院”[Synthetic Theatre]的系统[4]，这个系统中的舞台、服装、演员和动作会融合成一个动态的整体。（图242）卡默尼剧院的这些剧目的创作是俄国战时及革命前期最重要的艺术事件之一，通过这些剧目，人们可以看到从立体主义观念到构成主义观念的逐渐转变，这两个运动要么就是在剧院中产生，要么就是几乎立刻应用于戏剧。因此在1920年，这个运动还没怎么成形的时候，亚库洛夫为泰洛夫的戏剧《布兰姆比拉公主》[*Princess Brambilla*]设计了构成主义舞台；同年，构成主义运动的另一位奠基人亚历山大·维斯宁设计了卡默尼剧院剧目——克洛岱尔[Claudel]的《带给玛丽的消息》[*L'Annonce faite à Marie*]的舞台；1922年，又设计了拉辛[Racine]的《费德拉》[*Phèdre*]的舞台。卡默尼剧院和由未来主义发展而来的构成主义之间的联系持续了整个20世纪20年代，第一代由苏联培养的艺术家团体“青年艺术家学会”[Obmokhu]（斯坦伯格兄弟[Stenberg brothers]和梅杜涅茨基[Medunetsky]，见第7章）是剧院主要的协作者。

让我们说回1915年的“5号电车”展览，用它自己的话说，它是第一个未来主义展览。艾克斯特展出的作品体现了她的国际化背景，她的《威尼斯》[*Venice*]（图176）等作品反映了法国立体主义、意大利未

176

177

来主义和德劳内的“同时主义”[Simultanéisme]的影响。这幅画充分地体现出艺术家对明亮色彩、丰富装饰节奏和多变形式构成的感知力，这也是她剧院设计的特色。

“5号电车”仅是柳波夫·波波娃参加的第二个团体展览，即使是这样，她的作品的逻辑性和整体性也已经和其他的参展人明显有所区分。实际上，在塔特林和马列维奇之后，波波娃成为1914年后俄国抽象画派最重要的画家。虽然人们能够在她1915年左右的《坐着的人像》[*Seated Figure*]（图161）中轻易看出马列维奇的痕迹，但还是很难说出她的作品到底属于哪种类型。波波娃在1916年的作品《绘画浮雕》[*Painting Relief*]（图178）中也反映了塔特林的“材料文化”[Culture of Materials]观念，还有其将“真实空间”引入绘画构成的做法。在

176. 亚历山德拉·艾克斯特，《威尼斯》，1915年。

177. 亚历山德拉·艾克斯特，《城市风景》[*City-scape*]，约1916年。

1917到1918年创作的《建筑绘画》[*Architectonic Painting*]（图165）中，她加入了一种个人的抽象构成风格。她的后期画作情绪激昂。它们常常被画在粗糙的木板上，形状尖锐，采用浓烈的蓝色、绿色和红色刷进这个粗糙、原始的表面，像一道闪电一般迅速，一个唇印汇集了我们周围强劲、猛烈的力量。（图179）在1924年她因感染猩红热辞世之前，波波娃和其他构成主义者们一样设计了很多剧院作品，她设计了梅耶荷德[Meyerhold]戏剧《大度的绿帽》[*The Magnanimous Cuckold*]（图245）和《翻天覆地》[*The World Upside-Down*]的舞台。在工业设计方面，她和斯捷潘诺娃[Stepanova]一起在一家纺织品工厂工作。她是生产艺术最狂热的崇拜者之一。在1924年为她举办的回顾展中，展览名册上引用了她的格言："除了农民或工人买下我设计的布料以外，没有任何艺术的成就让我感到如此满意。"[5]

"5号电车"展览中另一个艺术领域的新人是克留恩，他很快成为马列维奇的紧密跟随者。他是一位精力充沛的人物，也是一位多产的艺术家。他的作品更像是带有一点至上主义倾向，作品当中出现的至上主义精神甚至超过了他自己的内涵。（图180）他展示了革命后对装饰的考量是如何沦为标准形式的，还有至上主义是如何失去作为创造性绘画运动的活力，被形式多样的构成主义所取代的。

1915年12月，普尼和同一批艺术家在彼得格勒举办第二次展览：展览名为"0.10：最后的未来主义绘画展览"[0.10. The Last Futurist Painting Exhibition]，这场展览是马列维奇的至上主义画作首次亮相的场合，令人激动不已，而其组织者之间却存在着争论。其中最基本的矛盾就是马列维奇和塔特林之间的对立关系愈演愈烈。塔特林激烈地抨击马列维奇的抽象画作，认为他的画作是业余的，根本无法参加专业的绘画展。然而马列维奇当时追随者众多，而且还是已经被认可的先锋派领导人，没有他，这个展览根本无法实现。马列维奇坚决地在这次展览上

178

展出了至上主义作品，而没有展出任何其他作品。这场争论愈演愈烈的结果就是，就在展览开幕之前，塔特林和马列维奇真的打了一架。其他艺术家们绝望了，当时的场景肯定非常吓人，带着绝望的妒意的塔特林又高又瘦，而比他大15岁的马列维奇人高马大，一旦被激怒就会情绪激动。最后，亚历山德拉·艾克斯特阻止了这场恶斗，展览方向两位艺术家妥协，允许在展览中将塔特林、乌达利佐娃、波波娃的画挂在一个房间，将马列维奇和至上主义追随者的作品挂在另一个房间。为了能够明确区分这两种画作，塔特林在通往他房间的门上贴了一个告示，告示上写着："专业画家的画展"。

塔特林展出了12件作品，一件1914年的《绘画浮雕》，五件1915

179

180

年的《绘画浮雕》，还有5件1915年的最新作《角落的反浮雕》[*Corner Counter-Reliefs*]。其中最后一系列画作是首次展出。

乌达利佐娃送出的作品和“5号电车”展览的类似，而波波娃送去了立体主义作品，如《小提琴》（图175）。

不出塔特林所料，马列维奇霸占了展览，他展出了36张至上主义构图。他还发表了宣言：

> 唯有画作中应当出现一点自然景物、圣母和人体这一惯性思维消失时，我们才能看到纯粹的绘画。
>
> 我把自己变成了无效的形式，让自己跳出圈子，跳出封锁住艺术家和自然形式的视野。
>
> 这个受诅咒的怪圈总在寻找新生的东西，它会让艺术家偏离

178. 柳波夫·波波娃，《绘画浮雕》，1916年。

179. 柳波夫·波波娃，《建筑构图》[*Architectonic Composition*]，1917年。

180. 伊万·克留恩，《至上主义构图》，约1916年。

自己的目标，最终摧毁艺术家。

除非这个艺术家是个懦夫，并且缺乏足够的创造力，他才会为这种伎俩所屈服，才会让自己的画作遵从于自然中的形式，才会害怕让自己的艺术偏离野蛮人及学者的艺术的来源。

重复制造这些恐怖的物品和一些自然场景，就意味着纵容一个已经被抓起来的盗贼。

唯有没有创意的愚蠢画家会用真诚保护自己的艺术。

艺术中需要的是真相，而不是真诚。

在新的艺术文化前，任何过往的艺术文化都好像过眼云烟。艺术正走向自我预设的创意终点，走向对自然形式的主宰。

虽然这是马列维奇首次展出至上主义画作，但是使用了这种新风格的大量画作再次印证了他所谓的首批《方形》《圆形》《十字》（图126—128）确实是在1913年完成的，因为我们很难想象两年时间内马列维奇可以完成这么多的作品。这些作品最开始是简单的几何元素，然后是更激进的复杂关系。《构建中的住宅》[*House under Construction*]（据马列维奇所言，这幅画创作于1914年，图132）在这次展览上展出；《黑色不规则四边形和红色方形》[*Black Trapezium and Red Square*]也出现在了展览上。在第二幅画作中，出现了更加复杂的不规则四边形，通过更进一步地缩减，马列维奇引入了空间维度。这个作品使用非原色，明显是至上主义后期的作品，早期至上主义画作只使用原色，但是在后来的画作中马列维奇越来越少地使用它们，与此同时，形状也变得更加模糊。

在展览之后，正如未来主义者往常的做法一样，马列维奇和他至

181. 奥尔加·罗莎诺娃，《抽象构图》，约1916年。

182

上主义新晋的追随者普尼、门科夫[Menkov]和克留恩[Kliun]在彼得格勒的特尼舍娃装饰艺术学校[Tenisheva School of Decorative Arts]开展了一场围绕至上主义的公开讨论。讲座宣传广告中说这是“关于‘0.10’展览反映出的运动和立体主义及未来主义”的讲座。马列维奇被安排生动地向大家示范立体主义绘画。据报道这次示范十分成功，尤其相对于他对自己的新绘画的解释而言。[6]也许正是为了这个讲座，马列维奇才用“至上主义”来描述自己的新作品，因为这个名字之前已经出现在了当时的艺术评论中。

如果说公众和评论家仍然对他的至上主义画作感到愤怒，当作笑柄，那么在马列维奇当时的圈子里，可以说是涌现出了一大批追随者。

182. 瓦西里·康定斯基，《构图6号》[*Composition 6*]，1913年。

183. 瓦西里·康定斯基，《白色背景》[*White Background*]，1920年。

就在一年以后，至上主义就变成了对这批艺术家而言占有统治地位的艺术运动。“无疑会有人在莫斯科报[Moscow Press]上称人们对至上主义画作、《齐特拉琴师法米拉》（泰洛夫在卡默尼剧院导演的一个剧目，舞台由艾克斯特设计）和米留科夫[Miliukov]在杜马的发言同样感兴趣”。[7]到了1918年，有报道称：“至上主义在莫斯科遍地开花。标志、展览、咖啡厅，每个东西都变成了至上主义化的。人们可以确信地说至上主义的时代已经到来。”[8]

在俄国革命爆发前的两年，年轻艺术家们或多或少带着一种义无反顾的情绪，继续走在马列维奇和塔特林的道路上。这段时期内，举办的大量小型展览体现出了这一发展，即使是在战争期间，这一发展也没有受到多少影响。几年以后，他们仍然发展着自己的观念，就算是面对最严苛的环境。

康定斯基的作品没有在我说的这两个彼得格勒展览中出现，他本

183

184. 瓦西里·康定斯基，《黄色伴奏》[*Yellow Accompaniment*]，1924年。

人在莫斯科低调地作画。直到1920年，至上主义的影响才开始在他的作品中出现，并表现为一种几何化的形式。此前马列维奇在莫斯科的一系列展览获得成功，并最终以他1919年的个展收尾。人们不禁开始猜测康定斯基回到俄国后和这些画家之间并不亲密。如果我们了解康定斯基当时的伙伴都有谁，其实就可以确认这一点。他只给少数展览送去了画作，其中就包括1915年在彼得格勒举办的“左派潮流展览”[Exhibition of Leftist Trends]。这立刻就体现了康定斯基的定位，因为马列维奇、塔特林、波波娃都没有参加这个展览，但是布尔留克兄弟参加了，康定斯基当时的邻居们和伙伴（“方块杰克”的）“塞尚主义者”们，以及最近回国的带有立体主义风格的“流亡者”纳丹·奥尔特曼也都参加了展览。这个乏味的展览以罗莎诺娃的新抽象构图为重心。她的作品带有很强的未来主义意味，尖锐的形式组成潇洒时髦的、多变的组合。作品名称类似于《发光物体的构图》[*Composition of Shining Ovjects*]，而画作采用了白色、灰色和黑色，强调了形式的力量。

在塔特林1916年的“商店”[The Store]展览上，一个新人进入了这个小艺术世界，他很快就成为构成主义运动中最有活力的人物之一，这个人就是亚历山大·罗钦科[Alexander Rodchenko]。罗钦科于1891年生于圣彼得堡。他是一个剧院装饰品手艺人和一个洗衣女工的儿子。罗钦科家族成分简单，他的祖先是农奴，他的家庭是第一代城镇居民。亚历山大的父亲米哈伊尔·罗钦科[Mikhail Rodchenko]是一个熟练的手工艺人，亚历山大继承了这一才能，从很小就开始画画。在亚历山大的成长过程中，剧院的氛围自然就熏陶出了他的才能。已知最早的罗钦科画作就是为了剧院而完成的项目，当他还在名为喀山艺术学校的敖德萨当地艺术院校读书时，他就完成了这幅画作。1914年他离开艺术学校，匆匆忙忙地前往莫斯科，当时他还没有拿到学位。他在莫斯科进入了斯特罗加诺夫实用艺术学校[Stroganov School of Applied Art]，但由于厌恶学校生活，他很快就辍学了。到1914年末前，他已经开始实验用铅笔和圆规绘画。罗钦科最早的此类画作还是具象的，例如《舞者》[*The Dancer*]（图185）。这一类对意大利和马列维奇未来主义学派的精巧模仿后来变成了完全抽象的图案。在《舞者》中仍然能够辨认的人形被他分解成几何化的曲线片段，这些早期抽象画已经高度形式化，以至于观者再也无法辨认他画的是什么。（图186）在1915年至1916年的作品中，他的构图更加自由，采用圆形为基础的形式表达更加纯粹的概念。（图187）罗钦科为塔特林1916年“商店”展送去了五张此类作品。

这是罗钦科首次联系塔特林和马列维奇。马列维奇明显是在不能展出至上主义作品的前提下才被邀请参加“商店”展的，因为他只送去了立体未来主义作品和“非逻辑”作品，如《在莫斯科的英国人》。罗钦科后来几年的创作理念摇摆不定，先是趋向马列维奇的观念，后又趋

185

185. 亚历山大・罗钦科，《舞者》，1914年。
186. 亚历山大・罗钦科，尺子和圆规画出的图，1913—1914年。
187. 亚历山大・罗钦科，尺子和圆规画出的图，1915—1916年。

向塔特林。他在马列维奇的影响下发展出了动态轴线，这是他所有作品的特征，他的纯粹几何形式先是二维构成，后来是三维构成，受到影响的还有1920年的悬挂饰物。（图205、206）从塔特林那里，罗钦科产生了对材料的兴趣，这表现在1916年至1917年罗钦科作品中对表面纹理的处理，这些纹理最开始是人工仿造的，后来使用了真实的材料。这两个人的影响在罗钦科那里逐步发展成了一个构成主义设计系统，罗钦科则是这个系统的先行者。

在与塔特林合作完成如画咖啡馆[Café Pittoresque]的室内设计时，罗钦科开始追随塔特林采用“真实材料和真实空间”，也正是在那时，他心中那颗想要成为一个艺术的工程师的种子开始发芽。

1917年早期，工业家菲利波夫[Filippov]委托塔特林作位于莫斯科剧院地下室的咖啡厅室内设计，实际上由于塔特林无法独立完成，所以他邀请了乔治·亚库洛夫来帮忙，亚库洛夫虽然刚从前线回来，身受重伤，但是却对此充满了激情，还带来了他的新朋友罗钦科。这三个艺术家都为咖啡馆的装饰尽了一份力，这个咖啡馆后来成为疯狂的战时艺术世界的中心之一。亚库洛夫对他的知心朋友卡缅斯基和赫列布尼科夫吹嘘自己如何在“如画咖啡厅”铺设“一条通往艺术世界的铁路，铁路上方会有一条横幅写着‘新时代的大师给部队的指令’”。赫列布尼科夫被亚库洛夫“在人的世界中建立对艺术中新运动的表达”的理念所吸引，他声称自己已经决定要在“如画咖啡馆”中创造“最终决定世界命运的全世界领导者”。[9]

此处提到的“世界领导者”这个概念来自于一个月前在彼得格勒举办的盛大的“艺术狂欢节”[Carnival of the Arts]。因为在这个场合中，艺术家、作曲家、作家、演员租用了各种颜色的公共汽车，缓慢地

186

187

188

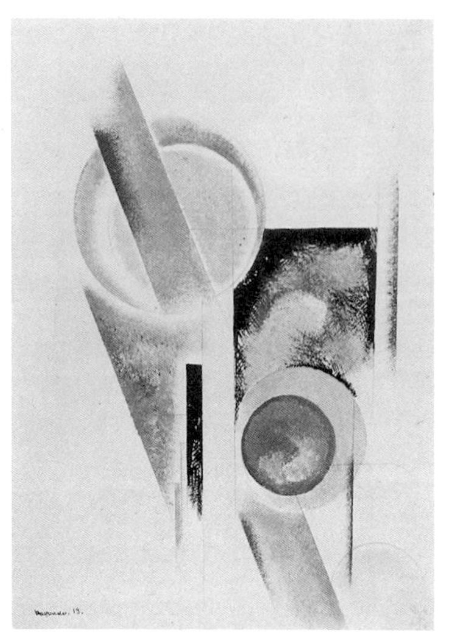

189

排成一列，开在涅瓦大街[Nevsky Prospect]上。末尾的一辆大卡车车身上用粉笔写着："世界领导者"。在卡车上，坐着赫列布尼科夫，他弓着身子，穿了一件军大衣。

在革命前的战时俄国，先锋派的世界充满了如此疯狂、令人陶醉的氛围。面对一个即将到来的新世界，先锋派们因为获得力量的感召、极度乐观的愿景、令人飘飘然的激动感而兴奋不已。但是他们却发现自己无法向社会传达这种兴奋感，所以他们又感到无力，与世界脱轨，他们的艺术只不过是让人嘲弄的"愚蠢的玩笑"。因此他们沉湎于这种放荡不羁的咖啡馆生活，而"如画咖啡馆"就是一个典型的例子。每个人都只是及时行

188. 亚历山大・罗钦科，《构图》，1919年。

189. 亚历山大・罗钦科，《抽象画》[*Abstract Painting*]，1918年。

190. 亚历山大・罗钦科，《线条构成》，1920年。

191. 亚历山大・罗钦科，《线条构成》，1920年。

乐。苏黎世达达主义运动标志性的狂欢酒会也出现了，虽然绝望情绪不断地被触发，但他们仍然渴望着被了解，成为有用的社会人。为了遏制这一切，这个放荡不羁的小世界诞生了许多轶事。所有事情都是为了能够激起他们周围神志不清的中产阶级[*bourgeois*]们的反应。拉里昂诺夫和冈察洛娃会在自己的脸上涂上油彩，他们穿着精致的戏服，耳朵上戴着贝壳，脸上戴上奇形怪状的面具游行。富有的中产阶级们会涌入这家先锋派小咖啡馆，听着扣眼上装着勺子，穿着无比鲜艳的衬衫和外套的马雅可夫斯基滔滔不绝地用悦耳的男低音说出押韵的咒骂。

塔特林、亚库洛夫和罗钦科的构成创作是这个走向未知的队伍中的主力军。他们将木头、金属和硬纸板靠在墙上，或放在角落，或从天花板垂挂下来，这些作品在拥挤的室内形成动态构成，令人们不再把房间看成是一个被厚厚的墙壁包围的封闭空间。有立柱的构造物附着在灯

190

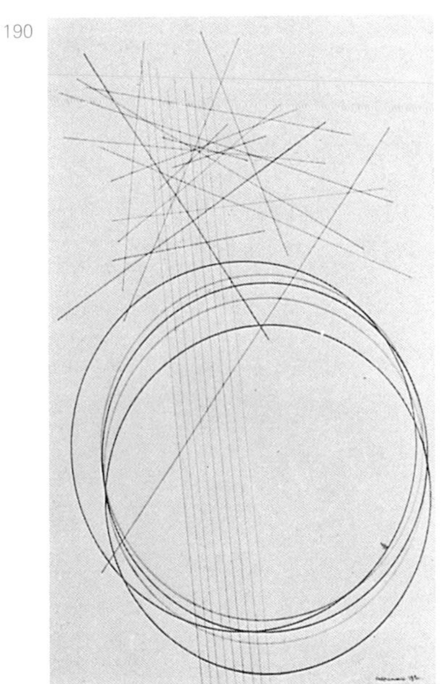

191

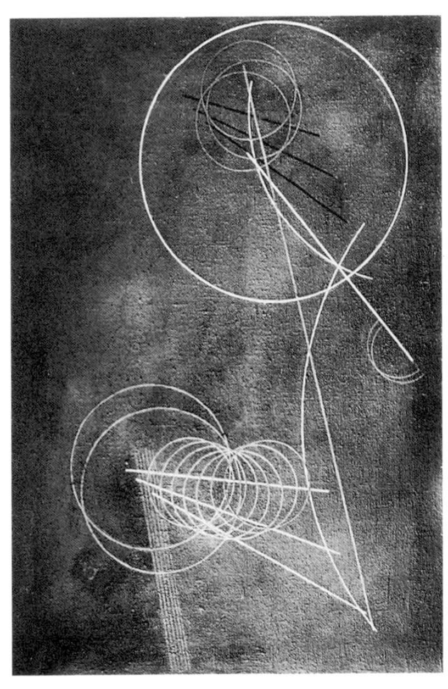

192

193

的上面，用自己交错的平面把光柱变成条状或束装，利用此方法，他们进一步分割了原始的室内装饰，令其变得“多样化”。（图194）

虽然参与未来主义活动的富有中产阶级听众对这种装饰无动于衷，但这种动态装饰对委托人还是十分有吸引力的，让观者感觉就像是一出戏剧的场景。富有的中产阶级看到了这些滑稽的举止，他们没有办法依旧置身事外，实际上，从报刊上有关这类咖啡馆在夜晚的大量丑闻可以得知，这些艺术家和诗人曾与观众爆发冲突，我们能够想象，一个

192. 亚历山大 · 罗钦科，《构图》，1918年。

193. 亚历山大 · 罗钦科，《抽象构图》[*Abstract Composition*]，1918年。

194. 亚历山大 · 罗钦科，《线条构成》，约1917年。

195. 亚历山大 · 罗钦科，《抽象构图》，约1920年。

成功的未来主义之夜最后的结局常常是警察前来调停。怒吼着的未来主义诗人激昂地朗诵着刚刚创作的“无意义”诗句，争吵着辩论着的画家宣布着他们的竞争宣言。这个小小的舞台挤满了巨大的哑剧表演的“木偶”和穿着牛仔衣或硬纸板服装表演经典希腊作品的人，他们就像最新的“无意义”戏剧（如克鲁乔内赫的《格里格里》[*Gli-Gli*]）一样用几何化的动作趾高气昂地走路和行动，这里的每一处都令观者感到应接不暇。1917年“十月革命”到来时，这些艺术家奋不顾身地要去实现他们野心勃勃的疯狂计划，要让世界变成他们梦想的新世界。

194

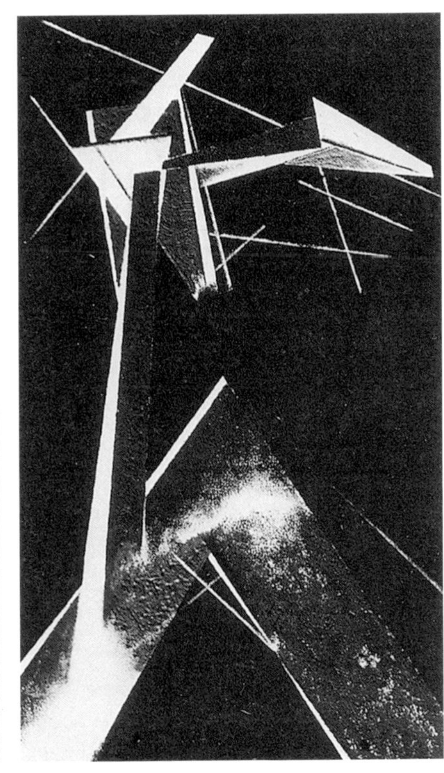

195

196

196. 莫斯科“如画咖啡馆”的一角，塔特林、亚库洛夫、罗钦科设计，1917年。

第七章 | 1917—1921

1917年十月，革命爆发。对于艺术家而言，这是消灭令人厌恶的旧秩序，引进建立在工业化基础之上的新秩序的信号。未来主义者们不能仅仅止步于响应这一政权的号召。这一政权声称不仅会有一种能将艺术家变为社会一员的共产主义生活方式出现，而且这种生活方式还是基于工业化的。马列维奇宣称“让我们从自然的手中夺取（世界），建立一个属于（人）自己的新世界”[1]，1917年俄国革命让他们的活动能够成为现实，并且为他们的努力指明了长期以来寻找的方向，因为他们确信这个经济和政治革命，同他们在艺术领域中获得的革命性的新成果是一致的。塔特林宣称：“1917年在社会领域发生的事件已经在1914年的艺术领域发生过了，那时，‘材料、体量和构成’就是艺术领域革命的‘基础’。”[2]马列维奇说：“立体主义和未来主义是艺术领域所用的革命形式，它预示了1917年政治与经济生活的革命。”[3]

因此这些后来被称为“左派”的艺术家们迅速倾向于布尔什维克革命，为了他们认为即将到来的新世界，在一个遍及全国范围内的宣传战中尽情释放自己压抑已久的能量。他们如此迫切地想要证明自己是新社会的栋梁之一，他们亲自重新组织俄国艺术生活，正如马列维奇所言，“（他们）和这个有机体的主干共同成长……并且以合适的方式参与其中”。[4]他们宣称，现在并不是一个适合闲散绘画的时代，如果有一整条街供你涂鸦的话，一块画布不过是无益且不重要的交流方式（它还和资产阶级系统有着龌龊的联系），广场和桥梁才是活动的中心。马雅可夫斯基曾经于1918年11月在被占领的冬宫[Winter Palace]参与“为了广大的劳动群众”的讨论，他在讨论中说：“我们不需要用来敬奉已经死去的作品的陵墓，而是需要一个朝气蓬勃的人类精神工厂，可以是在大街上、电车上、工厂里、工坊中或工人的家中。”[5]这个公开讨论由“人民教育委员会艺术部”［Department of Fine Arts of the Commissariat for the People’s Education］，也就是IZO Narkompros组织举办。（当时常常出现这种缩写名；这类缩写太多也太类似了，导致历史学家们总是混淆。一个组织很快就被另一个组织替代，而这些组织又太多，因此即使是亲身参与过这些活动的人，也没有办法说出先后或认出名字。）这场讨论的主题是“保护区还是工厂？”。根据报道，作为此类讨论中的第四个，它受到了观众们的热烈欢迎。除了马雅可夫斯基外，奥兹普·比尔克[Osip Brik]和塔特林的捍卫者——尼古拉·普宁也参与了讨论。普宁描述了欧洲中世纪时艺术在社会中的地位，并且呼吁重回这种状态。艺术家必须不再成为受害者，他的艺术作品应当变成被崇拜的物品。我们已经有了能够为新无产阶级艺术指路的“材料文化”，艺术必将迎来一个新的时代。“无产阶级将会创造新型房子、新型道路、新型日用品……无产阶级的艺术并非一座供人慵懒地注视的圣殿，而是劳动，是一个会产生新型艺术品的工厂。”[6]

塔特林基于“真实空间和真实材料”的构成，首次体现了这些艺术家成为活跃建筑家的直觉需求，现在正是可以表达这一需求的时期。这使他们的画作成为“推理的活动”，他们的颜料与画笔成为“无用和陈旧的工具”，他们愉快地投身于实验当中，极其幸福地忘却了需要投入的体力和做出的实际牺牲。他们的同胞们大多还在为了生存而苦苦挣扎，如果我们阅读他们的宣言和为讨论以及活动做出的描述，就会发现在这残酷的现实之中，他们的生活着实艰难。我们很难相信他们几乎真的就在忍饥挨饿，因为乡村的动乱导致交通运输非常艰难，他们的生活条件降低到只能满足最基本的需求。解放的浪潮和证明自我存在的新目标冲昏了他们的头脑，一股醉意驱使他们趋向最非凡的功绩而去。除了在改变居住其中的世界时所面临的巨大挑战，所有的东西都被他们遗忘和忽视了。这很明显是历史上首次轮到如此年轻的一群艺术家在如此大的范围内实现自己的梦想。

在短短四年中，也就是在“英雄式共产主义”[heroic Communism]时期（译者注，此处指的应当是采用英雄式现实主义为共产主义进行宣传的时期）内，这些艺术家继续在全国范围内建立艺术博物馆，并通过近来在抽象画作上的突破为基础而发展出的计划来认定艺术流派。他们接手了劳动节和十月革命周年庆典所需的街道装饰工作；他们组织了一场上千民众参与的露天历史剧，描述了革命的政权变更，作为一种把人和一项事业联系起来的方法，这是既新颖又成功的；他们用同样的精神在公共街道上组织了戏剧性的“模拟”法庭，为的就是逐渐灌输苏联的司法或迫使任何其他“人民的敌人”服从。基础教育也是这种风格，例如教授卫生的法则，如何养鸡，如何种玉米，或是正确的呼吸方式就是他们的一些露天剧和海报宣传的主题。不论是对艺术家而言还是对共产主义政权而言，一个健全的人也即一个新社会中的健康工人都是最完美的。

艺术家们组织完善的最大型公众游行之一是“十月革命”的第一个周年庆。不论是哪里，不管是基辅、维捷布斯克、莫斯科还是彼得格勒，艺术家们都自愿参与这一重大节日的游行准备工作。

纳丹·奥尔特曼负责彼得格勒，这里当时仍是首都。（图197—199）奥尔特曼征用了冬宫广场，用巨大的抽象雕塑装饰中央的方尖碑，这个抽象雕塑被安装在方尖碑底部，它是一个动态未来主义构成物。广场周围的所有建筑都用立体主义和未来主义图案包装起来。他们一共用了两万“俄尺”（译者注：俄尺[arshins]，俄国传统度量单位，1俄尺≈71厘米）的画布装饰这个广场！两年以后，这个庆典不再只是装饰了，奥尔特曼、普尼、伯格斯拉夫斯卡娅及友人们重新上演了

197

198

197—199. 为庆祝1917年“十月革命”胜利一周年，纳丹·奥尔特曼为彼得格勒冬宫广场所做的装饰设计。

200. 奥尔特曼和“左派”友人在1920年10月重演俄国革命的照片。

突袭冬宫，当然，他们完全采用了现实主义的方式。（图200）他们通过借来的一整个营和营内的设备，还有上千名彼得格勒居民以达到现实主义的效果，用巨大的弧光灯（在最后一刻从电器商店橱窗中抢来）制造了戏剧化的效果，这些弧光灯在匆忙搭建的舞台后把奥尔特曼的抽象设计抛向空中。在预演中，大家决定在这样的环境中放上和“克伦斯基”[Kerensky]长相类似的形象，所以他们在指挥台上安排了50个“克伦斯基”的演员，全都保持动作一致。红军站在右手边更矮的指挥台上（就和中世纪露天舞台剧中地狱和魔鬼的位置一样），逐渐地将队形整

200

201

齐的庆典用白军玩偶驱逐出他们引以为傲的优越位置。在推翻白军之后，2000位观众欢声雷动，同时一个营的士兵乘着带有各种乐器的花车穿过大门前，发出号声、哨声，提醒着人们布尔什维克革命的胜利。我们当然不必惊讶，当当权者听说这场露天演出以后（当时没人认为这样的露天舞台剧演出需要获批），他们对尚不知此事的军营指挥官进行了严肃的批评教育。这可能是真的！[7]

这些艺术家、演员、作家、作曲家们在全国上演了“英雄的革命的”[heroic-revolutinary]即兴戏剧，虽然规模小了，但是他们的热情丝毫没有减少。塔特林、安年科夫[Annenkov]和梅耶荷德设计了舞台，而同时，工厂正在马雅可夫斯基“把街道变成他的笔触，广场变成他的调色盘”的指导之下轰鸣。[8]（图201、202）以革命为主题装饰的火车被派到最前线，将有关革命的消息，不管是政治的还是艺术的，运往俄国的每个角落。[9]为了革命宣传，这些画家的创造力似乎是无限的。

201. 宣传用的火车：红色哥萨克人。

202. “红星”宣传船。

列宁在1918年前期建议各个城镇为俄国革命中牺牲的各国烈士建立宣传纪念碑。烈士名单中除了别林斯基[Belinsky]和车尔尼雪夫斯基以外，还有穆索尔斯基、库尔贝[Courbet]和塞尚。然而，这项工程总体来说并不太成功。[10]大部分接受委托的画家都属于现实主义学派。俄国的雕塑比绘画要落后很多，相对而言数目较少的雕塑家们大多都是完全的学院派。他们的作品是极其写实的肖像，只是比真人要大很多而已。这些雕塑采用最为原始的材料，在严冬时高傲地矗立在莫斯科的显要位置。如果有人注意到的话，这些雕塑的稚拙感除了让人忍俊不禁以外，不会令人有丝毫激动。那些想要更加有表现力的作品（可能略微带有“立体主义”或“未来主义”风格）则惹怒了人民群众，因为这些作品中许多受人爱戴的人物面孔都“变形”了。就是因为这个原因，舍伍

202

德[Sherwood]为巴库宁[Bakunin]所作的立体主义肖像被雪藏了几天，而当这幅画面世后，几个小时之内就被无政府主义者们摧毁了。

唯一一个风格和主题相符的纪念碑是塔特林充满动态的《第三国际纪念塔》[*Monument to the IIIrd International*]（图203）。1919年初，艺术部委托塔特林在莫斯科中心开展这个项目。在1919年到1920年之间，他负责这个项目，并和莫斯科工作室的三位助手共同建造了几个金属与木头制作的模型。其中一件在苏联1920年12月的“第八届代表大会展览”[Exhibition of the VIIIth Congress]上展出。塔特林对此作品的描述是：“为实用目的而集合了纯粹艺术形式（绘画、雕塑和建筑）的作品。”[11]

塔特林并不想让这个纪念塔成为毫无意义的象征，因为对于这个新的经济秩序来说，如果要立起一个无用的纪念碑来显示它的荣耀，那是多么不合适啊！决不能如此！不论是外部样式还是内部活动空间，这个纪念碑都被设计成动态的，“无论愿意与否，你至少要站在或坐在这个建筑中，要被机械升降，被机器随意地带往某个地方，你的面前会闪过播音员口中表示稳定、简洁的词汇，而在最近的新闻、法令、决议中，这个新近的发明将会被称为创造，就只有创造能代表它[12]。”

塔特林将这种动态作为美学原则引入纪念碑设计，这立刻就变成正在逐渐成形的构成主义运动的特征之一。嘉博[Gabo]的第一个“动态模型”[Kinetic models]和罗钦科的移动装置也同样出现于1920年。

塔特林的纪念碑预计要比帝国大厦高一倍。本来计划用玻璃和钢铁建造。一个钢铁的螺旋结构将会用来支撑由玻璃圆柱体、圆锥体和方块组成的主体部分。主体部分将会向一个变动的不对称轴线倾斜，就好像是一个倾斜的埃菲尔铁塔，因此塔的螺旋动势会继续向上方空间延伸。所谓的“运动”并不局限于静态的设计。纪念碑的主体部分真的可以移动。圆柱体围绕着轴线每年旋转一次，这一部分是用来作演讲、开

203. 弗拉基米尔·塔特林，《第三国际纪念塔》，1919—1920年。

204

206

205

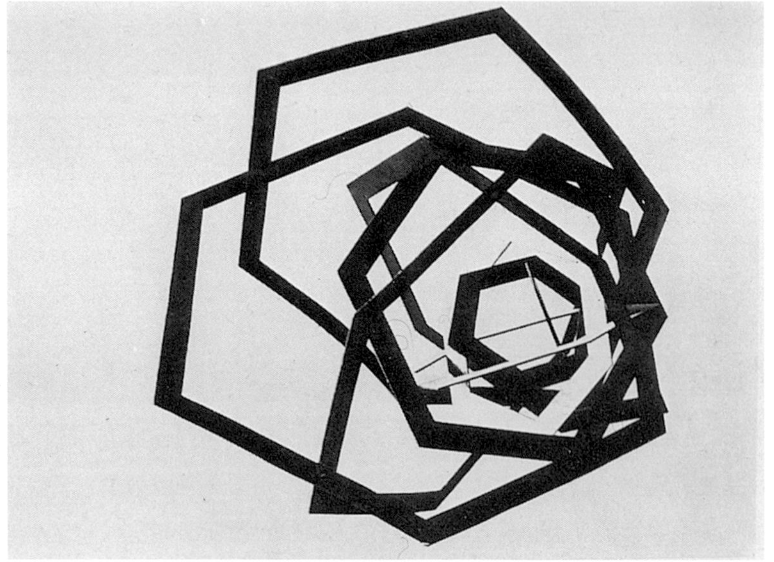

会和举行代表大会的。圆锥体的部分每月转一次，是行政活动的场所。最上方的方块是信息中心，围绕轴线一天转一次。这个建筑会通过电报、电话、广播和扩音器不断地发出新闻简报、公告和宣言。建筑的一个特点就是入夜后会展开一张露天屏幕，这个屏幕将会不断地播放最近的新闻。他们会安装上一个特殊的投影，这个投影能够在阴天的时候把文字投影到天空上，显示写给当天的格言，这是“致放纵的北方人的有用建议”。

不幸的是，这个项目并没有变成现实，只是停留在塔特林和其助手用木头和金属线构成的模型上。这些模型成为艺术家们曾向往建立的乌托邦的象征。它的很多特性象征着这些艺术家们的希望，这些希望如此野心勃勃、如此浪漫，却又极不现实。虽然他们积极参与建筑和组织新世界，并且迫使工具古老且社会含义陈旧的架上绘画退场的想法令人激动不已，但是他们并没有能力变成自己梦想中的艺术工程师。

人民教育委员会（Narkompros）在1918年成立了艺术部（IZO），负责组织和运行苏联新政府统治下的俄国艺术生活。“左派”艺术家霸占了这个机构，所以他们也被叫作新社会的官方艺术家。教育人民委员卢那察尔斯基[Lunacharsky] 是一个观念开放、知识渊博的人。在革命前，他过着背井离乡的生活，当时他认识了许多在巴黎、慕尼黑和柏林学习绘画的同胞，其中就包括大卫·什特伦贝格[David Shterenberg]。他同样也认识纳丹·奥尔特曼，并了解康定斯基在德国的名望。当他回到俄国，接受布尔什维克政权的任命时，他自然开始向这些故友寻求帮助。大卫·什特伦贝格被任命为艺术部的主任，而执行委员会成员则几

204. 瑙姆·嘉博，《广播站项目》，1919—1920年。

205. 亚历山大·罗钦科，《构成》，1920年。

206. 亚历山大·罗钦科，《悬挂的构成》[*Hanging Construction*]，1920年。

乎都是艺术家。奥尔特曼成为彼得格勒地区的主要负责人，塔特林则负责莫斯科地区。“左派”和“右派”艺术家们都被邀请加入人民教育委员会，但是只有“左派”回应了，因此右翼在受到1921年新经济政策鼓舞后，将这段时期讥讽地称为“艺术上的左派专政”。康定斯基、奥尔特曼、艺术评论家尼古拉·普宁、未来主义作家及无产阶级文化[Proletcult]的辩护者奥兹普·比尔克、英年早逝的奥尔加·罗莎诺娃都是这批艺术部执行委员会[IZO Kollegia]中的“左派”分子。

执行委员会的早期活动之一就是建立博物馆局和购买基金会，这是它最野心勃勃的计划之一。政府花费了200万卢布用于购买现代艺术作品，在全国的范围内建立起了博物馆。在1918年到1921年间，国家建成了36个博物馆，1921年，当执行委员会资产被清算时，还有26个博物馆尚在规划中。[13]这些博物馆收藏了各个学派的作品，1918年的《真理报》[*Pravda*]还愤怒地指称基金会被利用来购买未来主义者的作品[14]，却不收藏比奈斯、戈洛文和其他“艺术世界”艺术家及革命前知名艺术家的作品，而“……这些未来主义艺术家们的未来尚有所争议”。卢那察尔斯基本人对这一指控的解释是：“我们会从所有艺术家手中购买画作，但主要是那些不属于资本主义审美的，作品中因此不包括出现在画廊中的艺术家们。”[15]通过这一系列画廊，俄国成为世界上首个由官方展出抽象艺术作品的国家，而且它的规模还是如此之大。

罗钦科是博物馆局的局长。虽然真正选择画作的是博物馆的“执行委员会”，但却是罗钦科来决定作品陈列的城镇。也许他并非是一位像从前那样中立的仲裁人。嘉博说康定斯基（博物馆执行委员会成员）某天拜访了自己，提醒说罗钦科会将其作品《头像》[*A Head*]发放到偏远的西伯利亚小镇察廖沃克科夏斯克[Tsarevokokshaisk]。愤愤不平的嘉博立刻就要回了他的作品，这令罗钦科气愤不已！

新建设的美术馆中的13个都叫“艺术文化博物馆”[Museum of

Artistic Culture]，这个名字来源于塔特林的“材料文化”。影响力不小的“左派”机关报刊——《共产艺术》[Iskusstvo Kommuni] 周刊（1918—1919年）编辑、塔特林的好友和支持者尼古拉·普宁提出了博物馆的理念和组织方式。艺术文化博物馆预期要致力于艺术教育以“让人们熟悉艺术的创新的方式和发展的过程”。[16]除此以外，还规划了一个“历史博物馆”和一个“展览博物馆”，当然，前者和艺术是不相关的，只是一个用于科研的资料参考中心。这种将从前的艺术斥为对后来的艺术完全没有创造性的贡献的态度是普宁及其同伴在《共产艺术》上的基调，这成为后来几年对“左派”的主要指责。

最重要的两个艺术文化美术馆于1918年分别建立于莫斯科和彼得格勒。二者都有常设的“左派”艺术展览，塔特林更是在1923年于彼得格勒美术馆导演了赫列布尼科夫的《赞歌》（图146、147）。[17]1923年至1928年，马列维奇居住在彼得格勒展馆，负责艺术馆学校的实验艺术实验室。（图218）

1918年夏天，旧彼得格勒艺术学院关闭，学院的老师被解雇，所有画作都被政府征用。旧彼得格勒艺术学院脱离了政府，在短时间内，学院以自治体的状态存在。然而，1918年10月，学院在艺术部[IZO]的领导下改革成为彼得格勒自由工作室（Petrograd Free Studios，简称为Sovmas）。改革后的学院宣传册声明：

> 所有希望接受专业艺术训练的人都有权利进入彼得格勒自由工作室学习。
>
> 适合16岁以上人员申请。无学位要求。
>
> 所有曾经接受过学院艺术教育的人都被认为是彼得格勒自由工作室成员。
>
> 全年随时接受申请。

207

208

卢那察尔斯基和什特伦贝格签署了这一声明。[18]除声明中的条款以外，学生还被赋予了自由选择教授和选择分组的权利。奥尔特曼、普尼、彼得罗夫-沃德金都在彼得格勒自由工作室中有自己的工作室，塔特林、马列维奇和什特伦贝格后来也在此有工作室。[19]这些举措是对被认为应当废除的古板学制的实质性改革，正如其所说，这是在“清理积垢”。无论如何，如此自由的组织立刻就导致了完全混乱的无秩序状态。1921年，彼得格勒自由工作室被取消，学校被并入“艺术科学学院”［Akademia Khudozhestvennikh Nauk］。1922年，在康定斯基的带领下，彼得格勒自由工作室又重建了。

莫斯科建立了许多类似的学校。1918年，绘画、雕塑与建筑学院关闭并重组，和之前的斯特罗加诺夫实用艺术学校合并为“高等技术艺术工作室”［Higher Technical-Artistic Studios］（简称为Vkhutemas）。嘉博将高等技术艺术工作室的建立描述为：

207. 库兹马·彼得罗夫-沃德金，《1918年的彼得格勒》［*1918 in Petrograd*］，1920年。

208. 弗拉基米尔·法沃尔斯基，《路得记》插图雕版，书于1925年出版。

> 这个机构的重要特征就是它几乎处于自治状态。这里既是学校，又是氛围自由的学院，在这里不仅仅有时兴的专业教学（这里有七个部门——绘画、雕塑、建筑、陶艺、金工、木工、纺织、印刷），还有全校性的讨论和针对不同问题的学生研讨会，这些研讨会也会对公众开放，不在教员之列的艺术家们也可以参加演讲和教学。虽然是内战时期及波俄战争时期建立的临时学院，学院还是有上千名学生。学生可以从一个工坊自由地转到另一个，或是从一个独立工作室转到另一个，例如我的工作室……在这些研讨会和大多会议中，一些对立的抽象艺术家们讨论出了许多意识形态问题的结果。相对授课而言，这类集会对构成艺术造成了更为巨大的影响。[20]

在这里拥有工作室的人包括马列维奇、塔特林、康定斯基、罗莎诺娃、佩夫斯纳、莫古洛夫[Morgunov]、乌达利佐娃、库兹涅佐夫、法尔克和法沃尔斯基[Favorsky]。法沃尔斯基是一位版画家，他后来对第一代高等技术艺术工作室绘画生，如杰伊涅卡[Deineka]和皮梅诺夫[Pimenov]有巨大的影响，后二者在20世纪20年代发起了对抽象画派的反抗。（图208、213）

艺术文化学院规定了高等技术艺术工作室内"左派"专家们的课程，学院是一个几乎被"左派"画家主导的组织，它认为自己有责任完成共产主义社会体系下的艺术理论方案。学院的第一个分支于1920年5月在莫斯科建立，作为艺术部的一个部分；1921年12月，学院的活动延伸向莫斯科和维杰布斯克地区，前一地区由塔特林负责，后一地区由马列维奇管理。

艺术文化学院，也就是Inkhuk，最初是要按照康定斯基制定的计划运营的。他的计划包括了至上主义、塔特林的“材料文化”及他自己的理论。这个组织尝试着将各种实验系统化成方法论。1920年，随同艺术文化学院的形成，计划也公之于众。[21]计划分成两个部分：“不同分支的艺术理论”和“结合不同艺术形式创造纪念艺术”。

第一个部分包括对各种艺术媒介的特质分析。这个部分的出发点是艺术家对于作品品质的心理反应。（例如：红色一般让人感到兴奋。）根据这些分析，最后将会诞生一本关于有意识的线条和形式的艺术词典，词典内容囊括了所有媒介。他们还打算采用类似的方法，编写一本关于自由的、独特的形式的字典。

色彩研究包括：（a）绝对价值；（b）相对价值。

（a）首先要单独研究色彩，然后研究色彩组合。这些研究将会融合医学、生理学、化学、神秘学知识和对于该研究主题的经验，例如：色彩与感官联系、色彩与声音等。

（b）带有形式的色彩组合。这可以通过：

1. 简单几何形式的色彩组合。
2. 类似形式的补色组合。
3. 简单几何形式的原色和补色交叉组合。
4. 任意的、独特形式的原色。
5. 色彩和形式的交叉组合。

将会出版一本记下相关项目结论的辞典。

计划的第二个部分针对纪念艺术。“这项研究很适合剧院，在那里可以研究独立艺术媒介的特性，例如：话语或动作可以通过重复、组合等减到最基础的程度等，直到产生一种狂喜的状态。”史克里亚宾的作品就可以作为色彩和声音的例子。

209

209. 安东・佩夫斯纳，《嘉娜娃》，1915年。

这些理念不久之后成为康定斯基包豪斯课程的基础，但当时却在艺术文化学院被未来构成主义者们强烈反对。由于未来构成主义者们专注于对理性主义艺术创造力的构想，而康定斯基认为艺术是一个超自然的、精神性的、直觉性的活动，所以遭到他们痛恨。康定斯基的计划几乎立刻就被大多数人否决了。

由于理念遭到否定，康定斯基离开了艺术文化学院。1920年末，康定斯基受卢那察尔斯基的邀请成为苏联常务委员会的一员，这个组织的目的是将莫斯科地区的许多教育、艺术机构改组整编成为科学学院。这个举措响应了列宁1921年新经济政策的号召，是卢那察尔斯基重新组织俄国境内教育系统方案的一部分。

康定斯基命中注定无法看见自己的艺术教育计划在祖国得到实施。他为艺术科学学院美术系所作的计划和他在艺术文化学院提出的方

210

210. 瑙姆·嘉博，《女性头像》[*Head of a Woman*]，1916—1917年。

案类似[22]，但是由于当局正因为缺少粮食、能源、生存空间而忙得焦头烂额，所以这个方案也被搁置了。

新莫斯科学院的艺术系直到1922年才组成。当时康定斯基已经离开俄国，开始在魏玛包豪斯任教。

随着康定斯基的离开，艺术文化学院制定了一份新的计划。经过讨论，每个人都否决了“纯绘画”[pure painting]，但接下来成员们产生分歧，并因此分为两个团体。一个团体致力于“实验艺术”[laboratory art]，另一个团体致力于“生产艺术”[production art]。这种分歧越来越明显，直到1921年“左派”完全分离。

新政权下的展览主要由至上主义者们组织。首个展览举办于1918年12月，是奥尔加·罗莎诺娃的大型回顾展，就在举办展览的几个月之前，罗莎诺娃因为罹患白喉去世。由于她是俄国先锋派艺术家中的典型，我们有必要介绍一下她的生平。罗莎诺娃于1886年出生在离弗拉基米尔市不远的一个小镇上，她为了在一个私人工作室中接受绘画培训而来到莫斯科，随后进入斯特罗加诺夫实用艺术学校。她是圣彼得堡“青年联合会”的初始成员之一，也是首批和这一未来主义运动有关联的人之一。她身兼画家和诗人两种身份，为未来主义出版物贡献的要么是画作，要么是诗歌，要么二者都有。她还在战前的许多公众讨论会上饱含激情地演讲。她在俄国现代艺术中并不是革新者的角色，而是一位像波波娃和艾克斯特一样优秀的跟随者。相对法国立体主义的影响而言，她早期画作中出现更多的是意大利未来主义的影子。从1916年起，她开始创作抽象画作，她这时的画作仍然保持着这种动态力量。在革命后，由于早年和斯特罗加诺夫学校的联系，罗莎诺娃全身心地投入了国家的工业艺术重组活动。正是由于她的努力，艺术部在1918年8月建立了一个专门的工业艺术分部，她通过在国内深入、广泛地多方游说，让很多已有的流派加入这个组织。因为当时的国家环境非常混乱，人民几乎无法远行，所以要完成这一任务，必须拥有非比寻常的勇气和使命感。在去世前，罗莎诺娃为重组莫斯科工业艺术博物馆制定了计划，这个计划后来得到实施。她为了协调艺术与工业而作的计划也很快在构成主义运动中实施。她染病的时候，还在小型飞机场为“十月革命”周年庆典张贴横幅和标语，而在短短一个星期之内她就过世了。几周以后她的回顾展开展，其中包括从印象派到至上主义的250幅画作。

这个展览之后值得注意的展览是1919年初举办的“第五届国家展”[Fifth State Exhibition]。展览名为“新艺术的艺术家与画家工会，从印象派到抽象画作”[The Trade Union of Artist-Painters of the New Art. From Impressionism to Abstract painting]，在莫斯科美术博物馆（现在的普希金博物馆）举办。为了切合俄国革命的理论，这个展览采用了无评审的方式，任何认为自己的作品文能对题的人都可以贡献画作。

展览中尤其值得注意的是康定斯基的作品。康定斯基送展了大量1917年的画作，如《下降》[*Descent*]、《灰色椭圆》[*Grey Oval*]、《绿色鸡冠》[*Green Comb*]和《清楚的画面》[*Clarity*]。展览还将安东·佩夫斯纳[Anton Pevsner]介绍给了莫斯科大众。另外，抽象画派由罗钦科[Rodchenko]、斯捷潘诺娃[Stepanova]和波波娃[Popova]为代表。塔特林和马列维奇都没有送出任何画作。另一方面，有些不知名的画家参加，如“方块杰克”团体、慕尼黑“青骑士”团体的俄国成员以及平面艺术家法沃尔斯基。

从这点上看，我们又需要简单了解一下安东·佩夫斯纳和他弟弟嘉博·佩夫斯纳的生平及他们对俄国战后艺术的贡献。

安东·佩夫斯纳（1886—1962）从1902年开始创作，他被拜占庭艺术深深吸引。1910年，他去圣彼得堡的艺术学院学习，次年去往巴黎。在战前，除了1913年短期回国外，他一直都待在巴黎。战时，佩夫斯纳在奥斯陆继续创作立体主义作品，如《嘉娜娃》[*Carnaval*]

（图209），这张画和他弟弟嘉博在1915至1916年创作的早期《头像》[*Heads*]有很大的关联。直到1922年初兄弟二人离开俄国时，佩夫斯纳才开始创作构成主义作品。二人继续坚持着他们在俄国时逐渐形成的理论。他们的作品就和许多俄国现代运动中的作品一样，主要由佳吉列夫的芭蕾舞团带到欧洲。佩夫斯纳兄弟为芭蕾舞《猫》[*La Chatte*]（1926）所作的设计让他们声名远扬。兄弟二人属于艺术文化学院中的"反生产艺术"一派，为了表达他们对这一类未来构成主义的反感，他们写了属于自己的现实主义宣言。[23]

佩夫斯纳的弟弟瑙姆[Naum]（1890年出生，也就是嘉博，他后来使用这个中间名以便和哥哥区分开）战时在奥斯陆，在那里，他开始使用金属薄板和赛璐珞创作构成主义作品。嘉博没有上过艺术学院，1912年在慕尼黑拿到大学医科文凭之后，他就开始学习工程学，甚至还参加了沃尔夫林[Wölfflin]的艺术史讲座。他首次创作构成主义作品是在他计算数学问题的时候，这个作品由立方体和几何图形构成。在他的哥哥到达奥斯陆之后，受哥哥影响，嘉博开始创作具象的构成主义作品（1916—1917），如《头像》[*Head*]（图210）和《躯干》[*Torso*]。1917年，嘉博回到莫斯科设计了一些建筑，如《广播站项目》[*Project for a Radio Station*]（图204），这很像未来构成主义者的实验。兄弟二人一样对动态原则感兴趣。和安东不同的是，嘉博在俄国并没有参加过任何展览，在高等技术艺术工作室也没有担任过任何职位。然而，正如他所说："我对这个学校的积极贡献不比受到官方任命的少……我的哥哥安东·佩夫斯纳有一个教绘画的画室，而他想学雕塑的学生也同时是我的学生……"[24]

让我们回到艺术文化学院的"实验艺术"派上。"第五届国家展"[Fifth State Exhibition]最终发展到了"第十届国家展：抽象创造和至上主义"[Tenth State Exhibition: Abstract Creation and

211

Suprematism]。这场展览是俄国抽象画作的告别展，不同于之前的展览，它只限于“实验艺术”团体的核心人物参加。马列维奇送去了著名的“白色上的白色”[*White on White*]系列（图211），在展览目录上，他写道：“我打破了色彩界限的蓝色暗影而走入白色之中。在我的

211. 卡西米尔 · 马列维奇，《至上主义构图：白色上的白色》，1918年。

212. 亚历山大 · 罗钦科，《黑色上的黑色》，1918年。

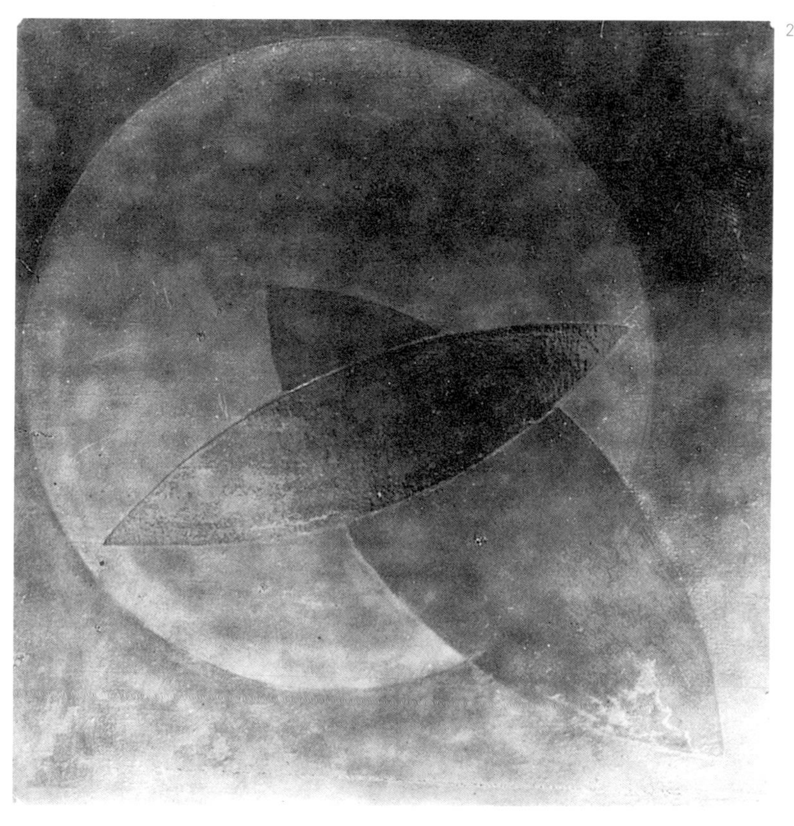
212

身后，飞行员同志们徜徉在白色当中。我建立了至上主义的口号。”作为回应，罗钦科送出了他的《黑色上的黑色》[*Black on Black*]（图212）。他的宣言就好像是一系列的引文：“我的作品不基于任何东西。”（M. Stirner）“色彩不见了，每个东西都在黑色中混合。”（来自克鲁乔内赫的戏剧《格里格里》）“谋杀是谋杀犯的自我辩解，因为他试着以此证明什么也没有存在过”（奥托·魏宁格[Otto Weininger]：《格言》[*Aphorism*]），以及不少来自沃尔特·惠特曼

[Walt Whitman]的引文。波波娃、斯捷潘诺娃、亚历山大·维斯宁的作品，以及两幅来自罗莎诺娃的具象画作也出现在了展览当中，展览一共包括220张作品，这是俄国“左派”先锋派画家的最后一场集体展览。

马列维奇在1919年末举办了个展，总结了自己的作品。这个展览名为“从印象派到至上主义”[From Impressionism to Suprematism]，其中包括153张作品。通过这个展览，马列维奇宣称至上主义绘画运动结束了。他告诉佩夫斯纳，“十字”是他最后几张作品中经常出现的象征符号，“是我自己的十字”，他个人强烈地感觉到了“绘画的终结”。从这时开始，到新经济政策时期和他被任命为彼得格勒图像文化博物馆[Petrograd Museum of Pictorial Culture]教授之间的几年内，马列维奇越来越多地在维捷布斯克的学校工作。

有一件轶事与马列维奇接管这所学校有关。最初在1918年，夏加尔被任命为故乡维捷布斯克的艺术学校的校长。但他却犯下一个错误，那就是邀请了一些莫斯科的同事过来教学，这些人中就有马列维奇。不久以后，在夏加尔暂时去往莫斯科时，马列维奇就开始掌管学校大权，还告知夏加尔他的工作和方法论是老派的、无关紧要的，而他自己则是“新艺术”的护卫者，将来更是维捷布斯克艺术学校校长。这就是马列维奇典型的执拗劲和连篇的妙语。夏加尔极不高兴地去了莫斯科，他在那里成为国立犹太人剧院的景观设计师。他最有名的作品（已经不幸损毁）就是他为剧院设计的带大型饰带的门厅（图168）。

在革命前，利西茨基就和夏加尔一起在维捷布斯克合作犹太图书的插图，在这里，他又认识了马列维奇。马列维奇是最典型的“左派”艺术家之一，在苏联政权刚刚建立的四年中，他常常出行并且同时担任好几个职位，这让历史学家难以追踪他的行踪。这一段时间几乎没有文字记载，存在的文字记录是片面的或粗略的，仍然在世的人的回忆也是互相矛盾的。因此关于当时的文字记录大多基于展览目录和报纸回顾文章，但这些文字一般非常简略或毫无新意。

马列维奇将维捷布斯克学校重新命名为“Unovis”，这个词是“新艺术学院”的缩写[College of the New Art][25]，他在这里开始逐渐形成自己的教学法。我们对于他的教学法的认识现在主要来自于他自己写下的文字。根据1927年在德国出版的《抽象世界》[*Die Gegenstandslose Welt*]（属于“包豪斯丛书”[Bauhausbücher]系列）所言，他的书主要阐述了他有关色彩、形式和二者关系的理论。尚不明确马列维奇在何时以何种方式和何种程度系统化地出了实际教学方法。当然，从马列维奇1927年送到德国柏林“艺术展”[Kunstausstellung]的图表来看[26]，他的理论几乎没有什么科学依据，应该还只是在直觉基础上建立的，就和康定斯基给艺术文化学院的建议一样。在维捷布斯克时期，马列维奇写下了一些其他的文章和小册子[27]，先是关于他自己的抽象画道路，然后延伸到了更为普遍的层面上写下了他对于生命和宗教的看法。马列维奇的文字奇妙地融合了文盲、元老和睿智诗人的风格，但是他极为不合理的用词（一般一篇文章中会出现一个词有两三个含义的状况）使他的文字无法明确表达他的理念。也是由于这个原因，他的作品极难翻译，就算翻译了也失去了大部分意义。他的句子有时特别长，他的用词方式通常一半靠意思，一半晦涩不明。在译文中，他的文字有时没有任何含义。

马列维奇在1920到1921年间很少呆在莫斯科，因此他实际上就是承认了“生产艺术”派在艺术文化学院的胜利。在这段时间里，罗钦科越来越关注社会问题，他和妻子斯捷潘诺娃、亚历山大·维斯宁、亚历山德拉·艾克斯特及柳波夫·波波娃愈来愈向塔特林和他的“材料文化”以及“艺术家工程师”的理念靠近。“5 × 5=25”展览是这些艺术家在转向“现实作品”前对于“推测性绘画”的最后展览，这个展览只有以上五个艺术家参加。

第八章 | 1921—1922

苏联政权建立的前四年，也就是所谓的“英雄式共产主义”时期的艺术政策呈现出一种极端迷茫和混乱的状态。1921年，布尔什维克取得胜利，内战、波俄战争、德国及协约国干预结束。这七年漫长的战争和被封锁的岁月几乎摧毁了这个国家，骇人听闻的1921至1922年饥荒更是令情况雪上加霜。但至少俄国终于恢复了和平，且能够和外部世界联系。因此，这段时间，重整国家、重建秩序的气氛取代了之前四年动荡的氛围，在那四年中，没有人知道谁在当权，明天又会如何。

重建秩序在艺术政策中的表现就是重建大量现存的机构，把这些机构并入由卢那察尔斯基和人民教育委员会领导的中央政权之下。然而，由于经济危机和随之而来的新中产阶级赞助替代政府赞助的趋势，这一措施没有起到什么效果。无产阶级文化组织运动也反对艺术活动在政党控制下集权化。

“Proletcult”是“无产阶级文化组织”[Organization for Proletarian Culture]的缩写，这个组织建立于1906年。然而，直到1917年革命之后它才成为一个有实际作用的机构。它遵守激进的共产主义原则，宣称自己的目标是创造无产阶级文化：“艺术是一个社会产物，它是由社会环境决定的。它也是一种对劳动力的组织……无产阶级必须有自己的‘阶级’艺术，才能组织自己的力量为共产主义奋斗。”[1]无产阶级文化运动的主要理论家是波格丹诺夫[Bogdanov]，一个总是和列宁争论信条的马克思主义者。对于无产阶级运动来说，有三条通往社会主义的独立路径，那就是：经济、政治和文化。根据这一理论，波格丹诺夫宣称无产阶级文化组织是一个独立于党派之外的自治机构，列宁则认为所有组织都应当归属于中央政党管理。这个争论愈演愈烈，到了1920年10月，列宁责备卢那察尔斯基支持对无产阶级文化组织“作为真正的无产阶级文化代表”的声明，在12月，他命令无产阶级文化组织听从人民教育委员会的领导。[2]有报道称，列宁说只有一个艺术流派垄断无产阶级艺术的名义既不利于意识形态，又会造成实际的损害。[3]然而，独立的无产阶级文化思想一直持续到了20世纪30年代，并且已经深深地融入在社会主义现实主义美学观念中。[4]对“无产阶级艺术家”这一名号的猛烈竞争不仅出现在苏联政权刚刚建立的四年中，而且还从20世纪20年代一直贯穿到1932年，直到“社会主义现实主义”[Socialist Realism]被称为正统风格，且所有艺术组织都被集中到“艺术家联盟”[Union of Artists]机构的管理之下。

在革命结束之后，无产阶级文化组织立刻就开始将其准备已久的系统付诸实践。从建立之初，他们就对艺术和工业的联合有兴趣。因为无产阶级文化组织本来就主要关注如何建立大批量生产文化，所以工业自然就是他们的出发点。1918年8月，无产阶级文化组织“艺术生产分部”建立，这是奥尔加·罗莎诺娃的计划，因此直到1918年11月逝世之前，罗莎诺娃一直担任这一部门的领导人。

1922年，由于人力整合，大部分正向构成主义迈进的艺术文化学院艺术家们成为无产阶级文化组织的成员。列宁新经济政策开放了部分资本主义生产方式，这导致这些艺术家在“英雄式共产主义”时期所享受的“专政”结束。在新经济政策的影响下，新中产阶级诞生了，和一文不名的政府不同，他们都积极地赞助艺术，而且他们赞助的内容自然还是倾向于传统，也就是所谓“革命前”的作品。旧敌对势力的回归惹恼了“左派”艺术家们，但是这也意味着这些人要找到其他的支持者，于是工业就成了他们显而易见的解决方式。不过从逻辑上来说，艺术文化学院的内部思想趋势转向工业本来也是逐渐废除架上绘画和“纯艺术”，向构成主义和“生产艺术”转换的必然步骤。

1918年，随着首都从彼得格勒换成莫斯科，大多数“左派”艺术家聚集到新莫斯科中心活动。在数个月之中，大部分的人都在忍受只能满足最低生活保障的痛苦。对于艺术家来说，这是一个疯狂活动的时期，他们的活动主要局限于参加无止尽的讨论，制定各种方案。他们沉迷于自己的新角色，作为艺术家他们会被邀请来贡献一份力量。艺术不再是遥不可及的东西，或是一个模糊的社会理念，而是生活本身。当时“生活本身”其实处在混乱的社会与经济状态中，这并没有对这些艺术家们产生影响，混乱的局面反而让机械化转化的理想世界变得更加迷人且令人惊奇。艺术家们大胆地想象着，为这个可以预见的未来而设计，如果仔细观察，就会发现他们的项目已经预言了一个充满了摩天大楼、火箭和自动化设施的世界。这些艺术家的悲剧在于他们展望和规划的乌托邦和现实环境之间的鸿沟。他们的大部分规划要么就是停留在纸面上，要么就是戏剧作品中的幻想。但是这种规划和想法从来就不会短缺。

因此，有激情的辩论就成为他们的主要活动，无法避免的主题是艺术家和艺术在新共产主义社会中的角色。通过这些无止尽的辩论，构成主义意识形态形成了。

虽然这场讨论几乎无时无刻地在许多地方在进行，但是莫斯科的艺术文化学院才是辩论的中心。

从最初起，机构的成员们就分了派系，而且从1920年到1921年分歧越来越明显。

一派是马列维奇、康定斯基和佩夫斯纳兄弟。他们认为艺术是一个基础性的精神活动，艺术的作用在于整理人对世界的看法。他们宣称，像艺术工程师一样切实地安排自己的生活，意味着降低到了手工艺匠人的层面，甚至还是个原始的匠人。而艺术，本身就是无用的、多余的，它高于精工细作的功能性设计。如果要变得有用，艺术就不再存

213

213. 尤里·皮梅诺夫，《为重工业贡献一份力量》[*Give to Heavy Industry*]，1927年。

在；如果要变成一个实用的设计师，艺术家就不再能构思新的设计。马列维奇尤其认为工业设计要建立在抽象创造的基础之上，他认为工业设计是一个间接的活动，它来自对“当代环境”的理想化研究——如他的《建筑》[*Arkhitektonics*]和《人造星球》，这些作品都是新建筑风格的范例。（图137—139）马列维奇的陶器设计也做成了至上主义“理想的”杯子或茶壶（图216、217），而不是注重实际的设计。他将如何用至上主义设计形成可行的系统这一难题留给了他的追随者们，如苏耶京[Suetin]（图214、215）。

另一方面，塔特林和狂热的共产主义者罗钦科坚持认为艺术家必须成为技师，他必须学会使用现代生产的工具和材料，才能为无产阶级直接贡献力量。艺术家工程师必须建立起和谐的生活，将工作变成艺术，将艺术变成工作。他们的口号是：“把艺术带进生活！”对于所有

214

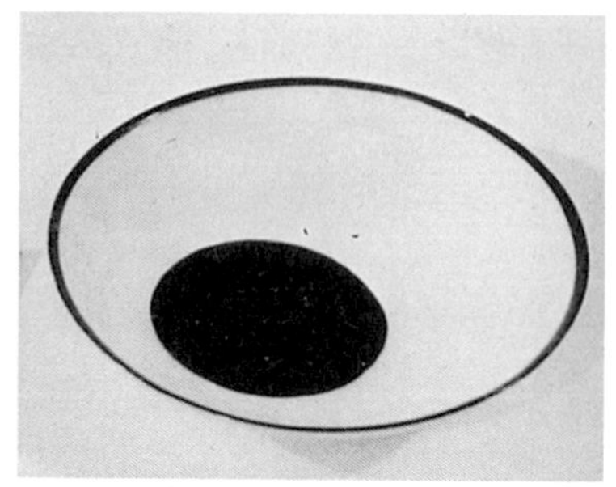

215

未来构成主义者而言，这一口号不是应当像“漫游者”或阿布拉姆采沃聚居区所提倡的幼稚的“将艺术带给人民”这一理念，不是通过美化农民和他们作为生活来源的手工艺，而是通过使用机器，欢迎机器的到来。作为现代世界力量的来源，机器能够将人从劳动中解放，把劳动变成艺术。艺术家和工程师难道不是在工作的过程中合一了吗？不管是工业还是艺术的工作进程都由经济和技术规则决定，这两个方式都会产生完成品，也就是一个“物品”。但是艺术家的创作是追求完成的“物品”，而工程师的“物品”却是“未完成的”，因为它只停留在功能层面。但是二者都有理性化的生产进程，都是对材料的抽象组织。工程师必须（通过“材料文化”）培养出对材料的感觉，而艺术家必须学会使用机械化生产的工具。[5]

在上一章中，我已经描述过康定斯基的规划是如何在1920年被艺术文化学院的大部分人否决的。在这之后，人们普遍认为“纯艺术”和架上绘画不再是有效的东西。“实验艺术”项目能最早地表现当前出现的新意识形态。对这种新意识形态的解读分成了两派，一派是合理化、分析地“继承”架上绘画，他们仍然会采用传统的颜料和画

214、215. 苏耶京，两个有至上主义图案的盘子，约1920年。

216、217. 卡西米尔·马列维奇，为列宁格勒国家陶器部设计的茶杯和茶壶，约1920年。

布；另一派是完全抛弃所有媒介的一派，例如塔特林，他们采用“生产艺术”。为此，塔特林开始设计一个燃料花费最少、热量发挥最大的炉子（图230），这在当时是无可非议的，因为连房屋都被劈成了木柴。塔特林仍然单打独斗，但是他的想法被奥兹普·比尔克、塔拉布金[Tarabukin]和阿列克谢·加恩[Alexei Gan]接纳，还用了一种马克思主义方式解读，这些人不仅是艺术家，还是艺术文化学院中无产阶级文化思想的激进宣传者。

统治了这两个“实验艺术”学派的理念是“物体主义”[Objectism]。这里所说的“物体”可以是一首诗、一座房子或是一双鞋。一个“物体”是有组织地追求实用性的结果，它包含了材料的美感、物质属性和功能性，在追求实用性的过程中，它的外形将会形成。

随着艺术文化学院“物体”理念成形，很多反对它的人就离开了。佩夫斯纳兄弟很快就一同离开俄国，去西方发展自己的构成主义观念。哥哥安东·佩夫斯纳去了法国，嘉博先去柏林，然后去了英格兰，最后到了美国。如前文所说，康定斯基先在莫斯科发展自己理论，然后去了包豪斯。马列维奇开始主要在维捷布斯克活动。

“物体”很快就被定义为一个意识形态，有人立刻起而反抗。这

216

217

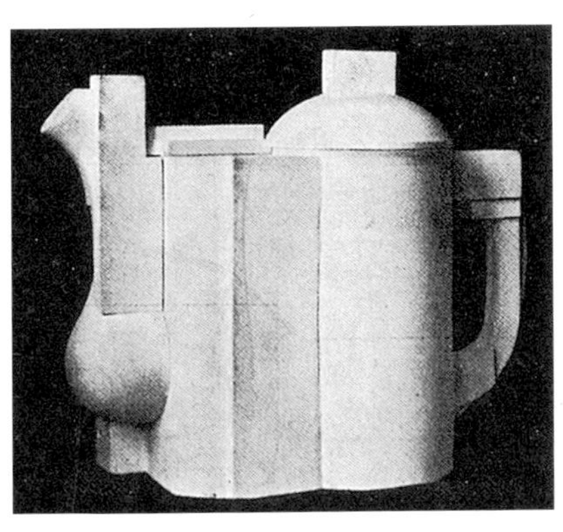

个“反物体”运动就是后来的构成主义。在1921年的夏天和秋天，艺术文化学院出现了构成主义意识形态。它代表了从“实验”阶段转化到基于前四年实验基础上所诞生的积极生产阶段。“物体”观念则被驳斥为不可能实现的浪漫主义观点，如果实际执行起来会引起工业产业的反对。它的基础观点是艺术家工程师应该监管物品生产的全过程，这当然就意味着所用机械要回到非常原始的阶段。但是在实际的大规模生产中，自然会有分工，没有人真的能从制造的开始一直看到物品完成。这种新构成主义意识形态最关注的就是架起可行的“艺术与工业之间的桥梁”。

这个新系统的第一步就是总结前四年“实验”艺术的经验。

1921年9月，罗钦科、斯捷潘诺娃、维斯宁、波波娃和艾克斯特在莫斯科举办了名为“5 × 5=25”的展览，总结了参展人去年的“实验艺术”作品。他们为展览制作的展品目录中，不论是对所列作品的“理性”描述，还是可以作为“引人注目”的工艺品对待的展览目录本身，都揭示了当时的时代思维。我见过展览册的两份复制品，都包括了各位参展人亲自画的水彩，就好像每个艺术家的签名一样。这个展览用如此浓墨重彩的方式宣称“绘画的结束”，这是非常特别的。

在展览目录中，艺术家本人的陈述明确表示了这是架上画作最后一次被当成表达途径。

罗钦科声称：“在1919年第十届国家展上，我用画作《黑色上的黑色》（图212）首次说明了空间构成，在随后一年的第十九届展览中，我说明了线条作为构成元素的作用。而在现在这个展览中，我首次在艺术世界中说明了三种原色。”他通过1921年的三张油画作为声明的图像，这三张画的名称分别为《纯红色》[*Pure Red Colour*]、《纯黄色》[*Pure Yellow Colour*]和《纯蓝色》[*Pure Blue Colour*]。这个展览还展出了1920年的《线条构成》[*Line Construction*]（图190）等作品。此外还有他的基础几何元素研究和构成，如《距离的构成》

218

218. 马列维奇在艺术文化学院为学生授课，列宁格勒，1925年。

[*Construction of Distance*]，这件作品先是在纸上完成，然后采用材料制作。（图205、219）不久以后，罗钦科发展出了悬挂饰物的理念（图206），加入了动态的元素，这将他和塔特林（当时正忙于纪念塔项目，图203）及嘉博（1920—1921年间正忙于“动态模型”，图204）联系在了一起。

斯捷潘诺娃声称：“构图是艺术家在作品中深思熟虑的方法。技术与工业使得艺术开始面对构成不再是深思的结果，而是作为一个过程的问题。作品作为一个单独整体的‘神圣感’被破坏了。作为这个整体的宝库，博物馆已经变成了档案馆。”波波娃送展了一系列“绘画力量构成的实验”。其中包括“空间体量”“色彩平面”“封闭空间构成”和“空间力量”。为解释这些作品，她写道：“此处的所有构成都是图像化的，并且必须被简单地认为是一系列对于实现构成的准备实验。”艾克斯特展出了1921年的五张抽象作品，这五张作品“部分表现了一个

219

219. 亚历山大·罗钦科，《距离的构成》，1920年。

220. 首届青年艺术家学会（Obmokhu）展览一幕，举办于莫斯科高等技术与艺术工作室，1920年5月。

概括性的计划，这个计划是色彩相互关系中的色彩作用实验、色彩之间的张力和韵律及基于色彩法则基础之上的色彩构成转换实验”。

塔特林的学生们和研究过空间构成的罗钦科代表了这种“实验艺术”的另一个分支，他们“为了发现材料的美、物理特性和功能特性而直接研究材料本身”，尤其强调研究工业中的材料。1920年，青年艺术家学会（缩写为“Obmokhu”）团体展览就体现了这些观点。

青年艺术家学会展览展出了13位高等技术艺术工作室青年学生的画作。（图220）这些作品是1920年5月在学校完成的，主要是独立式的金属构成。其中最重要的特征就是作品对动态的需求：这些作品一般都采用螺旋式。其中没有一个形态稳固的“雕塑”，都是空间开放的构成，这些构成“令内部空间和外部空间互相交错”。次年，斯坦伯格兄弟和卡西米尔·梅杜涅茨基，这几个最著名的“青年艺术家学会”学生在高等科技艺术实验室举办了三人展。[6]在当时，他们标榜自己是构成主义

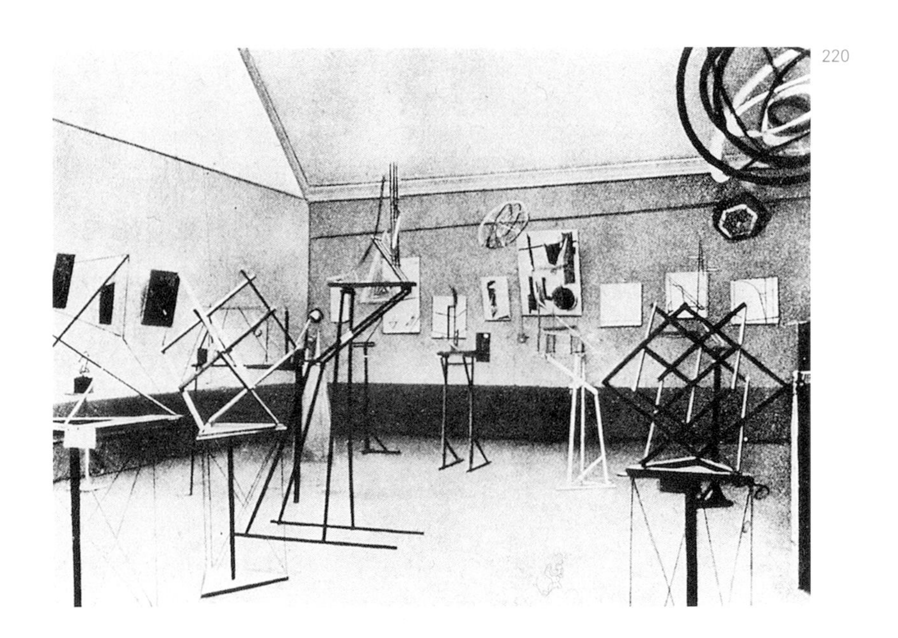
220

者，而在1922年11月，他们又赞成了一项谴责艺术是“投机活动”的观点，所以他们都把重心转到了剧院。他们同亚库洛夫、艾克斯特和亚历山大·维斯宁一起，成为20世纪20年代泰洛夫和梅耶荷德在莫斯科卡默尼剧院导演的革命性戏剧最主要的设计师。（图239、242）斯坦伯格兄弟的影院和剧院广告、海报也都是构成主义字体和设计的先锋作品。

为了继续“实验艺术”的合理化改革，1921年秋季，艺术文化学院开设了系列讲座，让艺术家们介绍自己的作品。遗憾的是这些讲座没有出版，不过讲座的名字还是能提供大概的内容和方向，如：《论艺术中的辩证和分析方法》《对艺术中的物体概念的分析》《空间的韵律》《架上绘画审美》。

其中第一个讲座为学院引入了一位重要的新人。这个讲座时间为1921年9月，主讲人是画家、建筑师埃尔·利西茨基，讲座名为《Prouns——绘画与艺术之间的换乘站》[Prouns——a changing-

221

222

trains between painting and architecture]。[译者注：Prouns是俄文中"Proekt Utverzhdeniya Novogo"的缩写，有"为了新时代所作的项目"的意思（Zygas, 1981）。]

利西茨基有工程师的学位。1909年到1914年间，他在达姆斯塔特学习。战时，他转向建筑，在莫斯科完成了建筑学的学习。1917年他开始和夏加尔及其他犹太裔平面艺术家合作制作书籍插图。（图167）他们的作品主要在基辅出版，基辅也正是犹太裔先锋派艺术家的活动中心。1918年，当夏加尔被任命为维捷布斯克艺术学校校长时，利西茨基也作为建筑和平面艺术教授进入学校，他们继续合作，为一本书制作了

221. 列夫·布鲁尼[Lev Bruni]，《构成》，1917年。

222. 彼得·穆特里奇[Pyotr Miturich]，《构成18号》[*Construction No. 18*]，1920年。

223. 卡西米尔·梅杜涅茨基，《构成557号》[*Construction No. 557*]，1919年。

224. 彼得·穆特里奇，《构成》，1920年。

带有很强的农民“鲁波克印刷”特色的立体未来主义风格插图。这是革命后俄国首个字体实验，灵感源于犹太传统艺术，是“现代”字体设计活动中的首批尝试之一。1920年在维捷布斯克，利西茨基设计了《两个方块的故事》[*Story of Two Squares*]（1922年于柏林出版，图225），这似乎是西方首次出版成熟的“新平面设计”出版物。

1919年前期，利西茨基在看到莫斯科盛大的“第十届国家展”的抽象画展后绘制了首个《Proun》作品。在这个展览上，利西茨基首次接触到了马列维奇及展览中其他参展的抽象流派的艺术理念。利西茨基对字母的兴趣很快就和这种新的抽象构图结合在一起。在1919年的海报中，利西茨基在海报上写着“用红色楔形打击白色”[*Beat the Whites with the Red Wedge*]（图226），这张海报表现了这些“左派”艺术家对布尔什维克宣传工作的贡献。1920年，利西茨基离开了“新艺术学

223

224

225

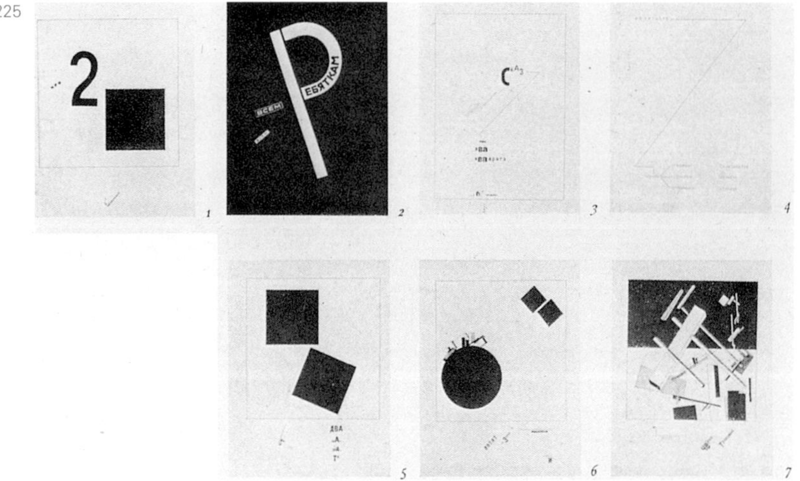

院”，维捷布斯克学派转由马列维奇领导。利西茨基则搬到了莫斯科担任高等技术艺术工作室的教授。他在这里继续绘制他的《Prouns》系列（图169），这个系列从最开始就反映了至上主义和构成主义观点

225.《两个方块的故事》，埃尔·利西茨基发明和设计的一本书，印刷于1922年，共10页。利西茨基也为《风格派》期刊制作了一个荷兰版本。

1.关于两个方块，埃尔·利西茨基

2.致所有人，致所有年轻的朋友们

3.埃尔·利西茨基：一个至上主义者的故事——关于六个构造中的两个方块，柏林斯基泰出版社，1922年

4.不要读：拿出——纸……………………折叠
方块…………………上色
木头…………………构建

5.这是——两个方形

6.飞向地球——从远处——而且

7.而且——观赏——黑色混沌

8.撞击——四散开来

9.而且在黑色上明显建立了红色

10.这样它就结束了——在更远处

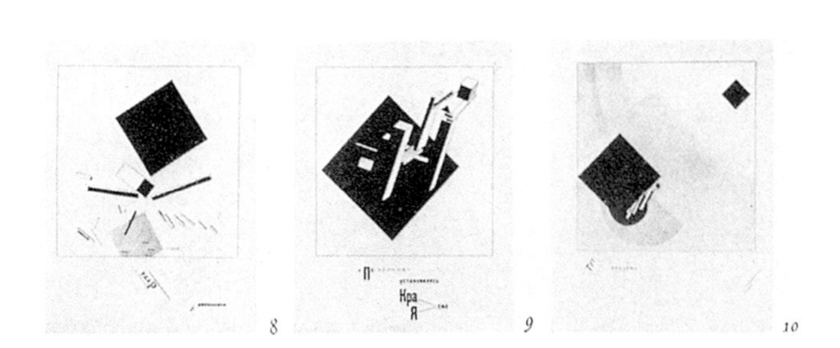
8　9　10

融合的风格。由于在1921至1930年中，他广泛游历于西欧国家，如德国、法国、荷兰、瑞士，同这些国家的很多“现代运动”主要人物有所联系，他不仅在字体设计领域，还在展览和海报设计领域推进了根据这种构成主义和至上主义综合体的原则所使用的方法，所以大部分观念都是通过他传播到西方去的。（图227、228）

在介绍构成主义和至上主义综合体在工业设计中的发展和它作为俄国与西方交流途径的角色之前，我们需要先回到1921年去追溯构成主义原理和实践的发展。

1921年12月，瓦尔瓦拉·斯捷潘诺娃[Varvara Stepanova]在艺术文化学院开设了另一个讲座，讲座名称为《论构成主义》[*On Constructivism*]。有趣的是这个讲座成为艺术家们用“构成主义”这一词汇描述自己理念的时间点。最开始，“构成主义”被朴素地叫做“生产艺术”。据说“构成主义”这个词和其他的“主义”一样，是由艺术评论家创造的。

227

当时的艺术家们自己作出的构成主义声明大部分是语无伦次、教条主义、不协调的口号："艺术已经死了！……艺术就像宗教一样危险，是一个逃避现实的活动……让我们停止这种投机活动（绘画），并且把艺术的基调——色彩、线条、材料、形式，带入现实领域，带入实际的构成当中。"这段话引自这个团体的第一本重要理念专著——阿列克谢·加恩的《构成主义》[*Constructivism*]，1922年出版于特维尔[Tver]。阿列克谢·加恩后来成为构成主义的先锋字体设计师和运动卫道者，他在书中的排版和文字一样表达出了本书的含义：加恩连起了一到两个断开的词组，以横幅的方式跨过整个页面，灵活使用沉重的下划线，他同时使用了有衬线和无衬线字体以让他人了解自己的观点。如果有人希望找到更加清晰和理性的构成主义解释，就必须去读诗歌，如马雅可夫斯基、理论家奥兹普·比尔克和鲍里斯·库什涅尔[Boris Kushner]在《左派艺术前沿》[*Lef*]杂志上的作品，或是看演员、导演

226

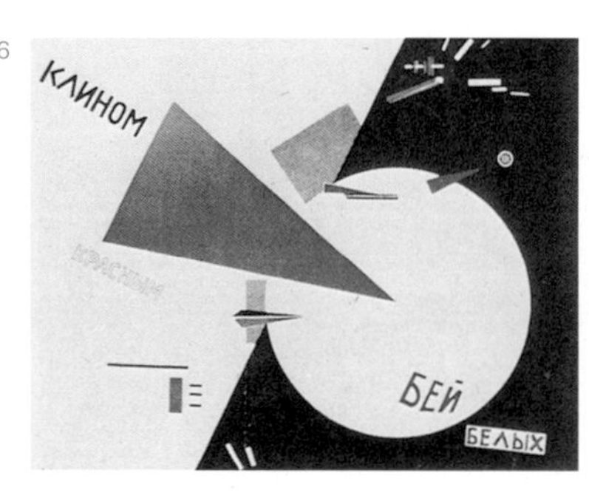

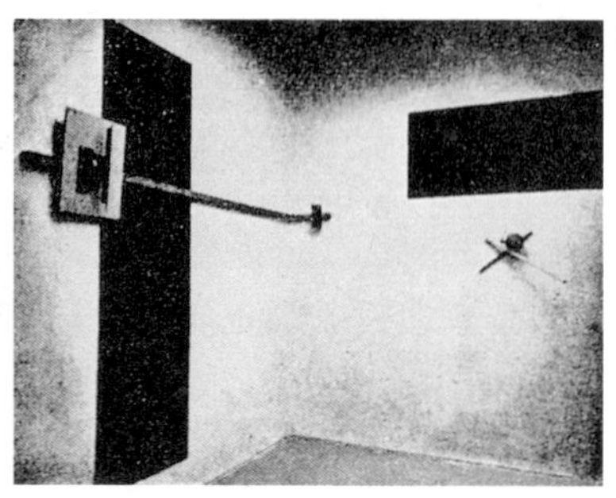

228

弗谢沃洛德·梅耶荷德[Vsevelod Meyerhold]的作品，他关于“生物力学”[Bio-mechanics]（译者注：此处的“生物力学”和现在的“生物力学”没有太大的关联）的理论代表了构成主义原则在剧院的应用。

在构成主义中，强调的重点一直在技术上，艺术家们一直要求用技术代替任何形式的“风格”。

“物品的材料构成将会因为美学组合而被替代。物品应当被看做整体，因此它并不具有一种可辨别的“风格”，而只是工业秩序下的产品，如汽车、飞机等等。从以下三点来说，构成主义是单纯对材料的技术控制和组织：

a. the tectonic（创造活动）；

b. the factura（创造方式）；

c. 构成。”

这个宣言发表于构成主义机关报刊《左派艺术前沿》1923年第一期。（图255、256）

从这个时候开始，这些之前的抽象画家开始尝试投身于实际的工

226. 埃尔·利西茨基，街头海报，《用红色楔形打击白色》，1919—1920年。

227. 埃尔·利西茨基为了1930年科隆国际印刷媒体展苏联部分目录设计的可抽取文件夹，展示了他负责的展馆的室内设计。

228. 1923年柏林俄国展览的一部分，利西茨基发明了布展手法，这一手法基于展出作品和整个房间的动态融合。

229

229. 瓦尔瓦拉·斯捷潘诺娃，《纺织品设计》，1922—1924年。

230. 这份剪报名为《塔特林的新生活方式》[*Tatlin's New Way of Life*]，我们可以看见艺术家本人穿着自己设计的“功能性”工人套装——剪报上也显示了服装的图样。图片中的炉子是塔特林在1918—1919年的困难时期设计的，它能够用最少的燃料释放最大的热量。

业设计。在当时，塔特林最坚持自己对此观念的解读，在这些画家中，他是唯一真正为了成为“艺术家工程师”而进入工厂工作的人，这个工厂就是彼得格勒旁的莱斯纳冶金厂[Lessner metallurgical factory]。波波娃和斯捷潘诺娃则去了莫斯科附近的京迪尔[Tsindel]纺织厂，她们在那里设计纺织品。罗钦科开始和马雅可夫斯基一起合作宣传海报，并且发展出一种构成主义字体设计方式，引入摄影作为表达媒介。

构成主义者的活动现在有了高效的无产阶级文化组织作为后盾，后者为他们提供了定期的工作及与工业相关的生计。

无产阶级文化组织很早就着手建立与贸易联合组织的联系，此时的新经济政策又为他们增加了动力。艺术家开始设计徽章、邮票、口号、海报。在20世纪早期，他们开始创建工人俱乐部，俱乐部从桌子到椅子，从墙面的口号到灯具等所有物件都采用构成主义风格设计。（图231、232、235）这些设计中不断出现的基础几何元素值得我们注意。构成主义设计的特征之一就是使用理想的比例，这和20年代期间塔特林所加入的功能性“新生活”[New Life]设计系统差异极大。（图234）

我们有必要分清构成主义主体的作品和塔特林的作品。塔特林设计的工人服装用最少且最轻便的材料让工人们能够最大限度地自由运动和保暖，还有他炉子的设计也最为紧密地呼应了功能性的需求。（图230）

“构成主义者在材料上费工夫，但是以一种抽象的方式应用这些材料，就好像是把材料的形式问题机械地用技术反映在他们的艺术上。

230

231

233

232

234

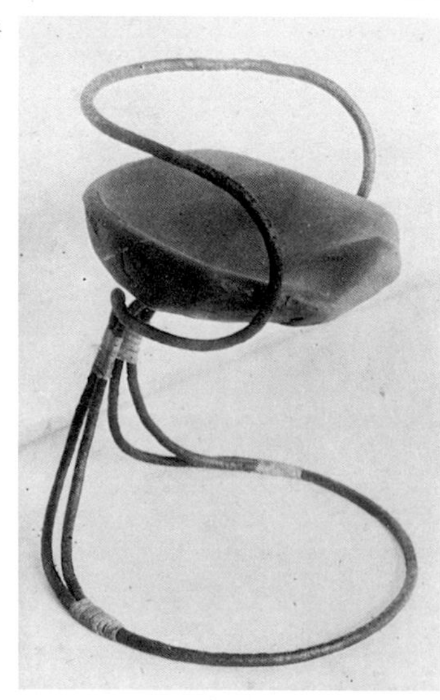

231. 为了悼念列宁而制作的纪念邮票，由纳丹·奥尔特曼设计，1924年。

232. 纳丹·奥尔特曼，邮票设计，1922年。

233. 塔特林在莫斯科高等技术艺术学院的学生设计的茶壶。

234. 弗拉基米尔·塔特林，有橡胶座位的钢管座椅。

235. 亚历山大·罗钦科为工人俱乐部所作的设计，巴黎装饰艺术展览展出，1925年。

236. 罗钦科在莫斯科高等技术艺术工作室的多功能家具和服装设计案例，1918—1927年。

235

236

ФАКТЫ ЗА НАС

Алексей Ган

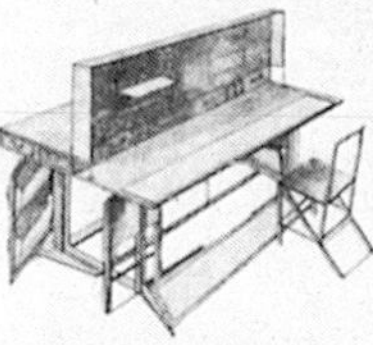

СТОЛ

237

238

构成主义者不会考虑到材料和拉力之间的有机联系，不会考虑它们在运转过程中的特性。从本质来看，就好像是材料和拉力相互关系之间的动态力量在诞生之初就造就了完全不可避免的形式。”[7]

塔特林很少和构成主义者们合作，尽管后者观念与他的相似。这就是塔特林的性格，他通常只和几个选定的追随者一起工作，而不是和一个综合性的团队。20年代后期，他在高等技术艺术学院的一个学生[8]，同时也是后来深受塔特林信赖的助手（30年代帮助塔特林完成“飞翔塔特林”滑翔机）将塔特林描述为一个疑心到病态的人，绝对不会对任何人

237. 康斯坦丁·梅利尼科夫，巴黎装饰艺术展览苏联展馆，1925年。

238. 伊利亚·格罗索夫[Ilya Golossov]，赞辅公社成员俱乐部[Znev Commune Memvers]，约1926年。

展示自己的作品，非常害怕有人抄袭或利用他的作品。

塔特林把有机形式作为自己设计的基础。人体自然的动态和人体度量是他设计的重心，而构成主义者们则同荷兰“风格派”[de Stijl]团体一样，要求用未来主义风格，用抽象的几何比例把人模块化。罗钦科在他的所有演说中都要求延续材料逻辑上的固有模式，他的家具设计没有遵循已有的材料形式采用常见的材料曲度。（图236）他的椅子并不比之前的“功能性”更高，只是采用了尤其简洁的普通样式，它并没有超出正常椅子的范畴。塔特林在1927至1931年高等技术艺术工作室（1925年变成“Vkhutein”——“高等技术艺术学院”，“生产艺术”逐渐被人弃之如敝履）的教学中更多地关注到了与之相关的研究。1931年，学校被清算，和其他艺术学院一样被重组进中央集权的控制之下，塔特林被任命为陶艺系主任，还教家具设计和综合设计。

和塔特林的实践方式相比，激进的构成主义者的教条方法在实践领域没有什么成果。他们的观点更加包罗万象，也很自然地转向了建筑领域，不幸的是，由于国家的经济状况低迷，这些想法依然只是停留在纸面上，直到20年代后期才有机会从展品和时髦的计划变成现实，如梅利尼科夫[Melnikov]为1925年巴黎装饰艺术展[Paris Exhibiton of Decorative]苏联展馆设计的临时展馆。（图237）这个临时展馆中的展品主要来自构成主义者们，这些设计远比其他国家的要激进，甚至超过德国。在1924年建成的红场的列宁墓是唯一明显属于构成主义早期的纪念性建筑。陵墓由休谢夫[Shchusev]设计，先是用木头建成（这种材料在当时几乎是最珍贵的），后来用红色花岗岩重建。构成主义建筑的杰出先锋作品只有少量付诸实践，因为只有到20世纪20年代后期才有完成工程的经济基础。到20世纪30年代中期，由于俄国共产党在1932年确立了社会主义现实主义教条，构成主义不再受到官方青睐。建筑领域的风格和其他设计领域一样，反对实验且接纳了最为保守的方式，这可

239

240

239.《罗密欧与朱丽叶》的其中一幕，亚历山德拉·艾克斯特设计了舞台和服装，1921年上演。

240、241. 乔治·亚库洛夫为1927年佳吉列夫芭蕾舞《钢铁的步伐》所作的舞台与服装模型设计，以及舞台上的一幕。

242. 亚历山大·维斯宁，为切斯特顿的戏剧《代号星期四》[*The Man who was Thursday*]设计的舞台，1923年于莫斯科卡默尼剧院上演。

243.利西茨基为谢尔盖伊·特列季亚科夫作品《我想要个孩子》[*I want a Child*]所作的设计模型，由梅耶荷德导演，未上演。

ЧЕЛОВЕК
БЫЛ
ЧЕТВЕРГОМ
ЧЕСТЕРТОН

242

ЗДОРОВЫЙ
РЕБЕНОК-БУДУЩИЙ
СТРОИТЕЛЬ

243

能是对于前些年积极探索实验的反抗。在图像领域，“社会主义现实主义”将“漫游者”作为原型。在建筑领域，这个政治教条提倡回到古典主义风格。

构成主义者们从最初发自对建筑的探索转向了剧院设计和工业宣传设计领域。剧院为实现他们心中崇高的机械化乌托邦提供了最好的机会，可怜的是，这种乌托邦理念与他们周围的环境并不协调。卡默尼剧院主席泰洛夫曾经是他们最激进的支持者，他在革命之前就在一些大获成功的剧目中雇佣了许多后来成为构成主义者的艺术家。在革命后，泰洛夫和亚历山德拉·艾克斯特及亚库洛夫继续合作。亚库洛夫最后的作品就是为佳吉列夫的芭蕾舞《钢铁的步伐》创作的构成主义舞台。（图240、241）1920年泰洛夫邀请亚历山大·维斯宁设计克洛岱尔的《带给玛丽的消息》和1922年的《费德拉》，这是建筑师首次被邀请设计舞台。这巩固了剧院作为每日生活的一部分，是在日常环境下用日常语言

244

245

处理日常问题的想法，演员和观众之间的距离应当真正地被消除。这最终使得梅耶荷德和奥赫洛普科夫[Okhlopkov]在20年代末期的“环绕式剧院”[theatre in the round]理念产生了。反过来说，将建筑师拉到剧院领域及构成主义理念的漩涡中是非常重要的，它让俄国建筑突然走到欧洲设计的最前线，而直到1917年前，俄国一直在这一领域明显落后。

剧院主席弗谢沃洛德·梅耶荷德曾经受过斯坦尼斯拉夫斯基的训练教导，他是俄国革命后的构成主义者的领导者。他的“生物力学”[9]理念是构成主义在剧院的应用。许多构成主义艺术家都曾经在梅耶荷德的剧院工作，斯捷潘诺娃设计过1922年《塔拉金之死》[*The Death of Tarelkin*]（图244）的舞台、柳波夫·波波娃设计过同年《大

244. 瓦尔瓦拉·斯捷潘诺娃，《塔拉金之死》的舞台，由梅耶荷德导演，莫斯科，1922年。

245. 柳波夫·波波娃，《大度的绿帽》的舞台，莫斯科梅耶荷德剧院，1922年。

度的绿帽》（图245）的舞台。剧院作品和谢尔盖·爱森斯坦[Sergei Eisenstein]的早期电影最为完美地实现了构成主义。

构成主义理论不仅是对生活的审美，还是生活哲学。它不仅影响了人的生活环境，还影响人本身。人将要成为新世界的霸主，但却是机械化的霸主。这个乌托邦思想预示了一个新世界，这个梦想世界中的艺术不再是工作的人在退休以后休闲或重获平静心灵的梦幻世界，而是变成了一个人生活中不可或缺的部分。

最有意识地寻求成为艺术家工程师的构成主义者们在字体和海报设计领域的成果最是丰富。在这里，艺术家们能够利用最现代的工序和技巧，但同时又不减少到只需要机器的程度来创作，这是大批量生产所不能避免的，即使是在俄国，工业化也离不开标准化。据此，罗钦科、

246

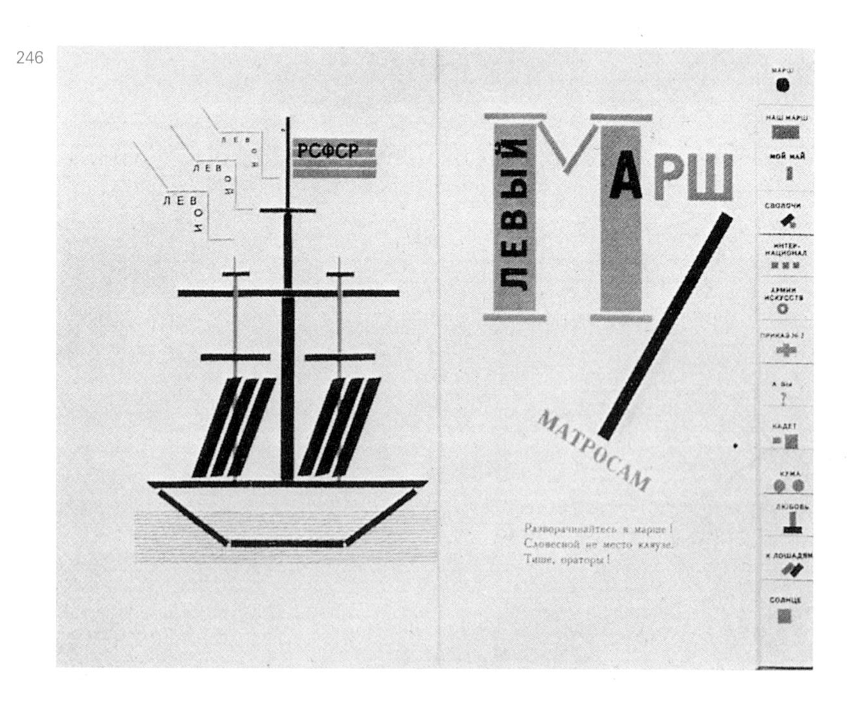

248

利西茨基、克鲁西斯[Klutsis]和阿列克谢·加恩（主要是这个团体的理论家）（图253、254）做出了现代字体设计的先锋案例。罗钦科和加恩的作品基本遵循更加纯净的构成主义原则：占主导地位的横向构成；厚重、方形的无衬线字体；未来主义的机器质感。在这个领域里，埃尔·利西茨基结合了构成主义和至上主义原则，这种合成风格的作品已经非常贴近于我们所知的“现代”设计。他使用动态轴线和至上主义特色的非对称样式，而且他经常把图案集中在画面上部，这是很多马列维

246. 埃尔·利西茨基，马雅可夫斯基《为了大声朗读》第一版，出版于1923年。

247. 斯坦伯格兄弟，为吉加·维尔托夫电影《第十一》[*The Eleventh*]所作的海报设计，1928年。

248. 克鲁西斯，为第一个五年计划所作的海报设计：《让我们完成伟大的计划》[*Let us fulfil the plan of great works*]，1930年。

249

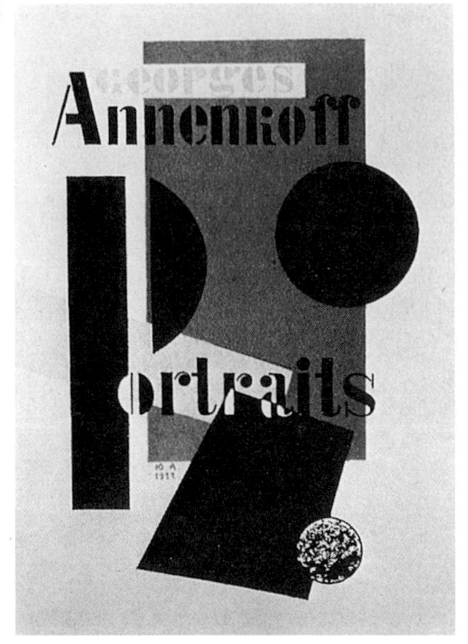

249. 尤里·安年科夫的封面设计，1922年。

250. 埃尔·利西茨基，一份国际构成主义艺术杂志的封面，1922年由利西茨基和伊利亚·爱伦堡在柏林编辑。

251. 埃尔·利西茨基，为马雅可夫斯基的《列宁共产主义青年团中的大象》[*Elephants in the Komsomol*]所作的设计，于莫斯科出版，1929年。

250

251

252

252. 拉文斯基[Lavinsky]为马雅可夫斯基《13年作品集》[*13 Years of Work*]所作的封面设计，卷二，出版于1922年。

253. 阿列克谢·加恩，封面设计，1927年。

254. 亚历山大·罗钦科，为马雅可夫斯基《第S号》[*No. S*]诗集所作的设计。

253

254

255

奇至上主义作品的特征。他还在照片蒙太奇中加入了构成主义常见的机器韵律。

罗钦科和利西茨基都把摄影作品加到了平面设计中。罗钦科最初的照片蒙太奇开始于1923年，是为马雅可夫斯基诗集《有关于此》[*About This*]所作的插图。[10]马雅可夫斯基多数革命后出版的诗歌作品的第一版，设计及排版都由利西茨基和罗钦科负责。利西茨基为1923年《为了大声朗读》[*For Reading Out Loud*]所作的设计也许是他最好的平面作品（图246）；罗钦科在《左派艺术前沿》中和马雅可夫斯基合作紧密，这份构成主义的机关报刊从1923年出版至1925年，1927至1928年又用《新左派》[*Novii Lef*]这一名字继续刊印。（图255、256）这份刊物也许是罗钦科最重要的作品，他不仅完成了排版和封面设计，还包括其中刊登的一些创意照片，尽管这些照片现在看来令人费解，而

256

255、256. 亚历山大·罗钦科设计的《左派艺术前沿》杂志封面，1923年。这是最早的构成主义平面设计，可能也是最重要的平面设计，因为它不仅有仔细建构的字母，而且还运用了新的印刷理念，如照片蒙太奇和套印。

由于杂志纸张质量低劣，复印件情况更糟。在照片中，罗钦科也采用了构成主义方法。这种方法和吉加·维尔托夫[Dziga Vertov]“电影眼睛”[Camera-Eye]、“电影真理报[Kino-Pravda]”的纪录电影类似，和谢尔盖·爱森斯坦的作品也有些相似，如抓取最强烈的动态、对最戏剧性的时刻都采用了典型的构成主义低角度镜头拍摄。

构成主义和至上主义不同，它的本质是关乎于艺术的社会责任的，它的许多信条和19世纪的“漫游者”相呼应，他们都反对“为艺术而艺术”，这一理念曾被“漫游者”们谴责为“不诚实的，不适合有思想的人”。而对于构成主义者来说这是“投机活动”，应当用“社会指导的艺术”来取代。[11]两个运动都要求艺术家认为现实有“多于艺术百倍之美”，车尔尼雪夫斯基宣称：“无产阶级革命不只是吆喝，而是真正的鞭策，它将寄生虫从真实生活中剔除出去……把人从投机活动中解救出来，人必须找到真正的工作方式，把自己的知识和技能用在真实、有活力的、有利的工作中。”[12]两个运动都引起了对艺术本身的激烈反抗，构成主义者们宣称艺术自身“天生就无法和宗教及哲学划分开……我们坚定地向艺术宣战！”[13]19世纪60年代，国家主义运动的知名美学家杜布罗柳波夫进行了一场声名远扬的讨论，名为《莎士比亚还是一双靴子？》[*Shakespeare or a pair of boots ?*]。它呼应了这几年的艺术思潮并且被构成主义者们重新提及：“既不是向右，也不是向左，而是面向需求。”[14]

整个20世纪20年代，构成主义在俄国一直被当成一种工作方法。在这段时间内，它还与西欧的同类运动取得了联系。从1921年开始，随着协约国经济封锁解除，西欧重启了和俄国的联系。艺术评论家凯梅尼[Kemeny]能够从柏林到达艺术文化学院演讲就证明了这点。他的讲座名为《论当代俄国和德国艺术的新方向》[On new directions in contemporary Russian and German art]。同年，利西茨基前往德国。1922年，他和同伴伊利亚·爱伦堡[Ilya Ehrenburg]编辑了《物体》[*Veshch/Gegenstand/Object*]（译者注，这三个词分别是转写成英文字母的俄语、德语和法语单词，意思都是“物体”）杂志（共有三期，后两份同时出版），这份杂志提出了艺术文化学院之前的“物体”美学，还将欧洲独立产生的同类观点进行了整合，其中包括：让那雷[Jeanneret]兄弟的巴黎“新精神”[Esprit Nouveau]团体、荷兰“风格派”（和罗钦科的构成主义非常接近）及许多不同的俄国非客观主义流派。这是战后首个综合了国际功能性设计流派的理念和人物的多语种国际化视觉艺术杂志。

欧洲和俄国在艺术领域交流重启的最重要的标志就是1922年在柏林范·迪门画廊[Van Diemen Gallery]举办的大型抽象艺术展，这个展览后来还在阿姆斯特丹举办。展览总结了俄国现代艺术运动的历史，包括从19世纪90年代“艺术世界”开始到当时新近的构成主义运动的作品。这是西方第一次关注到这些在1914年战争爆发后开始的漫长经济封锁期间俄国发展出的抽象画作流派。至今为止，这个展览仍然是西方世界能够看到的最重要且是唯一的俄国抽象艺术综合展。展览不仅内容具有划时代性，它的表现方法也令人耳目一新。埃尔·利西茨基获得了设计画廊内部和布展的权利（图228）。他组织展览的时候直接使用了塔特林和亚库洛夫在莫斯科“如画咖啡馆”的做法，把墙面空间当成一个真实的空间的整体。1926年，利西茨基非常成功地为亚历山大·杜尔纳[Alexander Dorner]设计了汉诺威画廊[Hanover Gallery]的抽象画展厅，再次推进了这一手法。在20世纪20年代和30年代早期，众多国际展览的苏联展馆中，他更是发展出了一套采用照片蒙太奇的先进的展览技术系统。（图227）

另一方面，通过期刊例如《SA》（《苏联建筑》）[15]，西方当时的作品也被介绍到了俄国。这份杂志刊登了勒·柯布西耶、弗兰克·罗伊德·赖特[Frank Lloyd Wright]、格罗皮乌斯和“风格派”的作品及文章，期刊还讨论了室内设计中的色彩使用、色彩的光学和心理学特质等问题。1933至1936年的《苏联建筑》[*Arkhitektura SSSR*]发表了一些议论构成主义和功能主义建筑的“正反观点”文章，这些文章非常有趣；刊物刊印了大部分俄国这两种风格的建筑，包括1929年由勒·柯布西耶在莫斯科设计的消费者合作社中央联盟大楼[Centrsoyuz building]。当时，许多国外建筑师前往俄国，例如曾经在哈萨克斯坦设计马格尼托哥尔斯克[Magnitogorsk]市项目的荷兰建筑师马特·斯坦[Mart Stam]。俄国因当时勇敢的共产主义实验而情绪激昂，西欧的所有艺术家都期盼在俄国实现自己的“新视野”，因为资本主义经济内艺术家被社会孤立，所以他们在共产主义制度中看到了解决方法。在俄国的新政权下，他们能感到，自中世纪以后，首次有这样一个伟大的实验正在进行，艺术家和他的艺术就在日常生活中，艺术被当成劳动工作，而艺术家终于能够成为社会的栋梁之一。

正文引用

第一章

1. N. Chernishevsky, *Esteticheskie otnosheniya iskusstva k deistvitelnosti*

2. N. Polenova, *Ambramtsevo. Vospominaniya*, illus., Moscow, 1922

3. S. Yaremich, *Mikhail Alexandrovich Vrubel. Zhizn i tvorchestvo*. illus., Moscow, 1911

4. I. Zabelin, *Materiali dlya istorii ikonopisi po arkhivnim dokumentam*, 1850, and D. Rovinsky, *Obozrenie ikonopisania v Rossii do kontsa 17-ovo veka*

5. M. Voloshin, 'Surikov (Materiali dlya biografii)', *Apollon*, 1916, No. 6/7, pp. 40–63

6. Vrubel in a letter to his sister, May 1890, quoted in ref. no. 3

7. ibid.

8. ibid. pp. 80–86

9. ibid. pp. 31–33

第二章

1. see: *a* Alexandre Benois, *Vozniknovenie 'Mira Iskusstva'*, Leningrad, 1928

b Alexandre Benois, *Reminiscences of the Russian Ballet*, transl. Mary Britnieva, London, 1941

2. ibid.: *a*

3. Richard Muther, *Geschichte der Malerei im XIX. Jahrhundert*—to which Benois contributed the chapter on Russian art. Munich, 1893–4

4. A. J. Meier-Gräfe, *Modern Art*, 2 vols., 1908

5. see: ref. no. 1*a*

6. ibid.

7. ibid.

8. see: Prince Peter Lieven, *The Birth of Ballets-Russes*, London, 1936

第三章

1. S. Polyakov (ed.) *Vesi*, Moscow, 1904–9

2. P. Pertsov (ed.) *Novi put*, St Petersburg, 1906–7

3. Alexandre Benois (ed. 1903), A. Prakhov (ed. 1904–7), *Khudozhestvennoye Sokrovische Rossii*, St Petersburg, 1901–7

4. P. P. Veiner (ed.) *Stariye godi*, St Petersburg, 1907–16

5. Sergei Makovsky (ed.) *Apollon*, St Petersburg, 1909–17

6. Nikolai Ryaboushinsky (ed.) *Zolotoye Runo*, Moscow, 1906–9

7. Ya. A. Tugenkhold 'Frantzuskoye sobranie S. I. Shchukina', *Apollon*, No. 1–2, 1914. Includes complete list of works in collection

8. see: Alfred Barr Jr, *Matisse. His art and his public*, New York, 1951

9. quoted in: 'Le chemin de la couleur', *Art Présent*, No. 2, 1947

10. *Zolotoye Runo*, No. 6, Moscow, 1909

11. see: ref. no. 8.

12. S. Makovsky, 'Frantzuskoye sobranie I. A. Morosova', *Apollon*, No. 2, 1912. Includes complete list of works in collection to date

13. F. Filosofov, 'Mir Iskusstva tozhe tendentsia', *Zolotoye Runo*, No. 1, Moscow, 1908

14. N. Taravati, review of first *salon* of the 'Golden Fleece', *Zolotoye Runo*, No. 3, Moscow, 1906

15. N. Miliuti, 'O. Soyuze', *Zolotoye Runo*, No. 1, 1908

16. S. Makovsky, 'Golubaya Rosa', *Zolotoye Runo*, No. 5, 1907

17. ibid.

18. Introduction to *Zolotoye Runo Katalog Vuistavki Kartin*, 1909

19. see: ref. no. 8

20. see: ref. no. 18

21. see: *Color and Rhyme*, No. 31, 1956, p. 19, col. 3

22. *Zolotoye Runo*, No. 7/9, Moscow, 1908, pp. 5–66

23. *Zolotoye Runo*, No. 10, Moscow, 1908, pp. 5–66

24. *Zolotoye Runo*, No. 2/3, Moscow, 1909, pp. 3–30

25. K. S. Petrov-Vodkin, *Khilinovsk*, Leningrad, 1930, and the sequel *Prostranstvo Evklida*, 1932

第四章

1. see: Graziella Lehrmann, *De Marinetti à Maiakovksi*, Zurich, 1942

2. see: Nikolai Khardzhev 'Mayakovsky i zhivopis' in *Mayakovsky. Materiali i issledovania*, Moscow, 1940, and *Russkoye Slovo*, No. 84, Moscow, 1914

3. see: Randa, *Vecher*, St Petersburg, 8 March 1909

4. These were the programme headings for the first part of a lecture entitled: *Having come myself* by Mayakovsky, given on 24 March 1913.

5. see: ref. no. 1

6. see: *Apollon*, No. 3, 1914

7. see: Katherine Dreier, *Burliuk*, New York, 1944, p. 66

8. Ludwig Gewaesi, 'V Mire Iskusstva' in *Zolotoye Runo*, No. 2/3, Moscow, 1909, pp. 119–20

9. E. Nisen (transl.), *O Kubisme*, St Petersburg, 1913; M. Voloshin (transl.), *O Kubisme*, Moscow, 1913; extracts also published with commentary in *Soyuz Molodezhi*, Sbornik, No. 3, St Petersburg, 1913

10. see: Larionov, *Luchism*, Moscow, 1913

11. Benedict Livshits, *Polutoraglazii Strelets*, Moscow, 1932

12. see: Katherine Dreier, *Burliuk*, New York, 1944, p. 59

第五章

1. see: N. Khardzhev, 'Mayakovsky i zhivopis' in *Mayakovsky. Materiali i issledovania*, Moscow, 1940, p. 358.

2. Larionov recalls that he chose this title for his exhibition because of a story he had read in a newspaper of a group of French painters who tied a brush to a donkey's tail and placed it tail-wise in front of a prepared canvas. The result was said to have been exhibited at the following public *salon* and to have received serious attention from a number of eminent critics before its origin was unmasked.

3. from Malevich's unpublished biography

4. see: *Oslinni Khvost i Mishen*, Moscow, 1913

5. On the back of one of his paintings, *The Violin and the Cow*, 1911, Malevich wrote 'The alogical collusion of two forms, the violin and the cow, illustrates the moment of struggle between logic, the natural law, bourgeois sense and prejudice. (signed) K. Malevich, 1911.'

6. see: Vyacheslav Zavalishin, *Early Soviet Writers*, New York, 1958, for a comparison of Bely's and Malevich's work and ideas.

7. see: G. Habasque, 'Les documents inédits sur les débuts de Suprématisme' in *Aujourd'hui: art et architecture*, No. 4, 1955.

8. Quoted from Tatlin's statement in *Vuistavka rabot zasluzhennovo deyatelya iskusstv V. E. Tatlina. Katalog,* Moscow, 1932

第六章

1. see: *Pobeda nad solntsem*, Futuristicheskaya opera. Kruchenikh, Matiushina i Malevicha, Moscow, 1913

2. see: K. Malevich, *O novikh sistemakh v iskusstve*, Vitebsk, 1920

3. ibid.

4. see: Alexander Tairov, *Das Entfesselte Theater*, Potsdam, 1923

5. *Posmertnaya vuistavka Khudozhnika-Konstruktora Popovoi. Katalog*, Moscow, 1924

6. 'Khudozhestvennaya Kronika' in *Apollon*, No. 1, 1917, p. 37

7. ibid.

8. Nikolai Punin, 'V Moskve. O novikh khudozhestvennikh gruppirovkakh', *Iskusstvo Kommuni*, No. 10, 9 November 1919

9. See: V. Kamensky, *Put entusiasta*, 1931

第七章

1. Quotation from Kasimir Malevich's manifesto published in *Desyataya Gosudarstvennaya Vuistavka. Bespredmetnoye tvorchestvo i Suprematism. Katalog*, Moscow, 1919

2. 'Nasha predstoyashchaya rabota. V. E. Tatlin i dr. in *VIIIoi S'ezd Sovetov. Ezhednevnii Bulletin S'ezda*, No. 13, 1921, p. 11

3. Quotation from Kasimir Malevich, *O novikh sistemakh v iskusstve*, Vitebsk, 1920

4. ibid.

5. 'Meeting ob iskusstve' in *Iskusstvo Kommuni*, No. 1, 7 December 1918

6. ibid.

7. I am indebted to Bertold Lubetkin, the Constructivist architect, for this description. He personally took part in this pageant and was one of the smash-and-grab raid party on the electrician's store.

8. see: a poem by Vladimir Mayakovsky, *Order to the Army of Art* (*Prikaz Armii Iskusstva*)

9. see: *Iskusstvo Kommuni*, No. 18, 7 April 1919

10. see: *Iskusstvo Kommuni*, No. 7, 9 January 1919

11. see: ref. no. 2

12. N. Punin, 'O pamyatnikakh' in *Iskusstvo Kommuni*, No. 14, 9 March 1919

13. 'Spisok museev i sobranii organizovannikh Museinim Bureau Otdela IZO N.K.P.' in

Vestnik Otdela IZO Narkomprosa, No. 1, 1921

14. *Pravda*, 24 November 1918

15. *Iskusstvo Kommuni*, No. 1, 7 December 1918

16. 'V Kollegii po delam iskusstva i khudozhestvennoi promuishlennosti. Muzeinii vopros' in *Iskusstvo Kommuni*, No. 8, 19 November 1919

17. see: *Zhizn Iskusstva*, No. 20, 1923

18. *Iskusstvo Kommuni*, No. 4, October 1918

19. see: *Iskusstvo Kommuni*, No. 1, 7 December 1918

20. Quoted from: *Gabo. Constructions, Sculpture, Paintings, Drawings Engravings.* Lund Humphries, London, 1957. 'Russia and Constructivism. An interview with Naum Gabo by Abram Lassaw and Ilya Bolotowsky, 1956'

21. *Programma Instituta Khudozhestvennoi Kulturi*, IZO Narkomprosa, Moscow, 1920

22. see: *Iskusstva*, 1923. 'Zhurnal Rossiiskoi Akademii Khudozhestvennickh nauk'

23. reproduced: *Gabo*, London, 1957. bibl.

24. see: ref. no. 20

25. 'Uchilishche novovo iskusstva'

26. These charts were included in the exhibition of Malevich's work which toured Europe; in London this exhibition was held at the Whitechapel Art Gallery in October 1959.

27. see: Bibliography

第八章

1. see: Sidorov (ed.), *Literaturniye manifesti*

2. see: *Gorn*, No. 1, Moscow, 1922

3. see: *Argonavti*, Moscow, 1923

4. see: E. J. Brown, *The Proletarian Episode in Russian Literature, 1928–1932*, New York, 1953

5. see: Alexei Gan, *Konstruktivism*, Tver, 1922

6. 'Vuishie Khudozhestvenniye Tekhnicheskiye Masterskiye': (The Higher Artistic Technical Studios)

7. Quotation from a statement by Tatlin in his exhibition catalogue: *Vuistavka rabot zasluzhennovo deyatelya iskusstv V. E. Tatlina. Katalog*, Moscow, 1932.

8. The Vkhutemas became the 'Vkhutein' (Higher Technical Institute) in 1928

9. For an explanation of Meyerhold's theory of 'Bio-mechanics' see: Huntley Carter, *The new spirit in the Russian theatre, 1917–1928*, New York, London, Paris, 1929

10. For an explanation of Rodchenko's work in Constructivist design see: Camilla Gray, 'Alexander Rodchenko. A Constructivist designer', *Portfolio*, London, New York, 1962

11. see: Alexei Gan, *Konstruktivism*, Tver, 1922

12. ibid.

13. ibid.

14. Tatlin quoted in: S. Isakov, 'Khudozhniki i revoliutsia' in *Zhizn Iskusstva*, No. 22, 5 June 1923

15. A. A. Vesnin and M. Ya. Ginsburg, *S.A. Sovetskaya Arkhitektura*, Moscow, 1925–9

原版引言

19世纪60年代的美学宣传家车尔尼雪夫斯基曾写道："现实胜于艺术对其的模仿"；20世纪20年代的构成主义者们曾经呼吁："让我们离开投机活动（架上绘画），并找到一个通往真实工作的途径！"这二者间所经历的60年正是本书研究的范围。

在这60年中，将艺术作为社会革新力量的观念始终如一，虽然这种观念现在已经被过度地宣传、被掩饰。这种社会力量"不能通过呈现、想象或理解，而需要通过真正的建设"（构成主义者），"以防止出现对艺术只是一个受人鄙视的无用消遣的指责"（"漫游者"发言人——车尔尼雪夫斯基）。在这本书中，我试图追寻这一争论的脉络以及讨论其影响俄国艺术发展的方式。

当艺术作为精神活动这一理念和宣传艺术同时出现，当艺术家卫道者和艺术家-工程师同时出现，当为今天和大众的艺术与为明天和精英的艺术同时出现时，马列维奇和塔特林、至上主义与构成主义的作品把这一争论推向了高潮。

最初正是这些至上主义和构成主义的作品和观点令我激动不已，驱使我进行研究。因此这本书主要关注的就是这类作品，且我对19世纪和20世纪早期发展的论述始终都在试着追溯思想的根源，这些思想正是在马列维奇和塔特林的先锋作品中被发展到了极致。

我在研究中碰到了许多难题，有关这一主题的文献少之又少，又难寻难觅。几乎没有1910至1920年间俄国艺术的历史综述，我必须向报纸文章、未出版的回忆录、仍在世艺术家的回忆（这些回忆常常是自相矛盾的）、展览目录、出版的回忆录中凌乱的引用和当时文学史中时不时出现的引用求助，这些文学史远比画作要多得多。拼出如此重要但如此复杂的历史时期的相关资料非常困难，这些资料还非常支离破碎。

我需要感谢这四年中许多人对写作此书的帮助和鼓励。首先我想感谢杰伊·莱达先生，是他最先让我书中的观点和人物栩栩如生。还有阿尔弗雷德·巴尔先生，是他允许我使用他个人收藏的罗钦科未出版档案材料。他们两人都在研究中给予我莫大的帮助和鼓励。我还需要感谢梅耶·夏皮洛、赫伯特·斯宾塞先生、乔治·赫德·汉密尔顿教授、M. 阿布拉姆斯基先生、赫伯特·里德先生（已故）、埃瑞克·格里高里先生（已故）、大卫·塔尔博特·赖斯教授、W. 桑德伯格先生、J.B. 纽曼先生、瓦莱丽·叶先女士、诺顿女士和以塞亚·柏林先生，他们也给予了我实际的帮助和建议。

我同样非常感谢以下几位：维奥莱特·康诺利女士，最初是她把我介绍到了俄国；多拉·考威尔女士和安妮·弗里曼特尔女士，是她们慷慨赞助让这本书得以出版；我尤其想感谢我的姐妹塞西莉亚·格雷慷慨而又耐心地合作，她为我提供了大量的照片素材。

我还要感谢以下这些人为我提供照片素材：尤金·鲁宾先生、安德烈杰伊·季亚先生、佐伊·多米尼克女士和莱斯利·伯纳姆–卡特女士。我想对以下博物馆及画廊也致以诚挚的感谢，它们也为我提供了照片：纽约现代艺术博物馆；康涅狄格州纽黑文市的耶鲁大学美术馆；艾尔米塔什博物馆、列宁格勒的戏剧博物馆和俄国国家博物馆；莫斯科的特列季亚科夫美术馆。

我还想向以上机构的成员致以谢意，他们给我提供了研究的场所；类似于此的机构还有纽约市立图书馆的斯拉夫分部、马萨诸塞州剑桥市的怀德纳图书馆、纽约现代艺术博物馆下属图书馆、伦敦大英博物馆、牛津大学圣安东尼学院、伦敦大学斯拉夫学系，我尤其要感谢维多利亚和阿尔伯特博物馆下属图书馆，在四年的研究中，他们曾给予我无微不至的照顾，积极地与我合作。我还需要向莫斯科和列宁格勒的友谊之家组织致谢，他们为我在俄国的研究提供了非常宝贵的帮助。

如果没有那些仍然在世的艺术家的帮助，我试图串联起来的整条脉络就没有这么生动了。因此，我必须致以他们最崇高的谢意，感谢他们帮助我，允许我利用他们个人收藏中的资料，感谢米哈伊尔·拉里昂诺夫和娜塔莉亚·冈察洛娃、大卫·布尔留克和尤里·安年科夫、瑙姆·嘉伯和安东·佩夫斯纳、保罗·曼苏洛夫、弗拉基米尔·伊兹捷布斯基、热米娅·博戈斯拉夫斯卡娅-普米、贝托尔德·卢别特金、马特·斯塔姆、汉斯·阿尔普、伊万·奇霍尔德、奈利·凡·杜斯伯格、索尼娅·狄洛尼、亚历山大·贝诺瓦、谢尔盖·马可夫斯基、扎诺尔博士、罗斯季斯拉夫·多布任斯基夫妇，还有许多名字没有罗列于此的艺术家们。

在最后，我必须感谢朋友们，他们对此的兴趣和对我的鼓励让我勇往直前，在他们之中，我尤其想感谢卡佳·祖布琴科和我的兄弟艾德蒙。

卡米拉·格雷

图注

Painter's dates are given only on first occurrence of the name.

Titles given are those used in the earliest exhibition catalogues or journals or in the most reliable recent publications and were not necessarily given by the artist.

When a different date is proposed from that inscribed by the artist on the front of the painting, or in the reference cited, it appears in square brackets.

Dimensions are given in inches followed by centimetres, height before width.

The location is given by city (without country). Inventory numbers, when known, are given for works in the Russian Museum, Leningrad, and the Tretyakov Gallery, Moscow.

Inscriptions in Cyrillic on the front of paintings are given in transliteration and translated; other inscriptions are given in the original language. Inscriptions on rear are given only where significant for date or title.

A reference to the most recent scholarly discussion of the work and to a colour illustration are given when possible.

Early exhibitions (introduced by ex.) and illustrations (after repr.) are given where possible, especially when significant for date or title.

缩略语

c. = *circa*; inscr. = inscribed; u.l. = upper left; u.r. = upper right; l.l. = lower left; l.r. = lower right; l.c. = left of centre, etc.; Cyr. = Cyrillic; ref. = reference; col. pl. = colour plate; p. = page; n.p. = not paginated; illus. = illustration or illustrated; ex. = exhibited; repr. = reproduced (used for early illustrations only)
M. = Moscow; St P. = St Petersburg; P. = Petrograd; L. = Leningrad; MOMA = Museum of Modern Art, New York

1. Leonid Pasternak (1862–1945) *Meeting of the Council of Art-teachers of the Moscow School of Painting, Sculpture, and Architecture* 1902. Pastel on paper, $25\frac{1}{2} \times 34\frac{1}{4}$ (65×87).Russian Museum, Leningrad. Inscr. l.r. *Pasternak 1902* (Cyr.). Includes: N. Kasatkin, A. Arkhipov, L. Pasternak, S. Ivanov, K. Korovin, V.

Serov, A. Vasnetsov. Ref. Russian Museum, 1980, no. 3919 (Zh-5641).

2. Ilya Repin (1844–1930) *They Did Not Expect Him* 1884–8. Oil on canvas, $63\frac{1}{8} \times 66$ (160.5 × 167.5). Tretyakov Gallery, Moscow. Inscr. l.c. *I. Repin 1884* (Cyr.). The face of the man entering the room was altered between 1884 and 1888. Ref. Tretyakov, 1984, p. 388 (740); Tretyakov, 1983, col. pl. 83.

3. Victor Vasnetsov (1848–1926) *Church of the Saviour Not Made by Human Hands* 1881–2; chapel added 1891–3. Abramtsevo, near Zagorsk. Ref. Grover, 1971, pp. 123–6; *Abramtsevo*, 1981, col. pl. 119; Pakhomov, 1969, pp. 239ff.

4. Peasant carvings, 19th century. Above: Carved board from the façade of a wooden house, $137\frac{3}{4} \times 14\frac{1}{2}$ (350 × 37). Found near Abramtsevo, Moscow province, in 1881. Below: Beetle (for beating linen), $15\frac{3}{4} \times 7\frac{1}{2}$ (40 × 19). From Kostroma province. Abramtsevo Museum, near Zagorsk. Ref. Letter from Abramtsevo Museum, 21 Aug. 1985; *Abramtsevo*, 1981, col. pl. 147, Beetle. The collection of folk-art at Abramtsevo began with the carved board, which inspired the designs of the Abramtsevo joiner's workshop.

5. A. Zinoviev Table: designed and executed at Talashkino *c.* 1905. Wood. Ref. *Talashkino*, 1973.

6. Victor Hartmann (1834–73) Pottery Studio 1873. Wood. Abramtsevo, near Zagorsk. Ref. Grover, 1971, pp. 63–5; *Abramtsevo*, 1981, col. pl. 176, showing gable as it appears today.

7. Mikhail Vrubel (1856–1910) Stove 1890. Ceramic. Abramtsevo Museum, near Zagorsk. Ref. Suzdalev, 1983, col. pl. 113. Gray illus. cropped at top.

8. Vasily Polenov (1844–1927) and others Iconostasis in Abramtsevo Church 1882. Abramtsevo. Design and icons at centre by V. Polenov; other icons by I. Repin, V. Vasnetsov, M. Nesterov, N. Nevrev; bas-relief by M. Antokolsky. Ref. *Abramtsevo*, 1981, col. pl. 123; Pakhomov, 1969, pp. 242ff.

9. Vasily Surikov (1848–1916) *The Boyarina Morozova* 1887. Oil on canvas, $119\frac{5}{8} \times 231\frac{1}{4}$ (304 × 587.5). Tretyakov Gallery, Moscow. Inscr. l.r. *V. Surikov 1887* (Cyr.). Ref. Tretyakov, 1984, p. 452 (781); Kemenov, 1979, col. pl. 97–116.

10. Mikhail Vrubel Costume design for *A Lady Wearing Cothurni* 1904. Pencil on paper, $13 \times 8\frac{1}{2}$ (33 × 21.6). Lobanov-Rostovsky collection, London. Ref. *Russian Stage Design*, 1982, no. 263; Kogan, 1980, pl. 92, as 1904. Repr. *Golden Fleece*, 1906, no. 1, p. 21, as *Egyptian costume. Cothurnus* is the Greek term for the thick-soled boot of the tragic actor.

11. Victor Vasnetsov Costume design for N. Rimsky-Korsakov's opera *Snow Maiden* 1885. Watercolour, white, gold on tan paper attached to cardboard, $10\frac{3}{8} \times 6\frac{3}{8}$ (26.5 × 16.2). Tretyakov Gallery, Moscow. Inscr. l.l. *V. Vasnetsov*; l.r. *Snegurochka* (Cyr.) (Snow Maiden). Ref. Tretyakov, 1952, p. 107 (1057).

12. Victor Vasnetsov Set design, Act 2, 'Palace of Tsar Berendy', in N. Rimsky-Korsakov's opera *Snow Maiden* for Mamontov's Private Opera, Moscow 1885. Watercolour, gouache, gold, pencil on paper, $14 \times 19\frac{1}{4}$ (35.5 × 48.8). Tretyakov Gallery, Moscow. Inscr. l.l. *Victor Vasnetsov 1885* (Cyr.). Revised version of set for A. Ostrovsky's play *Snow Maiden* 1881. Ref. Tretyakov, 1952, p. 106 (1055); Shanina, 1979, col. pl. 67; Grover, 1971, p. 180. Cf. Maquette in Vasnetsov House Museum, Moscow, with painted proscenium arch.

13. Konstantin Korovin (1861–1939) Set design, Scene 4, 'Square in Barcelona', *Don Quixote* 1906. Gouache on paper attached to cardboard, $19\frac{1}{4} \times 25\frac{3}{8}$ (49 × 64.5). Bakhrushin Museum, Moscow. Inscr. l.r. *Korovin Don Quixote*; l.l. *1906 IV Kartina* (Cyr.). Ref. Letter 22 Oct. 1985 from John Bowlt. Repr. *Golden Fleece*, 1909, nos. 7–9, after p. 8 (col.).

14. Isaac Levitan (1861–1900) *Above Eternal Peace* 1894. Oil on canvas, 59 × 81 (150 × 206). Tretyakov Gallery, Moscow. Inscr. l.l. *I. Levitan 94* (Cyr.). Ref. Tretyakov, 1984, p. 260 (1486).

15. Valentin Serov (1865–1911) *October in Domotkanovo* 1895. Oil on canvas, $19 \times 27\frac{7}{8}$ (48.5 × 70.7). Tretyakov Gallery, Moscow. Inscr. l.l. *Serov* (Cyr.). Ref. Tretyakov, 1984, p. 427 (1524); Sarabianov, 1982, col. pl. 65, cat. no. 268.

16. Valentin Serov *Portrait of the Actress M.N. Ermolova* (1853–1928) 1905. Oil on canvas, $88\frac{1}{8} \times 47\frac{1}{4}$ (224 × 120). Tretyakov Gallery, Moscow. Inscr. l.l. *Serov 905* (Cyr.). Ref. Tretyakov, 1984, p. 429 (28079); Sarabianov, 1982, col. pl. 141–2, cat. no. 466.

17. Mikhail Vrubel *Portrait of the Poet Valery Briusov* (1873–1924) 1906. Charcoal, red crayon, chalk on paper, $41 \times 27\frac{3}{8}$ (104 × 69.5). Tretyakov Gallery, Moscow. Ref. Dmitrieva, 1984, p. 178 and pl. (n.p.). Repr. *Golden Fleece*, 1906, nos. 7–9, after p. 100.

18. Mikhail Vrubel *The Dance of Tamara* 1890–1. Illus. for Lermontov's *The Demon*.

Watercolour and white on brownish paper mounted on cardboard, $19\frac{5}{8} \times 13\frac{3}{8}$ (50 × 34). Tretyakov Gallery, Moscow. Ref. Dmitrieva, 1984, p. 177; Grover, 1971, pp. 252–4.

19. Mikhail Vrubel *Campanulas* 1904. Watercolour, white and pencil on paper, 17 × 14 (43 × 35.5). Tretyakov Gallery, Moscow. Ref. Tarabukin, 1974, pl. 18.

20. Mikhail Vrubel *Campanulas* 1904–5. Pencil on paper, $13 \times 7\frac{7}{8}$ (33.2 × 20). Russian Museum, Leningrad. Ref. Russian Museum, 1979, no. 99 (illus.); Misler and Bowlt, 1984, pl. 75. Repr. *Golden Fleece*, 1906, no. 1, p. 19, as *Fleurs*. Gray illus. cropped at bottom.

21. Mikhail Vrubel *Galloping Horseman* 1890–1. Sketch for illus. to Lermontov's *The Demon*. Pencil on paper, $5\frac{7}{8} \times 9\frac{1}{2}$ (15 × 24). Tretyakov Gallery, Moscow. Ref. Dmitrieva, 1984, p. 176; Grover, 1971, pp. 252–4.

22. Léon Bakst (1866–1924) Design for ballet, *Les Orientales* (not used), music by A. Glazunov and others 1910. Watercolour and other media on paper, $18\frac{1}{8} \times 23\frac{5}{8}$ (46.1 × 60.1). Peter Wake collection, Northampton (1973). Ref. Spencer, 1973, no. 58.

23. Léon Bakst Set and costumes for *L'Après-midi d'un Faune* 1912. Music by C. Debussy, produced by S. Diaghilev, Paris, 1912. Photograph by Baron de Meyer. Ref. Spencer, 1973, no. 79. Repr. from *Commœdia Illustré*, Paris, 15 May 1912.

24. Nicholas Roerich (Rerikh) (1874–1947) Set design, 'Polovtsian Camp at Dawn', *Polovtsian Dances from Prince Igor*, opera/ballet by A. Borodin; the ballet was produced by S. Diaghilev, Théâtre du Châtelet, Paris May 1909. Tempera and gouache on paper, 20 × 30 (50.8 × 76.2). Victoria and Albert Museum, London. Ref. Victoria and Albert, 1967, no. 132; Victoria and Albert, 1983, col. pl. p. 252.

25. Alexander Golovin (1863–1930) Set design, Scene 2 of prologue 'Coronation', M. Mussorgsky's opera *Boris Godunov*, produced by S. Diaghilev, Paris 1908. Gouache on cardboard, $28\frac{3}{8} \times 33\frac{1}{2}$ (72 × 85). Bakhrushin Museum, Moscow. Ref. Letter Oct. 1985 from Bakhrushin Museum; *Golovin*, 1940, p. 162.

26. Alexandre Benois (1870–1960) Costume design for 'Un Courtisan' in ballet *Le Pavillon d'Armide*, music by N. Cherepnin, St Petersburg 1907. Gouache, India ink and bronze on gray paper, $14\frac{5}{8} \times 9\frac{7}{8}$ (37.3 × 25). Russian Museum, Leningrad, Inscr. u.l. *No. 1*; u.r. *Un Courtisan* (possibly not by Benois) *8 dessins*; l.l. *malinov(y)*; l.r. *sutana khrom AB* (Cyr.) (crimson; gown chrome); below c. *Un Courtisan*. Repr. from *Golden Fleece*, 1908, no. 1, p. 13 (left).

27. Alexandre Benois Costume design for 'Le Vicomte en Renaud' (Vicomte René as Rinaldo) in ballet *Le Pavillon d'Armide*, music by N. Cherepnin 1907. Gouache, India ink, bronze and silver on gray paper, $14\frac{1}{2} \times 10\frac{1}{4}$ (36.9 × 26). Russian Museum, Leningrad. Ref. *Mir iskusstva*, 1981, pl. 8. Repr. from *Golden Fleece*, 1908, no. 1, p. 13 (u.r.), inscr. u.l. *Le Vicomte en Renaud* and l.r. *AB* (Cyr.). The inscriptions are not visible on drawing in Russian Museum, which otherwise seems identical with Gray.

28. Alexandre Benois Set design for Scene 2, 'Armide's Garden', in ballet *Le Pavillon d'Armide*, music by N. Cherepnin, Mariinsky Theatre, St Petersburg 1907 [1930s (?)]. Watercolour, India ink, pencil, gouache on paper, $18\frac{3}{4} \times 24\frac{7}{8}$ (47.5 × 63.2). Lobanov-Rostovsky collection, London. Inscr. l.l. *Alexandre Benois*; *Le Pavillon d'Armide*. Ref. *Russian Stage Design*, 1982, no. 36; Murray, 1981, p. 32, as perhaps from 1930s. A comparison with designs in Russian Museum dated 1907 suggests that the later date is correct.

29. Alexander Golovin Set design, Scene 1, Act 4, 'Garden of Chernomor', M. Glinka's opera *Ruslan and Ludmilla*, Mariinsky Theatre, St Petersburg 1904. Tempera on paper. Krasnodar Art Museum, USSR. Ref. Letter Oct. 1985 from Bakhrushin Museum, Moscow; Kennedy, 1977, illus. 173; *Golovin*, 1940, p. 161. Repr. *Golden Fleece*, 1909, nos. 7–9, p. 15.

30. Mstislav Dobuzhinsky (1875–1957) *Man in Glasses. Portrait of Konstantin A. Sunnerberg* (1871–1942), pseud. Konst. Erberg, art critic and poet, 1905–6. Watercolour, charcoal, white on paper attached to cardboard, $24\frac{7}{8} \times 39\frac{1}{4}$ (63.3 × 99.6). Tretyakov Gallery, Moscow. Inscr. l.l. *M. Dobuzhinskii 1905–6* (Cyr.). Ref. Tretyakov, 1984, p. 140 (3754); Gusarova, 1982, col. pl. 16. Ex. 'World of Art', St P., Feb. 1906, no. 98.

31. Alexandre Benois *Versailles under Snow* 1905–6. Pen and ink on paper? Lost. Repr. *Golden Fleece*, 1906, no. 10, p. 11.

32. Konstantin Somov (1869–1939) *The Kiss* 1903. Etching. Location unknown. Ref. Kennedy, 1977, illus. no. 66. Repr. *Golden Fleece*, 1906, no. 2, after p. 20 (col.).

33. Valentin Serov *Peter the First* (1672–1725) 1907. Tempera on cardboard, $27 \times 34\frac{5}{8}$ (68.5 × 88). Tretyakov Gallery, Moscow. Ref. Tretyakov, 1984, p. 430 (1531). From the series *Pictorial History of Russia*, ed. S.A.

Kniazkov, Moscow, 1908; Sarabianov, 1982, col. pl. 166, cat. no. 506; Kennedy, 1977, pp. 205–6. Repr. *Golden Fleece*, 1908, no. 1, p. 7.
34. Victor Borisov-Musatov (1870–1905) *Autumn Evening* (sketch for a panel) 1905. Watercolour, pencil on paper, $14\frac{3}{4} \times 37\frac{3}{8}$ (37.5 × 94.9). Tretyakov Gallery, Moscow. Ref. Rusakova, 1975, col. pl. 58. One of four designs for *The Seasons* (another is Gray pl. 35). Repr. *Golden Fleece*, 1906, no. 3, p. 13.
35. Victor Borisov-Musatov *Sleep of the Gods* (sketch for a panel) 1905. Watercolour, pencil on paper, $15\frac{5}{8} \times 38\frac{1}{8}$ (39.8 × 96.8). Tretyakov Gallery, Moscow. Ref. Rusakova, 1975, col. pl. 59. Repr. *Golden Fleece*, 1906, no. 3, p. 13.
36. Victor Borisov-Musatov *The Reservoir* 1902. Tempera on canvas, $69\frac{3}{4} \times 85$ (177 × 216). Tretyakov Gallery, Moscow. Inscr. l.l. *B. Musatov 1902* (Cyr.). Ref. Tretyakov, 1984, p. 48 (5603); Tretyakov, 1983, col. pl. 100.
37. Victor Borisov-Musatov *Sunset Reflection* 1904. Tempera on canvas, $31\frac{1}{8} \times 34\frac{1}{4}$ (79 × 87). Art Museum, Gorky. Ref. Rusakova, 1975, col. pl. 51. Ex. 'Salon d'Automne', Paris, Oct. 1906, no. 384 (Gordon, 1974, vol. 1, illus. 246). Repr. *Golden Fleece*, Mar. 1906, no. 3, p. 11.
38. Pavel Kuznetsov (1878–1968) *Holiday* 1907–8. Tempera on paper (?). Lost. Ref. Sarabianov, 1975, no. 113. Ex. 'Golden Fleece', M., Jan. 1909, no. 51. Repr. *Golden Fleece*, 1909, no. 1, p. 17.
39. Nikolai Sapunov (1880–1912) *Mascarade* 1907. Silver, gold, bronze pigments, $25\frac{3}{8} \times 36\frac{3}{4}$ (64.4 × 93.2). Tretyakov Gallery, Moscow(?). Inscr. l.r. *N. Sapunov. 907* (Cyr.). Ref. Tretyakov, 1984, p. 416 (17378). Ex. 'Blue Rose', M., Mar. 1907, no. 53. Repr. *Golden Fleece*, 1907, no. 5, p. 8. Tretyakov staff were not able to confirm the identification of this painting, which was not accessible for checking.
40. Nikolai Sapunov Three costume designs, 'Man's Costume', 'Gigolo', 'A Guest', for *Colombine's Scarf*, from a play by A. Schnitzler, music by E. Dohnagny, produced by V. Meyerhold 1910. Watercolour and pencil on paper, each: $13\frac{1}{8} \times 9\frac{1}{4}$ (33.5 × 23.5). The Theatrical Museum, Leningrad. Ref. Carter, 1929, pp. 63–4.
41. Pavel Kuznetsov *Birth. Fusion with the Mystical Force in the Atmosphere. The Rousing of the Devil.* 1906–7. Location unknown. Ref. Sarabianov, 1975, no. 1332, pl. 9. Cf. Tretyakov, 1984, p. 240 (5960), also called *Birth*, which according to Sarabianov, no. 100, is a different work. Ex. 'Blue Rose', M., Mar. 1907, no. 32. Repr. *Golden Fleece*, 1907, no. 1, p. 5.
42. Pavel Kuznetsov *Grape Harvest* 1907. Tempera on paper (?). Lost. Ref. Sarabianov, 1975, no. 106. Ex. 'Wreath', St P., Mar. 1908, no. 60. Repr. *Golden Fleece*, 1908, no. 1, between pp. 8–9.
43. Pavel Kuznetsov *The Blue Fountain* 1905–6. Tempera on canvas, $50 \times 51\frac{5}{8}$ (127 × 131). Tretyakov Gallery, Moscow. Ref. Tretyakov, 1984, p. 239 (10231); Sarabianov, 1975, no. 89. Ex. 'World of Art', St P., Feb. 1906, no. 134. Repr. *Golden Fleece*, 1906, no. 5, p. 7.
44. Nikolai Milioti (1874–1962) *Angel of Sorrow* (decorative panel) 1906–7. Gouache on paper (?). Destroyed. Ex. 'Blue Rose', M., Mar. 1907, no. 43. Repr. *Golden Fleece*, 1907, no. 5, p. 3 (col.), at right angles to Gray; the latter seems more persuasive as a reading.
45. Martiros Saryan (1880–1972) *Man with Gazelles* 1906–7. Tempera. Lost. Ex. 'Blue Rose', M., Mar. 1907, no. 69. Repr. *Golden Fleece*, 1907, no. 5, p. 16.
46. Martiros Saryan *Panthers (Deserted Village)* 1907. Oil and tempera on canvas, 14 × 20 (35.5 × 51). Painting Gallery of Armenia, Erevan. Ref. *Saryan*, 1968, col. pl. 1. Ex. 'Golden Fleece', M., Apr. 1908, no. 66, as *Panthers* (?).
47. Vasily Milioti (1875–1943) *Legend* 1905. Gouache on paper (?). Lost. Ex. 'Watercolours, Pastels, Tempera, Drawings', M., Jan. 1906, no. 166. Repr. *Golden Fleece*, 1906, no. 5, p. 8.
48. Martiros Saryan *Self-Portrait* (sketch) 1909. Tempera on cardboard, $18\frac{1}{2} \times 17$ (47 × 43). Tretyakov Gallery, Moscow (?). Inscr. l.l. *M. Saryan. 1909 6/11* (Cyr.). Ref. Tretyakov, 1984, p. 418 (5953), no illus. Repr. *Golden Fleece*, 1909, no. 6, after p. 42, col. The painting was not available for viewing in summer 1985. This may be a version in the Russian Museum, Leningrad, illus. in Sokolov, 1972, pl. 213, but it is not listed in the Russian Museum catalogue, 1980.
49. Martiros Saryan *The Poet* 1907–8. Tempera. Lost. Ref. Marcadé, 1971, p. 288. Ex. 'Golden Fleece', M., Apr. 1908, no. 71. Repr. *Golden Fleece*, 1908, no. 10, after p. 14 (col.), as *The Poet*. The title seems inappropriate.
50. Mikhail Larionov (1881–1964) *Two Women Bathing in a River* [after Apr. 1908 (?)]. Oil on canvas, $28 \times 42\frac{1}{8}$ (71 × 107). Mme A.K. Larionov, Paris. Ref. *Larionov and Goncharova*, 1961, no. 4 as *c.* 1903–4. Cf. Gauguin, *Plage*

Rouge, ex. 'Golden Fleece', M., Apr. 1908, no. 69 and illus. *Golden Fleece*, 1908, nos. 7–9, p. 55, for probable source of Larionov's composition.

51. Mikhail Larionov *Rain c.* 1904–5. Oil on canvas, $33\frac{1}{2} \times 33\frac{1}{2}$ (85 × 85). Prof. N. Misler, Rome, Inscr. l.r. *M.L.* (Cyr.). Ref. George, 1966, col. pl. p. 33; Kennedy, 1977, pl. 257 as 1905–6. Ex. 'Golden Fleece', M., Apr. 1908, no. 46.

52. Mikhail Larionov *A corner of the Garden c.* 1905. Location unknown. One of a series of garden scenes, one of which is in the Russian Museum, Leningrad (Russian Museum, 1980, no. 3021), but is not identical with this painting.

53. Mikhail Larionov *Fishes* 1906. Oil on canvas, 35 × 50 (89 × 127). Mme A.K. Larionov, Paris. Inscr. l.r. *Larionov* (Cyr.). Ref. George, 1966, pl. p. 117. Ex. 'Union of Russian Artists', St P., winter 1906–7, no. 159 (?).

54. Kuzma Petrov-Vodkin (1878–1939) *The Playing Boys* 1911. Oil on canvas, $48\frac{1}{2} \times 61\frac{3}{4}$ (123 × 157). Russian Museum, Leningrad. Inscr. l.r. *KPV 1911* (Cyr.). Ref. Russian Museum, 1980, no. 3994 (ZhB-1244); Sarabianov, 1971, col. pl. between pp. 48–9; Rusakov, 1975, pp. 39–40.

55. Natalia Goncharova (1881–1962) *Haycutting* 1911. Oil on canvas, $38\frac{5}{8} \times 46$ (98 × 117). Mme A.K. Larionov, Paris. Ref. Chamot, 1972, p. 139, as 1911. Ex. 'Donkey's Tail', M., Mar. 1912, no. 30 (?).

56. Natalia Goncharova *Dancing Peasants* 1911. Oil on canvas, $36\frac{1}{4} \times 57$ (92 × 145). Mme A.K. Larionov, Paris. Ref. Chamot, 1972, col. pl. p. 47 and p. 46, as part of cycle of nine paintings called *Wine Harvest*. Ex. 'Donkey's Tail', M., Mar. 1912, no. 34 (?).

57. Anon. Peasant carving. Gingerbread figures made in traditional wooden carved mould. From Archangel.

58. Anon. Peasant carving. Gingerbread horse made in traditional wooden carved mould. From Archangel.

59. Niko Pirosmanashvili (1862 (?) – 1918) *The Actress Margarita*. Oil on oilcloth, 46 × 37 (117 × 94). Art Museum of Georgia, Tbilisi. Inscr. l.r. *N. Pirosmanashvili*; l.l. *Aktrisa Margarita* (Cyr.) (The Actress Margarita). Ref. *Niko Pirosmani*, 1983, col. pl. 35, cat. 72, date unknown. Ex. 'Second Autumn Show of Paintings', Tiflis, 1919.

60. Anon. *Lubok* (folk print). Illus. to 'Spin away my lassie . . .' (a Russian folk song) 1869. Photolithograph, $7\frac{5}{8} \times 12\frac{7}{8}$ (19.5 × 32.7). Russian Museum, Leningrad. Ref. Sytova, 1984, pl. 178.

61. Mikhail Larionov *Soldiers* (second version) [late 1910]. Oil on canvas, $34\frac{3}{4} \times 40\frac{3}{8}$ (88.2 × 102.5). Los Angeles County Museum of Art. Inscr. in form of graffiti *pivo, soldat, balda* (?), *durak, sablia* (Cyr.) (beer, soldier, blockhead, fool, sabre) (other inscriptions are indecipherable or untranslatable); l.r. *909. ML* (Cyr.). Ref. Letter 10 July 1985 from Los Angeles Museum as *Dancing Soldiers*. Ex. 'Knave of Diamonds', M., Dec. 1910, no. 107, as *Soldiers* (Gordon, 1974, vol. 1, illus. 676). For a discussion of the dating see note 98. Gordon, illus. 676, appears to show several areas of paint losses, but the Los Angeles Museum reports only minor areas of retouching. The soldiers seem to be playing cards rather than dancing.

62. Natalia Goncharova *Madonna and Child* 1910 (?). Oil on canvas, $47\frac{1}{4} \times 42\frac{1}{8}$ (120 × 107). Mme A.K. Larionov, Paris. Ref. Chamot, 1972, p. 140, as 1910; Eganbiuri, 1913, illus. as *Sketch*, 1908. Ex. 'Goncharova', M., Aug. 1913, no. 568, as *Sketch of a Religious Composition* (?) (Gordon, 1974, vol. 1, illus. 1401).

63. Anon. *Lubok* (folk print) *The Sirin Bird* early 19th century. Inscr. u.c. *Sirin*. Half bird, half woman, the Sirin was a ubiquitous motif in Russian folk-art.

64. Natalia Goncharova *Study in Ornament* 1913 (?). Pencil on paper. Mme A.K. Larionov, Paris.

65. Natalia Goncharova *Flight into Egypt* [1915]. Print (?). Location unknown. Ref. Misler and Bowlt, 1983, p. 22, note 56, as possibly a print of 1915; stylistically it is similar to the 1914 lithographs, *Mystical Images of the War*. Gray, 1962 ed., pl. 56, shows a border around the image (cropped here), which suggests a print.

66. Mikhail Larionov *Sunset after Rain* 1908. Oil on canvas, $26\frac{3}{4} \times 33\frac{1}{2}$ (68 × 85). Tretyakov Gallery, Moscow. Ref. Tretyakov, 1984, p. 251 (4376); Sarabianov, 1971, illus. between pp. 112–13; Eganbiuri, 1913, as 1908. Ex. 'Golden Fleece', M., Dec. 1909, no. 63 (?).

67. Mikhail Larionov *Stroll in a Provincial Town* 1907 [or later (?)]. Oil on canvas, $18\frac{1}{2} \times 35\frac{7}{8}$ (47 × 91). Tretyakov Gallery, Moscow. Ref. Tretyakov, 1984, p. 251 (8624), as 1907; Sarabianov, 1971, illus. between pp. 112–13, as 1907; Eganbiuri, 1913, as 1907. Ex. 'Golden Fleece', M., Dec. 1909, no. 50. The exhibition date and the style suggest a date later than Gray pl. 66.

68. Mikhail Larionov *Men's Hairdresser* 1907

[or later (?)]. Oil on canvas, $33\frac{1}{2} \times 26\frac{3}{4}$ (85 × 68). Mme A.K. Larionov, Paris. Inscr. u.l. *M. Larionov* (Cyr.). Ref. George, 1966, col. pl. p. 61; Eganbiuri, 1913, illus., as 1907. The first recorded exhibition of a *Hairdresser* is 'Golden Fleece', M., Dec. 1909, no. 64.

69. Mikhail Larionov *Officer's Hairdresser* 1909. Oil on canvas, 46 × 35 (117 × 89). Mme A.K. Larionov, Paris. Inscr. u.l. *M. Larionov 1907* (Cyr.); u.r. *Larionow*. Ref. Bowlt, 1974, as 1909; George, 1966, col. pl. p. 63. Ex. 'Golden Fleece', M., Dec. 1909, no. 64 (?).

70. Mikhail Larionov *Soldiers* [autumn 1910]. Oil on canvas, $28\frac{3}{4} \times 37\frac{1}{4}$ (73 × 94.5). Private collection, London (George, 1966). Inscr. u.r. *ML*; u.c. *srok sluzhby 1908* (Cyr.) (term of service); l.r. (later) *M. Larionow*. Ref. George, 1966, p. 121; *Larionov and Goncharova*, 1961, no. 19. For a discussion of the dating see note 98.

71. Mikhail Larionov *Resting Soldier* 1911. Oil on canvas, $46\frac{7}{8} \times 48$ (119 × 122). Tretyakov Gallery, Moscow. Inscr. on fence in form of graffiti u.l. *Srok sluzhby 1910, 1911, 1909 ML*; u.r. *poslednii ras* (raz?) *sr* ... (?) ((Cyr.) (Term of service; last time (?)). Ref. Tretyakov, 1984, p. 251 (10318); Eganbiuri, 1913; Sarabianov, 1971, col. illus. between pp. 112–13. Ex. 'Larionov', M., Dec. 1911, no. 90. It has been suggested by Bowlt, 1972, pp. 719–20, that the inscriptions may identify the years of Larionov's military service as 1909–11 and the date of the painting as 1911, but see note 98 above for an argument for a date of 1910–11 for that service.

72. Mikhail Larionov *Manya c.* 1912. Location unknown. Inscr. l.r. *manya* (Cyr.); *M. Larion(ow)* (?).

73. Mikhail Larionov *Manya* (second version) *c.* 1912. Watercolour on paper, 8 × 6 (20.3 × 15.2)(?). Formerly artist's collection, Paris. Inscr. l. *kurva*; r. *manya* (Cyr.) (the slut Manya). Stamped lower left: *Larionow*. Cf. *Twentieth Century Russian Paintings*, 1972, lot 30, gouache and pochoir, from series 'Voyage en Turquie', 1907–9 [or later (?)].

74. Mikhail Larionov *Spring 1912* 1912. Oil on canvas, $33\frac{1}{2} \times 26\frac{3}{8}$ (85 × 67). Mme A.K. Larionov, Paris. Inscr. c. *Vesna 1912* (Cyr.) (Spring); l.r. *M. Larionow*. Ref. George, 1966, p. 125.

75. Mikhail Larionov *Portrait of Vladimir Burliuk* summer 1910 (?). Oil on canvas, $52\frac{3}{8} \times 41$ (133 × 104). Musée des Beaux-Arts, Lyon. Ref. *Larionov and Goncharova*, 1961, no. 28; Livshits, 1977, p. 90. Ex. 'International Exhibition' (no. 2), Odessa, Jan. 1911, no. 276, *Portrait of an athlete* (?).

76. David Burliuk (1882–1967) *My Cossack Ancestor*. Oil on canvas. Location unknown. Dated *c.* 1908 by Gray.

77. Vladimir Burliuk (1887–1917) *Portrait of the poet Benedikt Livshits* (1886–1939) 1911. Oil on canvas, 18 × 14 (45.7 × 35.5). Ella Jaffe Freidus, New York. Inscr. l.r. *Vl. Burliuk 1911*; *Portret poeta Ben. Livshitsa* (Cyr.). Ref. Livshits, 1977, p. 49, gives a description of the painting of the portrait. Ex. 'Jack of Diamonds', M., Jan. 1912, no. 20, incorrectly listed as by D. Burliuk (see Livshits, p. 66, note 22).

78. *Drama in the Futurists' Cabaret No. 13*, scene from film directed by V. Kasyanov 1914. Larionov holds Goncharova in his arms. Ref. Leyda, 1983, p. 418.

79. *Creation Can't be Bought*, scene from film directed by N. Turkin 1918. The scenario (from Jack London's *Martin Eden*) was by D. Burliuk and V. Mayakovsky. Burliuk and Mayakovsky are standing in the background. Ref. Leyda, 1983, p. 423.

80. Mikhail Larionov Sets and costumes for ballet *Chout* (*Le Bouffon*), music by S. Prokofiev 1915–16. Photograph of Diaghilev's 1921 Paris production. Ref. *Larionov and Goncharova*, 1961, nos. 67–9, costume designs, 1915.

81. Mikalojus Čiurlionis (1875–1911) *Sonata of the Stars: Andante* 1908. Tempera on paper, $29 \times 24\frac{5}{8}$ (73.5 × 62.5). M.K. Čiurlionis Museum, Kaunas, Lithuania. Ref. *M.K. Čiurlionis*, 1970, col. pl. 29.

82. Natalia Goncharova *The Looking Glass* 1912. Oil on canvas, $45\frac{1}{4} \times 36\frac{1}{4}$ (115 × 92). Galleria del Levante, Milan. Ref. Eganbiuri, 1913, illus. as 1912. Ex. 'Target', M., Apr. 1913, no. 41, as 1912; 'Goncharova', M., Aug. 1913, no. 608, as *Looking Glass (cubist)* (Gordon, 1974, vol. 1, illus. 1406).

83. Ilya Mashkov (1881–1944) *Portrait of E.I. Kirkalda* 1910. Oil on canvas, $65\frac{3}{8} \times 49$ (166 × 124.5). Tretyakov Gallery, Moscow. Inscr. u.l. *Ilya Mashkov* (Cyr.). Ref. Tretyakov, 1984, p. 294 (11959). Ex. 'Knave of Diamonds', M., Dec. 1910, no. 153, as *Portrait of E.I.K.*

84. Ilya Mashkov *Portrait of a Boy in an Embroidered Shirt* March 1909. Oil on canvas, $47 \times 31\frac{1}{2}$ (119.5 × 80). Russian Museum, Leningrad. Inscr. u.l. *Ilya Mashkov* (Cyr.); on rear *mart 1909* (Cyr.). Ref. Russian Museum, 1980, no. 3572 (ZhB-1499).

85. Robert Falk (1886–1958) *Portrait of the Tartar Journalist Midkhat Refatov* 1915. Oil on

canvas, $48\frac{7}{8} \times 31\frac{7}{8}$ (124 × 81). Tretyakov Gallery, Moscow. Inscr. l.l. *1915*. Ref. Tretyakov, 1984, p. 482 (10324); Sarabianov, 1973, col. pl. 62. Ex. 'Jack of Diamonds', M., Nov. 1916, no. 291.

86. Pyotr Konchalovsky (1876–1956) *Portrait of the Painter Georgii Yakulov* (1884–1928) 1910. Oil on canvas, $69\frac{1}{4} \times 56\frac{1}{4}$ (176 × 143). Tretyakov Gallery, Moscow. Inscr. l.l. *P.K. 1910* (Cyr.). Ref. Tretyakov, 1984, p. 213 (11960). Ex. 'Moderne Kunst Kring', Amsterdam, Nov. 1913, no. 112, as *Portrait d'un Oriental* (Gordon, 1974, vol. 1, illus. 1522).

87. Natalia Goncharova *Peasants Picking Apples* 1911. Oil on canvas, $41 \times 38\frac{3}{8}$ (104 × 97.5). Tretyakov Gallery, Moscow. Ref. Tretyakov, 1984, p. 130 (11955); Eganbiuri, 1913, illus.; Chamot, 1972, p. 32. Cf. Marcadé, 1971, col. illus. after p. 222, reversed. Ex. 'Donkey's Tail', M., Mar. 1912, no. 68; 'Goncharova', M., Aug. 1913, no. 573 (Gordon, 1974, vol. 1, illus. 1402).

88. Natalia Goncharova *Fishing* 1909 [1910?]. Oil on canvas, $44 \times 39\frac{1}{4}$ (111.7 × 99.7). Thyssen-Bornemisza collection, Lugano. Ref. *Thyssen-Bornemisza*, 1984, no. 37, as 1909; Eganbiuri, 1913, *Fishermen*, 1909 (possibly this painting); Chamot, 1972, col. pl. p. 31, as 1909; *Women Artists*, 1981, no. 123, about difficulty of distinguishing two versions with similar titles. Cf. version in Tretyakov, 1984, p. 129 (5804), dated as 1908, illus. Sokolov, 1972, pl. 241. Ex. 'International Art Exhibition', Odessa, Jan. 1911, no. 93.

89. Natalia Goncharova *The Four Evangelists* [1911]. Oil on canvas, four canvases, each $80\frac{1}{4} \times 22\frac{7}{8}$ (204 × 58). Russian Museum, Leningrad. Ref. Russian Museum, 1980, nos. 1469–72 (Zh-8183–6), as 1910; Eganbiuri, 1913, as 1911; Chamot, 1972, p. 141, as 1911. Sent to 'Donkey's Tail', M., Mar. 1912, but removed from exhibition by censor (Chamot, 1972, pp. 36–7).

90. Mikhail Larionov *Rayonnist Landscape* [1913]. Oil on canvas, $28 \times 37\frac{1}{4}$ (71 × 94.5). Russian Museum, Leningrad. Ref. Russian Museum, 1980, no. 3047 (ZhB-1484), as 1912; *Russische und Sowjetische Kunst*, 1984, col. pl. p. 101, as 1912. See Guggenheim, 1976, no. 160, for the problems of dating Rayonnist paintings.

91. Mikhail Larionov *Beach and Woman (pneumo-Rayonnism)* (*Rayonism en rouge et bleu*) [1913]. Oil on canvas, $20\frac{1}{2} \times 26\frac{3}{4}$ (52 × 68). Irene and Peter Ludwig collection, Aachen (on loan to Museum Ludwig, Köln). Inscr. l.r. *M. Larionov*; inscr. on rear *Larionov Moscow, 1911*. Ref. *Vanguardia Rusa*, 1985, col. pl. 58, as 1911; *Abstraction*, 1980, no. 287, as 1913. Ex. 'Erster deutscher Herbstsalon', Berlin, Sept. 1913, no. 250; 'No. 4', Mar. 1914, no. 87 (Gordon, 1974, vol. 1, illus. 1615).

92. Mikhail Larionov *Glass* [late 1912]. Oil on canvas, $41 \times 38\frac{1}{4}$ (104 × 97). Solomon R. Guggenheim Museum, New York. Inscr. l.r. *M. Larionov*; l.l. *1909 M.L.* (Cyr.). Ref. Guggenheim, 1976, no. 160; Eganbiuri, 1913, as 1912. Ex. 'World of Art', M., Nov. 1912, no. 155b as *Glass (Rayonnist method)*.

93. Mikhail Larionov *Portrait of a Fool/Blue Rayonnism* late 1912 [reworked 1913–14 (?)]. Oil on canvas, $27\frac{1}{2} \times 25\frac{5}{8}$ (70 × 65). Private collection. Inscr. l.r. *M.L.* (Cyr.); u.l. *1910* (?). Ref. *Abstraction*, 1980, no. 277 and p. 82; Eganbiuri, 1913, illus. p. 61, as *Portrait of a Fool*, 1912. Ex. 'Union of Youth', M., Dec. 1912, no. 21, as *Portrait of a Fool*. Subsequently reworked with a tracery of lines, rotated 90 degrees, and signed lower left.

94. Vladimir Tatlin (1885–1953) *Fishmonger* 1911. Glue-based colours on canvas, $30\frac{3}{8} \times 39$ (77 × 99). Tretyakov Gallery, Moscow. Inscr. on rear *Tatlin 'Prodavets Ryb' 911 g.* (Cyr.) (Fishmonger). Ref. Tretyakov, 1984, p. 460 (11936); Zsadova (1984), no. 1/11, col. pl. 31. Ex. 'Donkey's Tail', M., Mar. 1912, no. 254 or 255.

95. Vladimir Tatlin *Bouquet* 1911–12. Oil on canvas, $36\frac{5}{8} \times 18\frac{7}{8}$ (93 × 48). Tretyakov Gallery, Moscow. Inscr. l.l. *Tatlin* (Cyr.). Ref. Tretyakov, 1984, p. 460 (4319), as 1911; Zsadova (1984), no. 1/12, col. pl. 74.

96. Vladimir Tatlin *Vendor of Sailors' Uniforms* 1910. Watercolour, gouache, India ink on cardboard, $12\frac{1}{2} \times 7\frac{7}{8}$ (32 × 20). Radischev Museum, Saratov. Inscr. u.l. *Magaz(in) Flotsk(ii)* (Cyr.) (Naval Store). Ref. Zsadova (1984), no. 1/7, col. pl. 25; Milner, 1983, pl. 7. Perhaps ex. 'Donkey's Tail', M., Mar. 1912, no. 268, as *Vendor of cloth* (?). The figure on the left may hold a bolt of cloth while a sailor's striped jersey appears upper right.

97. Vladimir Tatlin *Sailor* 1912. Tempera on canvas, $28\frac{1}{8} \times 28\frac{1}{8}$ (71.5 × 71.5). Russian Museum, Leningrad. Inscr. on cap *(S)teregushchii* (Cyr.); on rear *V.E. Tatlin 911g. «Matros»* (Cyr.) (Sailor). Ref. Russian Museum, 1980, no. 5690 (ZhB-1514), as 1911. Zsadova (1984), no. 1/14, as 1912; Lodder, 1983, fig. 1.5. Cf. Milner, 1983, pls. 28–30, as possibly a self-portrait. Ex. 'Donkey's Tail', M., Mar. 1912, no. 257 (?) (incorrectly listed in Gordon, vol. 2, p. 566, under Shevchenko (?)). The Russian ship *Steregushchii* was scuttled

during the Russo-Japanese war by two sailors who died with it, rather than let the ship fall into enemy hands. A monument to them was unveiled in St Petersburg in 1911. I am indebted to Larissa Haskell for this information.

98. Natalia Goncharova *Cats (rayonnist) Black, Yellow and Rose* early 1913. Oil on canvas, $33\frac{1}{4} \times 33$ (84.4 × 83.8). Solomon R. Guggenheim Museum, New York. Inscr. l.r. *N. Gontcharova*. Ref. Guggenheim, 1976, no. 61; *Donkey's Tail & Target*, 1913, illus.; Eganbiuri, 1913, illus. p. 11. Ex. 'Target', M., Mar. 1913, no. 49; 'Goncharova', M., Aug. 1913, no. 645 (Gordon, 1974, vol. 1, illus. 1408).

99. Mikhail Larionov *Portrait of Vladimir Tatlin* [after 1912]. Oil on canvas, $35 \times 28\frac{1}{8}$ (89 × 71.5). Musée national d'art moderne, Paris. Inscr. u.r. *M. Larionov; ML* (twice); on Tatlin's face *Balda* (Cyr.) (Blockhead). Ref. Musée national d'art moderne, letter 13 Aug. 1985: underneath existing painting x-rays show an earlier work, which may have been exhibited at 'Donkey's Tail', M., Mar. 1912, no. 102, *Study (man with hat)* (or no. 99, *Study for Portrait of V.E.T.* (?)); Milner, 1983, col. pl. 1. The inscr. u.l. may read *28* and be a reference to Tatlin's age in 1913.

100. Natalia Goncharova *Yellow and Green Forest* 1913 [early]. Oil on canvas, $40\frac{3}{8} \times 33\frac{5}{8}$ (102.5 × 85.5). Staatsgalerie, Stuttgart. Inscr. on rear at a later date *1910*. Ref. Stuttgart, 1982, p. 138–9; Chamot, 1979, pl. 31; Hnikova, 1975, col. pl. p. 53. Ex. 'Erster deutscher Herbstsalon', Berlin, Sept. 1913, no. 151, as *Landschaft* (Gordon, 1974, vol. 1, illus. 1427).

101. Natalia Goncharova *The Weaver/ Loom + Woman* summer 1913. Oil on canvas, $60\frac{1}{2} \times 39$ (153.5 × 99). National Museum of Wales, Cardiff. Ref. Chamot, 1979, pl. 29, as ex. 'Goncharova', M., Aug. 1913, no. 765.

102. Natalia Goncharova *Portrait of Mikhail Larionov* summer 1913. Oil on canvas, $41\frac{3}{8} \times 30\frac{3}{4}$ (105 × 78). Museum Ludwig, Köln. Inscr. u.l. *1911*. Ref. *Vanguardia Rusa*, 1985, col. pl. 25; Chamot, 1979, pl. 28; Eganbiuri, 1913, as 1911 (no illus.). Ex. 'Goncharova', M., Aug. 1913, no. 572 (?); 'No. 4', M., Mar. 1914, no. 44 (Gordon, 1974, vol. I, illus. 1613).

103. Natalia Goncharova *The Cyclist* 1913. Oil on canvas, $30\frac{3}{4} \times 41\frac{3}{8}$ (78 × 105). Russian Museum, Leningrad. Inscr. u.l. *T. 402*; u.c. *shelk*; u.r. *shlia(pa)*; r.c. *nit* (Cyr.) (silk, hat, thread). Ref. Russian Museum, 1980, no. 1476 (ZhB-1600). The cyclist passes windows of a hatter's, a haberdashery shop and a bar in which we see a foaming mug of beer. A tram number, T. 402, is perhaps reflected in the window of the bar. The Cubist displacement of the letters *shl – ia* and the tilting up of the drainage grating in the cobblestone street, combined with the Futurist emphasis on movement in the repetition of the outlines of the figure of the cyclist and of the bicycle wheels, make this a paradigmatic Cubo-Futurist painting.

104. Kazimir Malevich (1878–1935) *The Bather* [winter 1910–11]. Gouache on paper, $41\frac{3}{8} \times 27\frac{1}{8}$ (105 × 69). Stedelijk Museum, Amsterdam. Inscr. l.r. *K. Malev* (Cyr.). Ref. Andersen, 1970, no. 8, col. pl. p. 42.

105. Kazimir Malevich *Flower Girl* 1903 [or *c.* 1929 (?)]. Oil on canvas, $31\frac{1}{2} \times 39\frac{3}{8}$ (80 × 100). Russian Museum, Leningrad. Inscr. l.r. *K. Malevich 1903* (Cyr.). Ref. Russian Museum, 1980, no. 3463 (illus.) (ZhB-1502). The illus. in Gray is cropped at the bottom. The broad areas of bright blue in the sky, the red shadow on the face and the artist's gift of the painting in 1930 suggest a late date. Ref. *Malewitsch*, 1980, col. pl. p. 67. Cf. version of *c.* 1930 in a private coll., Leningrad, illus. Zhadova, 1982, col. pl. 4 (signed and dated 1904). Further reasons for dating Gray pl. 105 in the late 1920s will be given by A. Nakov in his forthcoming monograph on Malevich (verbal communication).

106. Kazimir Malevich *Peasant Woman with Buckets and Child* 1912 [early]. Oil on canvas, $28\frac{3}{4} \times 28\frac{3}{4}$ (73 × 73). Stedelijk Museum, Amsterdam. Inscr. l.l. *KM*. Ref. Andersen, 1970, no. 27, col. pl. p. 45. Ex. 'First exhibition. Contemporary Painting', M., Dec. 1912, no. 157, as *Woman with Buckets and Child*; 'Target', M., Mar. 1913, no. 93, as *Woman with buckets* (?). Reasons for dating this work in the late 1920s, as a variant of a motif of early 1912, will be given by A. Nakov in his forthcoming monograph on Malevich (verbal communication).

107. Kazimir Malevich *Taking in the Rye* 1912 [spring]. Oil on canvas, $28\frac{3}{8} \times 29\frac{3}{8}$ (72 × 74.5). Stedelijk Museum, Amsterdam. Ref. Andersen, 1970, no. 28, col. illus. p. 46. Ex. 'Donkey's Tail', M., Mar. 1912, no. 150 (?).

108. Kazimir Malevich *Chiropodist at the Baths* 1910. Gouache on paper, $30\frac{5}{8} \times 40\frac{1}{2}$ (77.7 × 103). Stedelijk Museum, Amsterdam. Inscr. l.r. *Kazimir Mal* (Cyr.). Ref. Andersen, 1970, no. 3, illus. Ex. 'Donkey's Tail', M., Mar. 1912, no. 157.

109. Paul Cézanne (1839–1906) *The Card*

Players 1890–2. Oil on canvas, $52\frac{3}{4} \times 71\frac{1}{4}$ (134 × 181). Barnes Foundation, Merion, Pa. Cf. *Apollon*, 1910, no. 6, between pp. 88–9.
110. Kazimir Malevich *Peasant Women at Church* 1911. Oil on canvas, $29\frac{1}{2} \times 38\frac{3}{8}$ (75 × 97.5). Stedelijk Museum, Amsterdam. Ref. Andersen, 1970, no. 25, illus. Painted on back of *The Woodcutter*, 1912 (Gray pl. 112). Ex. 'Donkey's Tail', M., Mar. 1912, no. 151, as *Peasant Women in Church. Sketch for a painting* (?).
111. Kazimir Malevich *Haymaking* [late 1920s]. Oil on canvas, $33\frac{3}{4} \times 25\frac{7}{8}$ (85.8 × 65.6). Tretyakov Gallery, Moscow. Inscr. l.r. *K. Malevich motiv 1909* (Cyr.). Ref. Tretyakov, 1984, p. 286 (10612), as 1909; Douglas, 1978, pp. 306–7, as late 1920s; *Malewitsch*, 1980, col. pl. p. 81. Suprematist elements, the use of the word 'motif' in the inscription and its acquisition from the artist in 1929 all suggest a late date. Andrei Nakov concurs (verbal communication).
112. Kazimir Malevich *The Woodcutter* 1912 [autumn (?)]. Oil on canvas, $37 \times 28\frac{1}{8}$ (94 × 71.5). Stedelijk Museum, Amsterdam. Ref. Andersen, 1970, no. 29, col. pl. p. 47. Note: Gray pl. 110 is painted on back of this.
113. Kazimir Malevich *Woman with Water Pails (of dynamic decomposition)* [winter 1912–13]. Oil on canvas, $31\frac{5}{8} \times 31\frac{5}{8}$ (80.3 × 80.3). Museum of Modern Art, New York. Ref. MOMA, 1977 (2), p. 59; *Malevitch*, 1978, col. pl. p. 24. Andersen, 1970, no. 34, gives the full inscriptions on rear from which the above title is taken; Nakov (letter 12 Nov. 1985) persuasively suggests that the word *Prinzip* (Principle) is missing before *Of Dynamic Decomposition*. Ex. 'Target', M., Mar. 1913, no. 94 as *Dynamic decomposition* (*Dinamicheskoe razlozhenie*) (?); 'Union of Youth', St P., Nov. 1913, no. 61, as *Peasant Woman with Buckets, Transrational realism* (*Zaumny realizm*), 1912 (?).
114. Kazimir Malevich *Morning in the Village after Snowstorm* 1912 [late]. Oil on canvas, $31\frac{3}{4} \times 31\frac{7}{8}$ (80.7 × 80.8). Solomon R. Guggenheim Museum, New York. Inscr. l.r. *KM*. Ref. Guggenheim, 1976, no. 170 (col. pl.); *Abstraction*, 1980, no. 304, as 1913. Ex. 'Target', M., March 1913, no. 90; 'Union of Youth', St P., Nov. 1913, no. 64, under *Transrational realism (Zaumny realizm)*, 1912.
115. Anon. Peasant embroidery from North Dvinsk province. *Cavaliers and Ladies*. Embroidered towel.
116. Kazimir Malevich *Head of a Peasant Girl* 1913 [first half]. Oil on canvas, $31\frac{1}{2} \times 37\frac{3}{8}$ (80 × 95). Stedelijk Museum, Amsterdam. Inscr. l.l. *K. Malevich* (Cyr.); l.r. *KM*. Ref. *Malévitch: Colloque*, 1979, pl. 59, as 1913–14; Andersen, 1970, no. 33, as 1912, col. pl. p. 48. Ex. 'Union of Youth', St P., Nov. 1913, no. 62, under *Transrational Realism (Zaumny Realizm)*, 1912. See lithographic version in *Piglets (Porosiata)*, Aug. 1913, illus. in Compton, 1978, col. pl. 19.
117. Kazimir Malevich *The Guardsman* 1913 [autumn]. Oil on canvas, $22\frac{1}{2} \times 26\frac{1}{4}$ (57 × 66.5). Stedelijk Museum, Amsterdam. Inscr. l.r. *K Malevich* (Cyr.). Ref. Andersen, 1970, no. 40. Ex. 'Knave of Diamonds', M., Feb. 1914, no. 60. A. Nakov suggested the dating in autumn 1913 (verbal communication).
118. Kazimir Malevich *Portrait of M.V. Matiushin* (composer and painter 1861–1934) autumn 1913. Oil on canvas, $41\frac{7}{8} \times 41\frac{7}{8}$ (106.5 × 106.5). Tretyakov Gallery, Moscow, gift of G. Costakis. Ref. *Costakis Collection*, 1981, no. 482, col. pl. Ex. 'Knave of Diamonds', M., Feb. 1914, no. 56. Probably also ex. St P., Dec. 1913 (letter 12 Nov. 1985 from A. Nakov); cf. drawing in *Malévitch: Colloque*, 1979, pl. 62.
119. Kazimir Malevich *Woman at Poster Column* 1914. Oil on canvas and collage, $28 \times 25\frac{1}{4}$ (71 × 64). Stedelijk Museum, Amsterdam. Inscr. u.l. *Afrikanskii gr.(azhdanin)*; c. *(n)a(?)kvartira*; r. *Thévenot*; r.c. *razoshelsia bez* (?) (Cyr.) (African citizen; someone's (?) apartment; separation without (?)). Ref. Andersen, 1970, no. 44, col. pl. p. 69. Ex. 'Tramway V', P., March 1915, no. 11, as 1914. The 'African citizen' is surely Picasso, since the inscription appears below a typical Picasso treatment of hair, and Picasso's African-inspired works were well known to Malevich through the Shchukin collection. The 'apartment' may be the one that is 'for rent' in Malevich's *Composition with Mona Lisa*, 1914, where the famous image is crossed out above that inscription (see Andersen, 1970, illus. p. 25). The 'separation' may refer literally to the photograph which has been torn apart and whose parts are separated by a large pink rectangle, but surely refers metaphorically to a separation from the old artistic style of post-Renaissance illusionism.
120. Pablo Picasso (1881–1973) *Musical Instruments* early 1913. Oil, gesso and sawdust on oval canvas, $39\frac{3}{8} \times 31\frac{7}{8}$ (100 × 81). Hermitage Museum, Leningrad (ex. S. Shchukin coll.). Ref. Daix and Rosselet, 1979, no. 577; Barskaya, 1975, col. pl. 247.

121. Kazimir Malevich *An Englishman in Moscow* 1914. Oil on canvas, $34\frac{5}{8} \times 22\frac{1}{2}$ (88 × 57). Originally a real wooden spoon was attached to the canvas. Stedelijk Museum, Amsterdam. Inscr. u.r. *Za-tmenie*; c. *chas-tichnoe*; r.c. *skakovoe obshchestvo* (Cyr.) (eclipse, partial; racing society or race-track). Ref. Andersen, 1970, no. 43, as 1913–14, col. pl. p. 67. Ex. 'Tramway V', P., Mar. 1915, no. 18, as 1914. The inscription 'partial eclipse' (of the sun) also occurs on Malevich's *Composition with Mona Lisa*, 1914, where the crossed-out reproduction of the famous painting makes clear that this is a partial eclipse of the old order of art. Here, the comment seems to be on society rather than on art: the top-hatted Englishman and racing the favourite sport of the upper classes, are partially eclipsed by darkness on the right, in favour of the brightly-lit fish symbolizing Christ, and the Russian church on the left; the sabre of a Russian officer is contrasted with the wooden spoon of the peasant. For a lengthy interpretation of the symbolism of this painting see Simmons, Nov. 1978, pp. 136–8.

122. Kazimir Malevich Backcloth for Act I, Scene I and Act II, Scene 5, of the opera *Victory over the Sun* (in 2 acts of 6 scenes), music by M. Matiushin, prologue by V. Khlebnikov, libretto by A. Kruchenykh. Produced December 1913, St Petersburg. Pencil on paper, $7\frac{7}{8} \times 10\frac{7}{8}$ (20.1 × 27.5). Theatrical Museum, Leningrad. Inscr. below *5 kart (ina), 6* (crossed out) *kart.(ina), kvadrat, 2 deistv.(ie)*; l.l. *I kartina,* (indecipherable) (Cyr.) (scene 5, square, act 2; scene 1). Ref. Zhadova, 1982, no. 28; Douglas, 1980 (1), pl. 8; *Sieg über die Sonne*, 1983, pp. 53–77.

123. Kazimir Malevich Backcloth for Act I, Scene 2, *Victory over the Sun* 1913. Pencil on paper, $7 \times 8\frac{5}{8}$ (17.7 × 22). Theatrical Museum, Leningrad. Inscr. below *2 kartina zelenaia i chernaia, 1 Dei..* (?), *N 162* (Cyr.) (scene 2 green and black; act 1 (?)). Ref. Douglas, 1980 (1), p. 37, for description of action; Zhadova, 1982, no. 27.

124. Kazimir Malevich Backcloth for Act 2, Scene 6, *Victory over the Sun* 1913. Pencil on paper, $8\frac{1}{4} \times 10\frac{7}{8}$ (21 × 27.5). Theatrical Museum, Leningrad. Inscr. below *2 deis.(tvie), 6 kar.(tina), dom, N 164* (?) (Cyr.) (act 2, scene 6, house). Ref. Zhadova, 1982, no. 29; Douglas, 1981, pp. 81–2.

125. Kazimir Malevich Twelve costume designs, *Victory over the Sun* 1913. Pencil and gouache on paper. From left to right and top to bottom, inscribed: Fat Man, Mugger, each $10\frac{3}{4} \times 8\frac{3}{8}$ (27.2 × 21.2); Nero, $10\frac{5}{8} \times 8\frac{1}{2}$ (27 × 21.5); Timid Man, Old Timer, each $10\frac{3}{4} \times 8\frac{3}{8}$ (27.2 × 21.2); New Man, $10\frac{3}{8} \times 8\frac{1}{4}$ (26.3 × 21); Sportsmen/Chorus, $10\frac{5}{8} \times 8\frac{1}{2}$ (27 × 21.5); Malevolent One, Attentive Worker, each $10\frac{3}{4} \times 8\frac{3}{8}$ (27.2 × 21.2); The Enemy, $10\frac{5}{8} \times 8\frac{1}{2}$ (27 × 21.5); Futurist Strongman, $10\frac{3}{4} \times 8\frac{3}{8}$ (27.2 × 21.2); pencil on paper, Many and One/Sun Carrier, $10\frac{3}{4} \times 8\frac{3}{8}$ (27.2 × 21.2). Theatrical Museum, Leningrad. Ref. Zhadova, 1982, nos. 32–5. *Art and Revolution*, 1982, nos. 286–7; *Sieg über die Sonne*, 1983, col. pls. pp. 56–7ff. Dimensions supplied by S. Dzhafarova. Cf. designs illus. in *Malewitsch*, 1980, nos. 47–50, probably from late 1920s or early 1930s, according to Douglas, 1981, p. 85.

126. Kazimir Malevich or Studio *Black Square* [after 1920]. Oil on canvas, $41\frac{3}{4} \times 41\frac{3}{4}$ (106 × 106). Russian Museum, Leningrad. Ref. Andersen, 1970, illus. p. 26, probably ex. Venice, 1924; Marcadé, 1980, p. 21; *Malewitsch*, 1980, no. 16, as 1914–15 and as inscr. on rear *K. Malevich 1913*. A. Nakov considers this and following two paintings as autograph works of 1920s (verbal communication).

127. Kazimir Malevich or Studio *Black Circle* [after 1920]. Oil on canvas, $41\frac{3}{4} \times 41\frac{3}{4}$ (106 × 106). Russian Museum, Leningrad. Ref. Andersen, 1970, illus. p. 27, probably ex. Venice, 1924; *Art and Revolution*, 1982, no. 289, as 1915; *Malewitsch*, 1980, no. 17, as 1914–15 and as inscr. on rear *K. Malevich*.

128. Kazimir Malevich or Studio *Black Cross* [after 1920]. Oil on canvas, $41\frac{7}{8} \times 41\frac{7}{8}$ (106.5 × 106.5). Russian Museum, Leningrad. Ref. Andersen, 1970, illus. p. 27, probably ex. Venice, 1924; *Malewitsch*, 1980, no. 18, as 1914–15 and as inscr. on rear *K. Malevich 1913, Suprematism*.

129. Kazimir Malevich *Suprematist Composition: Red Square and Black Square* [1915]. Oil on canvas, $28 \times 17\frac{1}{2}$ (71.1 × 44.5). Museum of Modern Art, New York. Ref. MOMA, 1977 (2), p. 59, as (1914 or 1915?). *Malévitch*, 1980, p. 30, as 1915. Ex. '0,10. Last Futurist exhibition', P., Dec. 1915.

130. Kazimir Malevich *Suprematist Composition: Airplane Flying* 1914 [1915]. Oil on canvas, $22\frac{7}{8} \times 19$ (58.1 × 48.3). Museum of Modern Art, New York. Ref. MOMA, 1977 (2), p. 59, as 1914; MOMA, 1984, col. pl. 148; *Malévitch: Colloque*, 1979, pl. 84, as 1915. Dated 1914 on back of canvas. Ex. '0, 10. Last Futurist exhibition', P., Dec. 1915.

131. Kazimir Malevich *Supremus No. 50* 1915.

Oil on canvas, $38\frac{1}{4} \times 26$ (97×66). Stedelijk Museum, Amsterdam. Ref. Andersen, 1970, no. 56, col. pl. p. 70, as a vertical composition. According to A. Nakov the horizontal presentation here is correct (letter 12 Nov. 1985).

132. Kazimir Malevich *House under Construction* 1915–16. Oil on canvas, $37\frac{3}{4} \times 17\frac{3}{8}$ (96×44.2). Australian National Gallery, Canberra. Ref. Andersen, 1970, no. 59. Ex. 'Sixteenth State Exhibition', M., 1919–20.

133. Kazimir Malevich *Suprematist Composition* 1916–17 (?). Oil on canvas, $38\frac{1}{2} \times 26\frac{1}{8}$ (97.8×66.4). Museum of Modern Art, New York. Ref. MOMA, 1977 (2), p. 59; *Malévitch: Colloque*, 1979, pl. 94 as 1917.

134. Kazimir Malevich *Dynamic Suprematism (Supremus No. 56)* 1916. Oil on canvas, $31\frac{1}{2} \times 28\frac{1}{8}$ (80×71.5). Russian Museum, Leningrad. Inscr. l.r. *1936* (in red); on rear *Supremus No 56 K. Malevich Moskva 1916 g.* (Cyr.). Ref. Russian Museum, 1980, no. 3470 (ZhB-1421); cf. Zhadova, 1982, no. 55, as *Dynamische Farben Komposition*, 1917 (?); *Paris-Moscou*, 1979, illus. p. 157, as *Supremus N56*, 1916; *Malewitsch*, 1980, col. pl. 14, as *Dynamic Color Composition*, 1915. *Moscow-Paris*, 1981, vol. 2 (n.p.), illus. as '*Suprematism. 1936* (Author's repetition of a composition of 1916)'. This painting has frequently been confused with Gray pl. 135 following. I was not able to see the inscription on the rear, but the Curator of Soviet Painting at the Russian Museum confirms its existence and the identity of this painting and its title. The *1936* seems to be a museum acquisition number. According to the records of the Russian Museum, the painting entered the collection in 1920.

135. Kazimir Malevich *Suprematism. Yellow and Black* 1916. Oil on canvas, $31\frac{1}{4} \times 27\frac{3}{4}$ (79.5×70.5). Russian Museum, Leningrad (ZhB-1687). Inscr. on rear *K.M. Sup.* [*No. 58* (crossed out)], *182*. Information supplied by Curator of Soviet Painting at Russian Museum. Ref. *Russische und Sowjetische Kunst*, 1984, col. pl. p. 103 (right), as 1914–16; *Art and Revolution*, 1982, no. 288, as *Dynamic Composition. Yellow and Black* (*Suprematism*), wrongly identified as ZhB-1421; *Malewitsch*, 1980, pl. 20, as *Suprematist Painting. Yellow and Black*, 1916.

136. Kazimir Malevich *Supremus No. 18* 1916–17. Pencil on paper, $4\frac{3}{4} \times 5$ (12×12.7). Eric Estorick collection, London. Cf. Zhadova, 1982, no. 81 (left), for lithographic version, 1920.

137. Kazimir Malevich *Future 'Planits'. Homes for Earth Dwellers* 1924. Pencil on paper, $15\frac{3}{8} \times 11\frac{5}{8}$ (39×29.5). Stedelijk Museum, Amsterdam. Ref. Andersen, 1970, no. 84, gives translation of inscriptions; *Malévitch: Colloque*, 1979, pl. 146; Chan-Magomedow, 1983, illus. 1006. Cf. *Art and Revolution*, 1982, no. 294, with different inscriptions, as 1920.

138. Kazimir Malevich *Architecton: Alpha* 1923. Plaster, $13 \times 14\frac{1}{2} \times 33\frac{1}{4}$ ($33 \times 37 \times 84.5$). Musée national d'art moderne, Paris. Ref. *Malévitch*, 1980, no. 1, reconstruction (1 original, 99 reconstructed elements). Repr. *De Stijl*, 1927, nos. 79–84, p. 561. Ex. L., 1926 (without catalogue).

139. Kazimir Malevich *Architecton: Gota* 1923 (?). Plaster, $33\frac{1}{2} \times 18\frac{7}{8} \times 22\frac{7}{8}$ ($85.2 \times 48 \times 58$). Musée national d'art moderne, Paris. Ref. *Malévitch*, 1980, no. 3, reconstruction (187 original, 56 reconstructed elements).

140. Kazimir Malevich *Dynamic Suprematism (Supremus No. 57) c.* 1916. Oil on canvas, $31\frac{5}{8} \times 31\frac{5}{8}$ (80.2×80.3). Tate Gallery, London. Inscr. on rear *Supremus/N 57; Kazimir Malevich/Moskva/1916* (Cyr.). Ref. Tate, 1981, pp. 471–2.

141. Vladimir Tatlin Set design, Act 2, 'King Sigismund's Throne Room', in Glinka's opera (1836) *A Life for the Tsar* 1913 (unrealized). Glue-based colours, pencil, gouache on cardboard, $21\frac{7}{8} \times 36\frac{3}{4}$ (55.5×93.2). Tretyakov Gallery, Moscow. Inscr. l.r. *Tl. 1913 g.* (Cyr.). Ref. Tretyakov, 1984, p. 460 (4320), as 'Ball'; Zsadova (1984), no. VIII/6, col. pl. 138, as 'King Sigismund's Throne Room'. Cf. *Costakis Collection*, no. 1103. Ex. 'World of Art', M., Dec. (?) 1913, no. 442 (*Ball*).

142. Vladimir Tatlin Set design, Act 4, 'Forest', in Glinka's opera *A Life for the Tsar* 1913 (unrealized). Glue-based colours on cardboard, $21\frac{3}{8} \times 37\frac{5}{8}$ (54.5×95.5). Tretyakov Gallery, Moscow. Inscr. l.r. *TL.913* (Cyr.). Ref. Tretyakov, 1984, p. 461 (9299); Zsadova (1984), no. VIII/7, col. pl. 139. Ex. 'World of Art', M., Dec. (?) 1913, no. 441; 'Erste russische Kunstausstellung', Berlin, Oct 1922, no. 507.

143. Anon., Novgorod School (?) *Descent from the Cross* late 15th century. Panel from an iconostasis. Tempera, $35\frac{7}{8} \times 24\frac{3}{8}$ (91×62). Tretyakov Gallery, Moscow. Ref. Tretyakov, 1963, vol. 1, no. 107 (12040); Lazarev, 1983, pp. 245–6, col. pl. 66, as by artists who knew both the Novgorod and Moscow painting traditions. This icon, then in the Ostroukov collection, was exhibited in Moscow in 1913, when Tatlin might have seen it.

144. Vladimir Tatlin *Nude* 1913. Oil on can-

vas, $56\frac{1}{4} \times 42\frac{1}{2}$ (143 × 108). Tretyakov Gallery, Moscow. Inscr. l.l. *Tatlin 913* (Cyr.). Ref. Tretyakov, 1984, p. 461 (17332); Zsadova (1984), no. I/21. Gift of the artist, 1934. The painting illustrated in *Paris-Moscou*, 1979, p. 107, and in Zsadova, col. pl. 79, differs in several details from the painting reproduced by Gray.

145. Kazimir Malevich *Suprematist Painting/Yellow Parallelogram on White Ground* 1917–18. Oil on canvas, $41\frac{3}{4} \times 27\frac{3}{4}$ (106 × 70.5). Stedelijk Museum, Amsterdam. Ref. Andersen, 1970, no. 65, col. pl. p. 77; Zhadova, 1982, no. 60; *Malévitch: Colloque*, 1979, pl. 95.

146. Vladimir Tatlin Maquette of set for V. Khlebnikov's dramatic poem, *Zangezi*. Produced by Tatlin, Petrograd, 1923. Wood, wire, etc. Location unknown. Ref. Zsadova (1984), no. VIII/36; Milner, 1983, pl. 194, as corresponding to Surface 20 of poem; Lodder, 1983, pp. 208ff., and fig. 7.3. Repr. *Russkoe Iskusstvo*, 1923, no. 1.

147. Vladimir Tatlin Costume for 'Laughter' in V. Khlebnikov's dramatic poem, *Zangezi*. Produced by Tatlin, Petrograd, 1923. Charcoal on paper mounted on cardboard, $21\frac{3}{4} \times 14\frac{5}{8}$ (55.2 × 37.2). Bakhrushin Museum, Moscow. Inscr. u.l. *Zangezi, Cmekh* (Cyr.) (Laughter); l.l. with stamp of the Laboratory of Artistic Culture. Ref. Zsadova (1984), no. VIII/37. *Art and Revolution*, 1982, no. 190, col. pl.; Milner, 1983, pl. 196.

148. Vladimir Tatlin Maquette of set for A. Ostrovsky's play *Comic Actor of the 17th century*, Moscow Arts Theatre II, 1935. Location unknown. Ref. Milner, 1983, pl. 248. Cf. *Tatlin*, 1977, nos. 50–7, designs for costumes. Cf. Zsadova (1984), VIII/39–40.

149. Vladimir Tatlin Maquette of set for Ostrovsky's play *Comic Actor of the 17th century*, Moscow Arts Theatre II, 1935. Location unknown. Ref. Milner, 1983, pl. 247.

150. Vladimir Tatlin *The Bottle: Painterly Relief* late 1913. Wallpaper, wood, metal, glass. Location unknown. Ref. Zsadova (1984), no. IV/1; Lodder, 1983, fig. 1.1 and p. 8, as Tatlin's first relief.

151. Vladimir Tatlin *Painterly Relief* [1914]. Wood and other materials. Location unknown. Ref. Zsadova (1984), no. IV/3, as 1913–14; *Tatlin*, 1968, pl. p. 35, as 1914; Lodder, 1983, fig. 1.10. Ex. 'First exhibition of painterly reliefs', M., May 1914 (no catalogue); '0,10. Last Futurist exhibition', P., Dec. 1915. Repr. *Tatlin*, 1915, p. 2, as 1913–14.

152. Vladimir Tatlin *Painterly Relief* [1914]. Wood and other materials. Location unknown. Ref. Zsadova (1984), no. IV/4, as 1913–14; *Tatlin*, 1968, pl. p. 35, as 1914; Lodder, 1983, fig. 1.11. Ex. 'First Exhibition of painterly reliefs', M., May 1914 (no catalogue). Ex. '0,10. Last Futurist exhibition', P., Dec. 1915. Repr. *Tatlin*, 1915, p. 2, as 1913–14.

153. Anon. *Relief* 1918–19 (?). Wood, glass, tin can (?). Location unknown. Ref. Zsadova (1984), no. IV/16, as Tatlin, 1915–20; *Tatlin*, 1968, p. 39, as possibly not by Tatlin; Nakov, letter 17 Dec. 1985, as by a student of Malevich at Svomas, winter 1918–19, from a composition by Malevich. Further details will be given by Nakov in his forthcoming monograph on Malevich.

154. Vladimir Tatlin *Painterly Relief: Selection of Materials* 1914. Iron, stucco, glass, asphalt. Presumed destroyed. Ref. Zsadova (1984), no. IV/5a; Lodder, 1983, fig. 1.12. Ex. 'Tramway V', P., Mar. 1915. Repr. in review of 'Tramway V', Mar. 1915, as *Painterly Relief*, see Berninger, 1972, p. 39; Nakov, 1984, illus. p. 7, as *Composition synthético-statique*.

155. Vladimir Tatlin *Board No. 1* 1917. Tempera and gilt on board, $39\frac{3}{8} \times 22\frac{1}{2}$ (100 × 57). Tretyakov Gallery, Moscow. Inscr. *Staro-Basman* (Cyr.) (Old Basmanaya Street). Ref. Tretyakov, 1984, p. 461 (11937), as 1916; Zsadova (1984), no. IV/8, col. pl. 104, as 1917; Lodder, 1983, p. 10, fig. 1.4, as 1917. Cf. *Study for Board No. 1*, 1917, MOMA, 1984, col. pl. 445.

156. Vladimir Tatlin *Selection of Materials: Counter-Relief* 1917. Galvanized iron, palisander and pine, $39\frac{3}{8} \times 25\frac{1}{4}$ (100 × 64). Ref. Zsadova (1984), no. IV/10, pl. 109, as unfinished version of Zsadova no. IV/9, pl. 110 (Tretyakov, 1984, p. 461 (10982)). But see my note 201 above. Lodder, 1983, fig. 1.8, gives location as Tretyakov.

157. Kazimir Malevich *The Knifegrinder: Principle of Glittering* 1913 [early]. Oil on canvas, $31\frac{3}{8} \times 31\frac{3}{8}$ (79.5 × 79.5). Yale University Art Gallery, New Haven. Inscr. l.r. *K.M.* Ref. *Societé Anonyme*, 1984, no. 443. Ex. 'Target', M., Mar. 1913, no. 95; 'Union of Youth', St P., Nov. 1913, no. 66, under *Transrational Realism (Zaumny realizm)*, 1912.

158. Vladimir Tatlin *Corner counter-relief* 1915. Iron, aluminium, primer. Presumed destroyed. Ref. Zsadova (1984), no. IV/13a; *Tatlin*, 1968, p. 42.

159. Vladimir Tatlin Model of air bicycle *Letatlin* 1929–32. One of three versions made by Tatlin. Wood, cork, silk cords, leather,

whalebone, etc. Photograph of exhibition at Soviet Writers' Club auditorium, Moscow, 1932. Ref. Zsadova (1984), no. VI/5l. Cf. reconstructed version in Zhukovsky Museum of Aviation and Aeronautics, Monino, wing span 315 in. (8 metres), length $196\frac{7}{8}$ in. (5 metres), Zsadova, no. VI/6.

160. Vladimir Tatlin *Central Relief* c. 1914–15. Lost. Ref. Milner, 1983, pl. 121, as iron with assembled elements including a palette and set square; Zsadova (1984), no. X/1, reconstruction 1966–70.

161. Liubov Popova (1889–1924) *Man + Air + Space (Seated Figure)* c. 1915. Oil on canvas, $49\frac{1}{4} \times 42\frac{1}{8}$ (125 × 107). Russian Museum, Leningrad. Ref. Russian Museum, 1980, no. 4188 (ZhB-1324) illus. Cf. *Seated Figure* 1914–15, *Costakis Collection*, no. 801, in Museum Ludwig, Cologne; and *Seated Figure*, 1913 (?), *From Painting to Design*, 1981, pl. p. 198, which is listed in *L'Avant-garde au feminin*, 1983, no. 106 (on p. 37, the illustration, which is reproduced upside down, is of the Ludwig version, not of the painting exhibited).

162. Pavel Filonov (1883–1941) *Man and Woman* 1912–18. Watercolour on paper, $12\frac{1}{4} \times 9\frac{1}{4}$ (31 × 23.5). Russian Museum, Leningrad. Ref. Misler and Bowlt, 1984, col. pl. VIII, and letter of 12 Aug. 1985 from Bowlt.

163. Pavel Filonov *Untitled (People–Fishes)* 1912–15. Watercolour on paper, $10 \times 15\frac{3}{4}$ (25.5 × 39.5). Ludwig Museum, Köln. Ref. *Vanguardia Rusa*, 1985, no. 18, col. pl. p. 51; Misler and Bowlt, 1984, col. pl. VIII.

164. Liubov Popova *Italian Still Life (Cannon and Violins)* 1914. Oil, plaster of Paris, newspaper collage on canvas, $24\frac{1}{2} \times 19\frac{1}{8}$ (62.2 × 48.6). Tretyakov Gallery, Moscow. Inscr. *DES CANONS; LAC; ITALI; LEP.* Ref. Tretyakov, 1984, p. 368 (9365); *Russian Women-Artists*, 1979, p. 198. Ex. 'Erste russische Kunstausstellung', Berlin, 1922, no. 153, as *Violinen*. The inscriptions *ITALI* and *LAC* (for the Italian Futurist journal *Lacerba*), as well as the unlikely conjunction of cannon and violins, pay homage to Italian Futurism.

165. Liubov Popova *Painterly Architectonics* 1917. Oil on canvas, $31\frac{1}{2} \times 38\frac{5}{8}$ (80 × 98). Inscr. on rear *Zhivopisnaia arkhitektonika* (Painterly architectonics). Museum of Modern Art, New York. Ref. MOMA, 1977 (1), pl. p. 131, as *Architectonic Painting*. The term 'Painterly Architectonics' was first used by Popova at 'Knave of Diamonds', M., Nov. 1916.

166. Marc Chagall (1887–1985) *The Gates of the Cemetery* 1917. Oil on canvas, $34\frac{1}{4} \times 26\frac{7}{8}$ (87 × 68.6). Private collection, Paris. Inscr. l.r. *Chagall 1917*. Ref. *Chagall*, 1985, no. 55, col. pl. p. 93. Lines from Ezekiel (xxxvii, 12–14) are written over the gateway.

167. El Lissitzky (Lazar Lisitsky) (1890–1941) Illustration for *Chad Gadya* (*The Goat Kid*), from the *Haggadah*, 'One small goat Papa bought for two zuzim', c. 1919. Watercolour on paper, 9 × 11 (22.9 × 27.9). Inscr. on the arch with the words of the verse in Yiddish and l.r. in Aramaic; letters of Hebrew alphabet in u.l. corner. Eric Estorick collection, London. Similar in style to the eleven lithographs illustrating the *Chad Gadya* published in Kiev, 1919. For the other ten scenes see Abramsky, 1966, pp. 184–5; for the history of the four versions dating from 1917 to 1923 see Birnholz, 1973 (1), pp. 25ff. and illus. 15–22. This scene does not belong to any of the known complete versions.

168. Marc Chagall Wall paintings for Kamerny Jewish State Chamber Theatre, Moscow, 1920–1. Below: *Introduction to the Jewish Theatre* (cropped at top). Above: *The Marriage Table*. Two photographs of the oils in the Tretyakov Gallery, Moscow, appear to have been combined here. Ref. Meyer, 1963, p. 296; illus. pp. 284–5. Cf. *Chagall*, 1985, no. 63; Kampf, 1978, p. 73; Frost, 1981, pp. 94–6.

169. El Lissitzky *Proun 99* c. 1923–5. Water soluble and metallic paint on wood, $50\frac{3}{4} \times 39$ (129 × 99.1). Yale University Art Gallery, New Haven. Ref. *Societé Anonyme*, 1984, no. 437.

170. Ivan Puni (Jean Pougny) (1894–1956) *Plate-Relief (Plate on Table)* 1919. Collage of ceramic plate on wood, $13 \times 24 \times 1\frac{7}{8}$ (33 × 61.1 × 4.8). Staatsgalerie, Stuttgart. Ref. Stuttgart, 1982, pp. 267–8, illus. with plate lower right; Berninger, 1972, no. 114, col. pl. p. 118 (not identical to Gray). Ex. 'First Free Public Exhibition of Works of Art', P., 1919.

171. Ivan Puni *Suprematist Construction* 1915. Painted wood, metal and cardboard on panel, $27\frac{1}{2} \times 18\frac{7}{8} \times 4\frac{7}{8}$ (70 × 48 × 12.4). (Reconstructed in 1950s with original elements after a model and a drawing.) National Gallery of Art, Washington, D.C. Ref. Berninger, 1972, no. 110, pl. p. 198; *Tatlin's Dream*, 1973, no. 67, col. pl.

172. Nadezhda Udaltsova (1886–1961) *At the piano* 1915. Oil on canvas, $42\frac{1}{8} \times 35$ (107 × 89). Yale University Art Gallery, New Haven. Inscr. *Bach, A. Skr.* (Cyr.) (A. Scriabin). Ref. *Societé Anonyme*, 1984, no. 695, col. pl. 48. Ex. '0,10. Last Futurist exhibition', P., Dec. 1915, no. 145, Music (?). Ex. 'Erste russische Kunstausstellung', Berlin, Oct. 1922, no. 235.

173. Liubov Popova *The Traveller* 1915. Oil on canvas, 56 × 41½ (142 × 105.5). Norton Simon Art Foundation, Pasadena. Inscr. c.l. *zhurnaly, gaz(eta)*; l.r. *II kl., shlap* (Cyr.) (magazines, newspaper; 2nd class, of hats); u.l. *OR* (Cyr.). Ref. *Norton Simon*, 1972, no. 50. Cf. *Travelling Woman*, 1915, in *Costakis Collection*, 1981, no. 808. The woman with the green umbrella, yellow necklace and hat box (?) seems too elegant to be travelling 2nd class, so perhaps this is a reflection from another train.
174. Olga Rozanova (1886–1918) *Metronome* 1915. Oil on canvas, 18⅛ × 13 (46 × 33). Tretyakov Gallery, Moscow. Inscr. (clockwise) *Fra*(nce), *Amerique, Belgique, Hollande, Angleterr*(a); c. *Paris*; u.c. *andante*; l.c. *190* and *presto*. Ref. Tretyakov, 1984, p. 399 (11943). Ex. 'Knave of Diamonds', M., Nov. 1916, no. 262 or 263. Paris is at the centre of the artistic world. The number, 190 for presto, tells us the tempo of the metronome, whose vertical rod seems momentarily caught between the letters *Ame* and *rique*.
175. Liubov Popova *The Violin* 1915. Oil on canvas, 34⅞ × 27¾ (88.5 × 70.5). Tretyakov Gallery, Moscow. Inscr. *Prog conce* (Concert Program). Ref. Tretyakov, 1984, p. 369 (11939). Ex. 'Tramway V', P., Feb. 1915, no. 46 (?).
176. Alexandra Exter (1882–1949) *Venice* 1915. Oil on canvas. Private collection. Ex. 'Erste russische Kunstausstellung', Berlin, Oct. 1922, no. 33.
177. Alexandra Exter *Cityscape* 1915. Oil on canvas, 34⅞ × 27¾ (88.5 × 70.5). Regional Painting Gallery, Vologda. Ref. *Paris-Moscou*, 1979, p. 524. Ex. 'Erste russische Kunstausstellung', Berlin, Oct. 1922, no. 32, *Stadt* (?).
178. Liubov Popova *Volumetric and Spatial Relief* 1915. Location unknown. Inscr. *36 15*. Ref. *Avant-garde in Russia*, 1980, p. 43, fig. 5, note 2; *Costakis Collection*, 1981, no. 943, installation photograph of 1924 posthumous exhibition. The *15* may be a date.
179. Liubov Popova *Painterly Architectonics c.* 1917. Oil on canvas. Location unknown.
180. Ivan Kliun (1873–1943) *Suprematism c.* 1916. Oil on canvas, 35 × 28 (89 × 71). Tretyakov Gallery, Moscow. Ref. Tretyakov, 1984, p. 210 (11935), with dimension reversed; *Paris-Moscou*, 1979, col. pl. p. 156, correctly shows painting as taller than wide, but is upside down according to S. Dzhafarova (verbal communication). The painting was not available for viewing.
181. Olga Rozanova *Non-objective Composition c.* 1916. Oil on canvas (?), 30¾ × 20⅞ (78 × 53) (?). Location unknown. Ref. Zhadova, 1982, pl. 99, as in Russian Museum, Leningrad, and illus. upside down compared to Gray. According to Russian Museum staff on my visits there in 1982 and 1985, the work is not in that collection. Cf. Lot 52, Sotheby's, 12 April 1972, which is possibly a preliminary drawing for Gray pl. 181, and which is illus. as in Gray, presumably on basis of signature on reverse.
182. Vassily Kandinsky (1866–1944) *Composition VI* 1913. Oil on canvas, 76¾ × 118 (195 × 300). Hermitage Museum, Leningrad. Inscr. l.r. *Kandinsky 1913*. Ref. Roethel, 1982, vol. 1, no. 464. Ex. 'Erster deutscher Herbstsalon', Berlin, Sept. 1913, no. 181 (Gordon, 1974, vol. 1, illus. 1432). Repr. *Der Sturm Album*, 1913, pl. XXXV.
183. Vassily Kandinsky *White Background (Composition no. 224)* 1920. Oil on canvas, 37⅜ × 54⅜ (95 × 138). Russian Museum, Leningrad. Inscr. l.l. *K 20*; inscr. on rear *K (no. 224) 1920*. Ref. Russian Museum, 1980, no. 2059 (ZhB-1610); Roethel, 1984, vol. II, no. 665 (*Auf Weiss I*).
184. Vassily Kandinsky *Yellow Accompaniment* 1924. Oil on canvas 39⅛ × 38⅜ (99.2 × 97.4). Guggenheim Museum, New York. Inscr. l.l. *K/24*. Ref. Guggenheim, 1976, no. 106; Roethel, 1984, vol. II, no. 712.
185. Alexander Rodchenko (1891–1956) *Composition 'Dance'* (*The Dancer*) 1915. Oil on canvas, 56¾ × 35⅞ (144 × 91). Rodchenko Archive, Moscow. *Rodtschenko*, 1982, no. 10, illus. p. 119. Ex. 'Five Years of Work', 1918, as *Composition 'Dance'*. See *Rodchenko*, 1979, p. 25, for painting hanging in Rodchenko's studio.
186. Alexander Rodchenko *Compass and Ruler Drawing* 1914–15 (?). Location unknown. Inscr. l.r. *Rodchenko* (Cyr.).
187. Alexander Rodchenko *Compass and Ruler Drawing* 1915. Ink on paper, 10 × 8¼ (25.5 × 21). Rodchenko Archive, Moscow. Inscr. l.r. *Rodchenko 15* (Cyr.). Ref. *Rodčenko e Stepanova*, 1984, pl. 15; *Rodtschenko*, 1982, no. 18, illus. p. 120; Karginov, 1979, illus. 12; *Rodchenko*, 1979, p. 33, no. 6. Ex. 'The Store', M., Mar. 1916. The inscription is not visible in Gray.
188. Alexander Rodchenko *Composition* 1919: Gouache on paper, 12¼ × 9 (31.1 × 22.9). Museum of Modern Art, New York. Inscr. l.l. *Rodchenko 19*. (Cyr.). Ref. MOMA, 1977 (1), illus. p. 130, gift of the artist. Cf. Karginov,

1979, col. pl. 39, for 1920 version in oil.
189. Alexander Rodchenko *Non-objective Painting. Composition 56 (76). Alteration of surface through textural treatment* (*Izmenenie ploskosti ee fakturnoi obrabotkoi*) second half of 1918. Oil on canvas, $34\frac{7}{8} \times 27\frac{3}{4}$ (88.5 × 70.5). Tretyakov Gallery, Moscow. Inscr. on rear by stencil *Rodchenko 1917* (Cyr.). Ref. Letter 31 Oct. 1985 from A. Lavrentiev, Moscow; Tretyakov, 1984, p. 398 (11969), as 1917; *Rodtschenko*, 1982, no. 21, col. pl. p. 129, as *Zwei Kreise*, 1917, shows grays, ochres, etc. This painting was not accessible for viewing. There are no similar paintings securely datable to 1917, and this work resembles other paintings of the second half of 1918; see Karginov, 1979, p. 28, for a discussion of this period.
190. Alexander Rodchenko *Line Composition* 1920. Coloured inks on paper, $12\frac{3}{4} \times 7\frac{3}{4}$ (32.4 × 19.7). Museum of Modern Art, New York. Inscr. l.r. *Rodchenko. 1920.* (Cyr.). Ref. MOMA, 1977 (2), p. 81; *Rodtschenko*, 1982, no. 76, illus. p. 162.
191. Alexander Rodchenko *Construction on a Black Ground, No. 106* 1920. Oil on canvas, $40\frac{1}{8} \times 27\frac{1}{2}$ (102 × 70). Rodchenko Archive, Moscow. Ref. Gassner, 1984, fig. 38; *Rodčenko e Stepanova*, 1984, col. pl. 5; *Rodtschenko*, 1982, no. 75, col. illus. p. 165.
192. Alexander Rodchenko *Composition* 1918. Tempera on paper, $12\frac{5}{8} \times 10\frac{7}{8}$ (32 × 27.5). Location unknown. Inscr. l.l. *A. Rodchenko 1918 g.* (Cyr.). Ref. Karginov, 1979, col. pl. 23.
193. Alexander Rodchenko *Composition* 1918. Gouache on paper, $13 \times 6\frac{3}{8}$ (33 × 16.2). Museum of Modern Art, New York, Inscr. l.l. *A. Rodchenko. 1918 g.* (Cyr.). Ref. MOMA, 1977 (1), pl. p. 130, gift of the artist.
194. Alexander Rodchenko *Non-objective Composition* 1917. Oil on board. Location unknown. Ref. Letter 31 Oct. 1985 from A. Lavrentiev, Moscow. Repr. *Kino-Fot*, 1922, no. 1.
195. Alexander Rodchenko *Composition No. 103* 1920. Oil on panel, $16\frac{1}{2} \times 9\frac{3}{8}$ (42 × 24). Rodchenko Archive, Moscow. Ref. *Seven Moscow Artists*, 1984, col. pl. p. 237. Ex. 'XIX All-Russian Central Exhibition Bureau ...' M., 1920.
196. V. Tatlin, G. Yakulov, A. Rodchenko and others *Café Pittoresque* Moscow, interior decorations 1917–18 (opened 30 Jan. 1918). Ref. Zsadova (1984), no. IX/1, pl. 132–3; Milner, 1983, fig. 133; Lodder, 1983, p. 59 and fig. 2.6; Zygas, 1981, pp. 1–3. Repr. Salmon, 1928, p. 52.
197. Natan Altman (1889–1970) Overall design for decorations for Winter Palace Square, Petrograd 1918, repetition of 1957. Gouache and coloured pencil on paper, $10\frac{5}{8} \times 16\frac{1}{8}$ (27 × 41). Museum of the History of Leningrad. Cf. *Altman*, 1978, col. pl. (n.p.). Several versions and later copies by Altman of the three designs illustrated here are in Soviet museums.
198. Natan Altman Design for decorations for Alexander Column, Winter Palace Square, Petrograd by night 1918, repetition of 1957. Gouache and coloured pencil on paper, $10\frac{1}{4} \times 9\frac{7}{8}$ (26 × 25). Museum of History of Leningrad.
199. Natan Altman Designs for decorations for Winter Palace Square, Petrograd 1918, repetition of 1957. Gouache and coloured pencil on paper, $10\frac{5}{8} \times 38\frac{5}{8}$ (27 × 98). Museum of History of Leningrad. Cf. *Altman*, 1978, col. pl. (n.p.).
200. Yury Annenkov (1889–1974) Photograph of re-enactment of taking of Winter Palace, October 1917, staged 7 Nov. 1920, by N. Evreinov and others. Decorations by Annenkov. Ref. *Agitation-Mass Art*, 1984, pls. 194, 197 and document 54. Cf. watercolour in *Russian Stage Design*, 1982, pl. 17.
201. Anon. *The Red Cossack*: an agitation–propaganda train 1920. Painted decoration by A. Glasunov, N. Pomanski, S. Tichonov. Ref. Chan-Magomedow, 1983, illus. 1250–2. The train bears the slogan 'Long live the united workers of the world'.
202. Anon. *The Red Star*; an agitation–propaganda boat 1920. Painted decoration. Ref. Chan-Magomedow, 1983, illus. 1256; *Paris-Moscou*, 1979, pl. p. 335.
203. Vladimir Tatlin *Model for a Monument to the Third International*, as exhibited in Mosaics Studio of former Academy of Art, Petrograd Nov. 1920. Wood. Lost. Ref. Zsadova (1984), no. V/3d; Lodder, 1983, pp. 55ff. and fig. 2.11, gives height of model as between 19 and 22 ft.; Milner, 1983, pp. 151ff. for Tatlin's artistic sources; *Tatlin*, 1968, for a reconstruction of model. Repr. Punin, 1920. The walls were inscribed with slogans; one, partially visible here, is addressed to engineers.
204. Naum Gabo (1890–1977) *Project for a Radio Station* 1919–20. Pen and ink on paper. Location unknown. Lodder, 1983, fig. 1.54.
205. Alexander Rodchenko *Spatial Construction* (hanging hexagon) 1921. Plywood, painted silver. Location unknown. Ref. Lodder, 1983, pp. 24–6, figs. 1.29 and 2.16; *Rodchenko*, 1979, illus. p. 49, no. 57 (reconstruction). Ex.

'Obmokhu', May 1921, with lights played on work. Repr. *Kino-Fot*, no. 4, 1922.
206. Alexander Rodchenko *Spatial Construction/Spatial Object* (hanging circle) 1921. Plywood, painted silver. Location unknown. Ref. Lodder, 1983, pp. 24–6, figs. 1.31 and 2.16; *Rodchenko*, 1979, illus. p. 49, no. 58, reconstruction; Karginov, 1979, pl. 66, as 1920. Ex. 'Obmokhu', May 1921, with lights played on work.
207. Kuzma Petrov-Vodkin *1918 in Petrograd* 1920. Oil on canvas, $28\frac{3}{4} \times 36\frac{1}{4}$ (73 × 92). Tretyakov Gallery, Moscow. Ref. *Art and Revolution*, 1982, no. 255, col. pl.
208. Vladimir Favorsky (1886–1964) Frontispiece to *The Book of Ruth* 1924. Trans. from Hebrew by A. Efros and published 1925. Wood engraving, $10\frac{1}{8} \times 7\frac{7}{8}$ (25.7 × 20). Russian Museum, Leningrad. Ref. *Moscow-Paris*, 1981, illus. vol. 2 (n.p.); Molok, 1967, p. 293 and pl. (n.p.).
209. Anton (Natan) Pevsner (1886–1962) *Carnival. Portrait* 1917. Oil on canvas, $49\frac{5}{8} \times 27$ (126 × 68.8). Tretyakov Gallery, Moscow. Inscr. l.l. *Natan* (Cyr.). Ref. Tretyakov, 1984, p. 340 (11933).
210. Naum Gabo *Head of a Woman c.* 1917–20, after a work of 1916 (?). Celluloid and metal, $24\frac{1}{2} \times 19\frac{1}{4}$ (62.2 × 48.9). Museum of Modern Art, New York. Ref. MOMA, 1977 (1), pl. p. 133. The work in MOMA differs in some respects from Gray pl. 210, which may be an earlier state of the piece. According to Gabo (MOMA file), the iron original was made in Norway and this celluloid version was made in Russia. Ex. 'Erste russische Kunstausstellung', Berlin, Oct. 1922. See view of installation, *The First Russian Show*, 1983, p. 14.
211. Kazimir Malevich *Suprematist Composition: White on White* 1918. Oil on canvas, $31\frac{1}{4} \times 31\frac{1}{4}$ (79.4 × 79.4). Museum of Modern Art, New York. Ref. MOMA, 1977 (1), illus. p. 129; Andersen, 1970, no. 66. Ex. 'Sixteenth state exhibition', Moscow, 1919–20. How the painting should be hung is problematic: at MOMA it is hung with square near upper right.
212. Alexander Rodchenko *Composition No. 64 (84) (Black on Black)* 1918. Oil on canvas, $29\frac{3}{8} \times 29\frac{3}{8}$ (74.5 × 74.5). Tretyakov Gallery, Moscow. Inscr. l.l. *R 18*. Ref. Letter 31 Oct. 1985 from A. Lavrentiev; *Paris-Moscou*, 1979, pl. p. 186 (upside down), as *Composition No. 64 (84). Abstraction de la couleur, Decoloration*, 1918; Gassner, 1984, fig. 16; *Rodtschenko*, 1982, pl. p. 142.
213. Yuri Pimenov (1903–77) *Give to Heavy Industry* 1927. Oil on canvas, $102\frac{3}{8} \times 83\frac{1}{2}$ (260 × 212). Tretyakov Gallery, Moscow. Ref. *Paris-Moscou*, 1979, illus. p. 215.
214. Nikolai Suetin (1897–1954) Saucer with Suprematist design, manufactured 1923, Petrograd State Porcelain Factory. Porcelain with overglaze painted decoration, $5\frac{7}{8}$ (14.9) diameter. Museum of Modern Art, New York. Stamped on back with the former Imperial Porcelain Works monogram, *Suprematizm, N. Suetin* (Cyr.) and the date *1914*.
215. Nikolai Suetin Saucer with Suprematist design of off-centre black dot and black rim, manufactured 1923, Petrograd State Porcelain Factory. Porcelain with overglaze painted decoration, $5\frac{5}{8}$ (14.3) diameter. Museum of Modern Art, New York. Stamped on back with the former Imperial Porcelain Works monogram, the hammer and sickle, *Suprematizm* (Cyr.) and dates *1913, 1923*.
216. Kazimir Malevich Cup 1923. Porcelain model, $2\frac{1}{2} \times 2\frac{3}{4} \times 2$ (6.5 × 7 × 5). Museum of State Porcelain Works, Leningrad. Ref. Zhadova, 1982, no. 247.
217. Kazimir Malevich Teapot 1923. Porcelain model, $6\frac{1}{8} \times 6\frac{1}{4} \times 3\frac{1}{8}$ (15.5 × 16 × 8). Museum of State Porcelain Works, Leningrad. Ref. Zhadova, 1982, no. 250.
218. Anon. Photograph of Malevich teaching Unovis group, Vitebsk 1920. Inscr. on blackboard *UNOVIS*. Ref. Rakitin, 1970 (2), p. 78, fig. 2; Malevich is at the blackboard, Suetin on the chair in the foreground.
219. Alexander Rodchenko *Spatial Construction* 1920. Wood. Lost. Ref. *Rodchenko*, 1979, no. 47 (reconstruction), pl. p. 45.
220. Anon. Photograph of the third 'Obmokhu' exhibition, Moscow May 1921. Ref. Lodder, 1983, fig. 2.16; Nakov, 1981, pl. p. 38; includes works by A. Rodchenko (upper centre and right), K. Medunetsky (left), V. Stenberg and G. Stenberg (centre).
221. Lev Bruni (1894–1948) *Construction* 1917. Perspex, aluminium, iron, glass, etc. Presumed destroyed. Ref. Lodder, 1983, pp. 20–1, fig. 1.20.
222. Petr Miturich (1887–1956) *Spatial Painting No. 18* 1918. Paint on paper and cardboard (?). Inscr. on stand *No. 18 Moskva 1220* (Cyr.). Destroyed by the artist. Ref. Lodder, 1983, p. 30 and fig. 1.39, in artist's studio *c.* 1921; Nakov, 1972, p. 85, note 5.
223. Konstantin Medunetsky (1899–*c.* 1936) *Spatial Construction* 1919. Tin, brass, steel and painted iron on painted metal base, 18 (46)

high. Yale University Art Gallery, New Haven. Inscr. on base l.r. *K. Medunetsky* (Cyr.). Ref. *Societé Anonyme*, 1984, no. 458; Lodder, 1983, col. pl. II. Ex. 'Obmokhu', May 1921; 'Erste russische Kunstausstellung', Berlin, Oct. 1922, no. 556.

224. Petr Miturich *Spatial Painting* 1918. Paint on paper and cardboard (?). Destroyed by the artist. Ref. Lodder, 1983, p. 30 and fig. 9.6.

225. El Lissitzky *Of Two Squares* Written and designed, Vitebsk 1920. Published Berlin, 1922. $11 \times 8\frac{7}{8}$ (27.8×22.7). Van Abbemuseum, Eindhoven. Ref. *Avant-Garde in Russia*, 1980, no. 142; Lissitzky-Küppers, 1968, col. pls. 80–91.

226. El Lissitzky *Beat the Whites with the Red Wedge* 1920. Colour lithograph, $20\frac{7}{8} \times 27\frac{1}{2}$ (53×70). Lenin Library, Moscow. Inscr. *Bei belykh krasnym klinom* (Cyr.) (see title above). Ref. *Art and Revolution*, 1982, no. 331, col. pl.

227. El Lissitzky Catalogue to Soviet section of International Press Fair, Cologne 1928. Both Russian and German newspaper clippings are visible. Cf. *R. and M. Sackner collection*, 1983, pl. pp. 18–19, left-hand section of Gray pl. 227.

228. El Lissitzky Room design for 'Great Berlin Art Exhibition' 1923. Ref. *Planar Dimension*, 1979, pp. 28–9; Bowlt, 1977; *Avant-Garde in Russia*, 1980, no. 155, 1965 reconstruction.

229. Varvara Stepanova (1894–1958) Textile design 1924. Ink and gouache on paper, $18 \times 21\frac{5}{8}$ (46×55). V.A. Rodchenko collection, Moscow. Ref. *Art and Revolution*, 1982, no. 160, col. pl.

230. Vladimir Tatlin *Worker's clothes and a stove* 1923. Part of a page from *Krasnaia Panorama* (Cyr.) (Red Panorama), 1924, XII, 4, p. 17, headed *Novyi Byt* (Cyr.) (New Way of Life). Ref. Zsadova (1984), no. VII/2; *Tatlin*, 1968, p. 73; Milner, 1983, pls. 200–2.

231. Natan Altman A memorial stamp to commemorate Lenin's death 1924. Location unknown.

232. Natan Altman Design for a stamp for Fifth Anniversary of October Revolution 1922. Watercolour, India ink on paper attached to cardboard, $6\frac{1}{4} \times 5\frac{1}{8}$ (16×13). Russian Museum, Leningrad. Ref. *Altman*, 1978 (n.p.).

233. Alexei Sotnikov (1904–) *Child's nursing vessel* 1930. Glazed porcelain, $9\frac{1}{2}$ (24) in circumference. Private collection, Moscow. Ref. Zsadova (1984), no. XI/6; Lodder, 1983, p. 213, fig. 7.9, as a mass variant of Tatlin's version of 1928–9.

234. N. Rogozhin Model *'Viennese' chair* 1927. Soft bentwood. Lost. Ref. Lodder, 1983, p. 211, fig. 7.6 as made in Tatlin's studio in woodwork faculty at Vkhutemas, Moscow; Zsadova (1984), VII/3.

235. Alexander Rodchenko Interior, *Workers' Club*, Soviet Pavilion at 'L'Exposition internationale des arts décoratifs', Paris 1925. Photograph of installation. Ref. *Paris-Moscou*, 1979, pl. p. 251.

236. Alexander Rodchenko and pupils in Vkhutemas, Moscow Multi-purpose furniture and clothing mid-1920s. Table (two views) by I. Morosov; street sales stand by A. Gan. Lost. Ref. Chan-Magomedow, 1983, pls. 424–5; *Paris-Moscou*, 1979, pl. p. 265. Under the heading *Fakty za nas* (Cyr.) (The facts support us) A. Gan writes about Constructivism.

237. Konstantin Melnikov (1890–1974) *Soviet Pavilion* (detail) at 'L'Exposition internationale des arts décoratifs', Paris 1925. Ref. Chan-Magomedow, 1983, pls. 572–6; Starr, 1978, pp. 85–106, pls. 67–85.

238. Ilia Golosov (1883–1945) *Zuev Workers' Club* Lesnaia St, Moscow 1926–7. Inscr. *Klub*. Ref. Chan-Magomedow, 1983, pls. 1196–1201; *Art & Architecture – USSR*, 1971, nos. 152–9; see Kyrilov, 1970, pp. 99–100, pls. 1–22, for Golosov's life and works. The building has been much altered.

239. Alexandra Exter Set and costumes for Shakespeare's *Romeo and Juliet*, produced by A. Tairov, Kamerny Theatre, Moscow 1921. Photograph. Ref. Cohen, 1981, pl. p. 48; *Art and Revolution*, 1982, nos. 46–8, 1920–1, costume designs. Ex. 'Erste russische Kunstausstellung', Berlin, Oct. 1922, no. 305, *Theatre Dekorations modell.*

240. Georgii Yakulov (1884–1928) Maquette of set and costumes for ballet *Le Pas d'Acier*, music by S. Prokofiev, produced by S. Diaghilev, Paris 1927. S. Lifar collection, Paris. Ref. *Russian Stage Design*, 1982, pp. 320–1; *Paris-Moscou*, 1979, p. 542, illus. p. 371.

241. Georgii Yakulov Scene from ballet *Le Pas d'Acier*, music by S. Prokofiev, Paris 1927. Photograph. Cf. Costume designs for three dancers, *Russian Art*, 1970, no. 50.

242. Alexander Vesnin (1883–1959) Maquette of set for play based on G.K. Chesterton's novel *The Man who was Thursday*. Produced by A. Tairov at Kamerny Theatre, Moscow, 1923. Wood, cardboard, textile, $31\frac{1}{2} \times 30 \times 20$ ($80 \times 76.2 \times 50.8$). Theatermuseum, Universität zu Köln. Inscr.

with title of play and author's name in Cyrillic. Damaged in the Second World War, the maquette has been restored. Ref. Letter 8 Oct. 1985, from Theatermuseum; Chan-Magomedow, 1983, illus. 465–7; *Moscow-Paris*, 1981, vol. 1, p. 339.

243. El Lissitzky Model theatre and set for S. Tretyakov's *I want a child* for Meyerhold's unrealized production 1928–30. Wood, cloth, rope and metal, $26 \times 57\frac{1}{8} \times 29\frac{7}{8}$ ($66 \times 145.2 \times 75.9$). Bakhrushin Museum, Moscow. Inscr. around the wall of the theatre in Cyrillic *A healthy child is the future builder of socialism* (repeated). Ref. *Art and Revolution*, 1982, no. 337, col. pl. of part of set.

244. Varvara Stepanova Stage set for A. Sukhovo-Kobylin's play of 1869, *The Death of Tarelkin*, produced by V. Meyerhold, Moscow 1922. Photograph. Ref. *Avant-Garde in Russia*, 1980, no. 358, reconstruction; Law, 1981.

245. Liubov Popova Scene from F. Crommelynck's play *The Magnanimous Cuckold*, produced by V. Meyerhold, Actor's Theatre, Moscow 1922. Set and costumes by Popova. Inscr. *Cr ml nck*. Ref. Law, 1979; *Art and Revolution*, 1982, no. 265. Maquettes for set are in Theatermuseum, Universität zu Köln, and Bakhrushin Museum, Moscow.

246. El Lissitzky Double page from V. Mayakovsky's *Dlia Golosa* (Cyr.) (For the Voice), Berlin 1923. Printed paper, $7\frac{1}{2} \times 5\frac{1}{4}$ (19.1×13.2). Van Abbemuseum, Eindhoven. Ref. *Avant-Garde in Russia*, 1980, no. 156; Lissitzky-Küppers, 1968, col. pls. 94–108. The heading of the right-hand page is *A Left March*. The verse, addressed to sailors, calls on them to form lines for a march, etc. Titles of individual poems are given on the decorated thumb tabs on the right.

247. Vladimir Stenberg (1899–1982) and Georgii Stenberg (1900–33) Poster for Dziga Vertov's film *Odinnadsatyi* (Cyr.) (The Eleventh) 1928. Colour lithograph (photomontage), $42\frac{1}{8} \times 28$ (107×71). Lenin Library, Moscow. Ref. *Art and Revolution*, 1982, no. 170, col. pl. The title refers to the eleventh anniversary of the Revolution.

248. Gustav Klutsis (1895–1944) *Let us Fulfil the Plan of Great Works* 1930. Colour lithograph, $48\frac{1}{2} \times 34\frac{5}{8}$ (123×88). Lenin Library, Moscow. Inscr. with the title in Cyrillic. Ref. *Paris-Moscou*, 1979, p. 539, col. pl. p. 362.

249. Yury Annenkov Cover design for Georges Annenkoff, *Portraits* 1922. Inscr. l.l. *Yu.A 1922* (Cyr.).

250. El Lissitzky Cover design for *Veshch/Gegenstand/Objet* No. 3, Berlin May 1922. Ed. Lissitzky and Ilya Ehrenburg. $12\frac{3}{8} \times 9\frac{5}{8}$ (31.5×24.5). Nakov Archives, Paris. Ref. Nakov, 1981, p. 317; Lissitzky-Küppers, 1968, col. pl. 76.

251. Anton Lavinsky (1893–1968) (attrib.) Cover design for V. Mayakovsky's *Slony v Komsomole* (Cyr.) (Elephants in the Komsomol), Moscow 1929. Ref. *Mayakovsky*, 1982, no. 69, as probably designed by A. Lavinsky, not by Lissitzky as stated by Gray.

252. Anton Lavinsky Cover design for Mayakovsky's *13 let raboty* (Cyr.) (13 years of work), vol. 2, Moscow 1922. Ref. *Mayakovsky*, 1982, no. 16.

253. Alexei Gan (1893–1940) Cover design for *Sovremennaia Arkhitektura* (Cyr.) (Contemporary Architecture), 2, 1927. Printed paper, 12×9 (30×23). Bekker–Telingater collection, Moscow. Ref. *Paris-Moscou*, 1979, p. 537.

254. Alexander Rodchenko Cover design for *No. S* (Cyr.) (New Poems) by V. Mayakovsky, Moscow 1928. State Museum of Literature, Moscow. Ref. *Mayakovsky*, 1982, no. 63.

255. Alexander Rodchenko Cover design for *LEF* (Cyr.) (Left Front of the Arts), ed. V. Mayakovsky, no. 2, Moscow Apr.–May 1923. Letterpress and lithography, $9\frac{1}{4} \times 6\frac{1}{8}$ (23.4×15.6). Australian National Gallery, Canberra. Ref. *Avant-Garde in Russia*, 1980, no. 307; *Rodchenko*, 1979, no. 80, col. pl. p. 20; *LEF* published 1923–5 (seven issues).

256. Alexander Rodchenko Cover design for *LEF* (Cyr.) (Left Front of the Arts), ed. V. Mayakovsky, no. 4, dated Aug.–Sept. 1923 (appeared Jan. 1924). Ref. Stephan, 1981, p. 36; *Rodchenko*, 1979, no. 80, col. pl. p. 20; *Constructivism & Futurism*, no. 154a, as Aug.–Dec. 1924.

参考书目

Abramsky, C. 'El Lissitzky as Jewish Illustrator and Typographer', *Studio International*, vol. 172, no. 882, Oct. 1966, pp. 182–5.

Abramtsevo. N. Beloglazova, ed. Moscow, 1981.

Abstraction: Towards a New Art, Painting, 1910–20. Ex. cat. Tate Gallery, London, 1980.

Agitation–Mass Art, 1984. See Russian bibliography no. 1.

Altman, 1978. See Russian bibliography no. 2.

Amiard-Chevrel, C. 'Princess Brambilla . . .', *Les Voies de la Création Théâtrale*, vol. 7, 1979, pp. 127–52.

Amishai-Maisels, Z. 'Chagall's Jewish In-Jokes', *Journal of Jewish Art*, vol. 5, 1978, pp. 76–93.

Andersen, T. *Malevich*. Amsterdam, 1970.

Andersen, T. 'Skydeskiven. Fra de dekadente til formalisterne', *Louisiana Revy*, Sept. 1985, pp. 10–16.

Apollon. See Russian bibliography no. 3.

Art and Architecture USSR 1917–32. Ex. cat. Institute for Architecture and Urban Studies, New York, 1971.

Art and Revolution. Ex. cat. Seibu Museum, Tokyo, 1982.

Artistic Life in Moscow and Petrograd in 1917, 1983. See Russian bibliography no. 11.

Art of the Avant-Garde in Russia: Selections from the George Costakis Collection. By M. Rowell and A. Zander Rudenstine. Ex. cat. Solomon R. Guggenheim Museum, New York, 1981.

L'Avant-Garde au Feminin: Moscou—Saint-Petersbourg—Paris 1907–1930. By J.-C. and V. Marcadé. Ex. cat. Artcurial, Paris, 1983.

The Avant-Garde in Russia, 1910–1930: New Perspectives. S. Barron and M. Tuchman, eds. Ex. cat. Los Angeles County Museum of Art, 1980.

Barr, A.H., Jr. *Painting and Sculpture in the Museum of Modern Art, New York 1929–1967*. New York, 1977.

Barskaya, A. *French Painting: Second half of the 19th to the Early 20th Century. The Hermitage*. Leningrad, 1975.

Benois, A. *The Russian School of Painting*. Trans. A. Yarmolinsky. New York, 1916.

Benois, A. *Memoirs*. 2 vols. London, 1960 and 1964.

Berninger, H. and J.A. Cartier. *Pougny. Catalogue de l'oeuvre, Tome 1: Les Années d'avant-garde, Russie–Berlin, 1910–1923*. Tübingen, 1972.

Birnholz, A. 'El Lissitzky and the Jewish Tradition', *Studio International*, vol. 186, no. 959, Oct. 1973, pp. 130–6. [Birnholz, 1973 (1)]

Birnholz, A. 'El Lissitzky', Ph.D. dissertation, Yale University, 1973. [Birnholz, 1973 (2)]

Bois, Y.-A. 'Malévich, le carré, le degré zéro', *Macula*, no. 1 (1976), pp. 28–49. [Bois, 1976 (1)]

Bois, Y.-A. 'El L. didactiques de lecture', *Soviet Union*, vol. 3, pt. 2, 1976, pp. 233–52. (Bois, 1976 [2])

Bowlt, J.E. 'The Chronology of Larionov's Early Work', *Burlington Magazine*, vol. 114, Oct. 1972, pp. 719–20 (Correspondence).

Bowlt, J.E. 'Two Russian Maecenases. Savva Mamontov and Princess Tenisheva', *Apollo*, vol. XCVIII, no. 142 (n.s.), Dec. 1973, pp. 444–53. [Bowlt, 1973 (1)].

Bowlt, J.E. 'Nikolai Ryabushinsky: Playboy of the Eastern World', *Apollo*, vol. XCVIII, no. 142 (n.s), Dec. 1973, pp. 486–93. [Bowlt, 1973 (2)]

Bowlt, J.E. 'Neo-primitivism and Russian Painting', *Burlington Magazine*, vol. 116, 1974, pp. 133–40.

Bowlt, J.E. 'The Blue Rose: Russian Symbolism in Art', *Burlington Magazine*, vol. 118, Aug. 1976, pp. 566–74. [Bowlt, 1976 (1)]

Bowlt, J.E., ed. *Russian Art of the Avant-Garde: Theory and Criticism, 1902–1934*. New York, 1976. [Bowlt, 1976 (2)]

Bowlt, J.E. 'Lissitzky's Proun Room, Berlin, 1923', *Berlin/Hanover: the 1920s*. Ex. cat. Dallas Museum of Fine Arts, 1977.

Bowlt, J.E. and R.-C. Washton-Long. *The Life of Vasilii Kandinsky in Russian Art: A Study of 'On the Spiritual in Art'*. Newtonville, 1980.

Bowlt, J.E. 'Recent Publications on Modern Russian Art', *Art Bulletin*, vol. LXIV, no. 3, September 1982, pp. 488–94. [Bowlt, 1982 (1)]

Bowlt, J.E. *The Silver Age: Russian Art of the Early Twentieth Century and the 'World of Art' Group*. Newtonville, 1982. (2nd revised ed.) [Bowlt, 1982 (2)]

Cahiers du Musée National d'Art Moderne, Paris, 1979/2, 'Dossier: Le Cubisme en Russie', pp. 278–328.

Cahiers du Musée National d'Art Moderne, Paris, 1980/4, 'Dossier: La Russie et Picasso', pp. 300–23.

Calov, G. 'Russische Künstler in Italien', *Beiträge zu den europäischen Bezügen der Kunst*

in Russland, H. Rothe, ed. Giessen, 1979, pp. 13–40.
Carter, H. *The New Spirit in the Russian Theatre*. London, 1929.
Chagall. By S. Compton, Ex. cat. Royal Academy of Arts, London, 1985.
Chamot, M. *Goncharova: Stage Designs and Paintings*. London, 1979.
Chamot, M. *Gontcharova*. Paris, 1972.
Chan-Magomedow, S. *Pioniere der sowjetischen Architektur*. Berlin, 1983.
Chklovski, V. *Resurrection du Mot*. A. Nakov, ed. Paris, 1985.
M.K. Čiurlionis. By A. Venclova. Vilnius, 1970.
Cohen, R. 'Alexandra Exter's Designs for the Theatre', *Artforum*, Summer 1981, pp. 46–49.
Coleccion Ludwig, 1985. See *Vanguardia Rusa*.
Color and Rhyme. D. Burliuk, ed. Hampton Bays, N.Y., 1930–66.
Compton, S. *The World Backwards: Russian futurist books 1912–1916*. London, 1978.
Compton, S. 'Malévitch et l'avant-garde', *Malévitch: Colloque International*, Lausanne, 1979.
Compton, S. 'Italian Futurism and Russia', *Art Journal*, vol. 41, no. 4, Winter 1981, pp. 343–8.
Constructivism & Futurism: Russian and Other, By A.A. Cohen and G. Harrison. Ex Libris Sale Cat. 6. New York, 1977.
Costakis Collection, 1981. See *Russian Avant-Garde Art*.
Dabrowski, M. 'The Formation and Development of Rayonism', *Art Journal*, vol. 34, no. 3, Spring 1975, pp. 200–7.
Dada-Constructivism. Ex. cat. Annely Juda Fine Art, London, 1984.
Daix, P. and J. Rosselet. *Picasso: The Cubist Years 1907–1916*. London, 1979.
Davies, I. 'Primitivism in the first wave of the twentieth-century avant-garde in Russia', *Studio International*, vol. 186, no. 958, Sept. 1973, pp. 80–4.
Denis, M. *Journal*. Vol 2. Paris, 1957.
Denyer, T. 'Montage and Political Consciousness', *Soviet Union*, vol. 7, pts. 1–2, 1980, pp. 89–111.
d'Harnoncourt, 1980. See *Futurism and the International Avant-Garde*.
Dmitrieva, 1984. See Russian bibliography no. 5.
Donkey's Tail & Target, 1913 (*Oslinyi khvost i Mishen*). See Russian bibliography no. 20.
Douglas, C. 'The New Russian Art and Italian Futurism', *Art Journal*, vol. 34, no. 3, Spring 1975, pp. 229–39.
Douglas, C. 'Malevich's Painting—Some Problems of Chronology', *Soviet Union*, vol. 5, pt. 2, 1978, pp. 301–26.
Douglas, C. 'Cubisme Français/Cubo-Futurisme Russe', *Cahiers du Musée National d'Art Moderne*, oct./dec. 1979/2, pp. 184–93.
Douglas, C. *Swans of Other Worlds: Kazimir Malevich and the Origins of Abstraction in Russia*. Ann Arbor, 1980. [Douglas, 1980 (1)]
Douglas, C. '0-10 Exhibition', *The Avant-Garde in Russia*, 1980, pp. 34–40. [Douglas, 1980 (2)]
Douglas, C. 'Victory over the Sun', *Russian History*, vol. 8, pts. 1–2, 1981, pp. 69–89.
Dreier, K. *Burliuk*. New York, 1944.
Du Plessix, F. 'Russian Art 50 Years Ago', *Art in America*, vol. 51, Feb. 1963, pp. 120–2.
Eganbiuri, 1913. See Russian bibliography no. 39.
Etkind, 1971. See Russian bibliography no. 40.
Evreinov, N. *Histoire du Théâtre Russe*. Paris, 1947.
Farr, D. 'Russian Art and the revolution', *Apollo*, vol. LXXVI, July 1962, pp. 555–8.
The First Russian Show: A Commemoration of the Van Diemen Exhibition Berlin 1922. A. Nakov, ed. Ex. cat. Annely Juda Fine Art, London, 1983.
Fitzpatrick, S. *The Commissariat of Enlightenment: Soviet Organisation of Education and the Arts under Lunacharsky, October 1917–21*. Cambridge, 1970.
Friedman, M. 'Icon Painting and Russian Popular Art as Sources of Some Works by Chagall', *Journal of Jewish Art*, vol. 5, 1978, pp. 94–107.
From Painting to Design: Russian Constructivist Art of the Twenties. Ex. cat. Galerie Gmurzynska, Köln, 1981.
Frost, M. 'Marc Chagall and the Jewish State Chamber Theatre', *Russian History*, vol. 8, pts. 1–2, 1981, pp. 90–107.
Fry, E. 'Léger and the French Tradition', *Fernand Léger*. Ex. cat. Albright–Knox Art Gallery, New York, 1982, pp. 9–29.
Futurism and the International Avant-Garde. By A. d'Harnoncourt. Ex. cat. Philadelphia Museum of Art, 1980.
Gabo, Naum and Anton Pevsner. *The Realistic Manifesto*, 1920. (Eng. trans. in Bowlt, *Russian Art of the Avant-Garde*, 1976, pp. 209–14.)
Gassner, H. *Alexander Rodschenko: Konstruktion 1920 oder die Kunst, das Leben zu*

organisieren. Frankfurt am Main, 1984.
George, W. *Larionov*. Paris, 1966.
Ginsburg, M. 'Art Collectors of Old Russia: The Morosovs and the Shchukins', *Apollo*, vol. XCVIII, no. 142 (n.s.), Dec. 1973, pp. 470–85.
Golden Fleece (*Zolotoe Runo*). See Russian bibliography no. 6.
Golovin, 1940. See Russian bibliography no. 4.
Gordon, D. *Modern Art Exhibitions 1900–1916*. 2 vols. Munich, 1974.
Gordon, M. 'Meyerhold's Biomechanics', *Drama Review*, vol. 18, no. 3, Sept. 1974, pp. 73–88.
Grioni, J. 'Le sculpteur Troubetzkoy. . .', *Gazette des Beaux-Arts*, mai–juin 1985, pp. 205–12.
Grohmann, W. *Wassily Kandinsky*. New York (1958).
Grover, S.R. 'Savva Mamontov and the Mamontov Circle, 1870–1905'. Ph.D. dissertation, University of Wisconsin, 1971.
Guerman, M. *Art of the October Revolution*. New York, 1979.
The Guggenheim Museum Collection: Paintings 1880–1945. 2 vols. By A. Zander Rudenstine. New York, 1976.
Peggy Guggenheim Collection, Venice. By A. Zander Rudenstine. New York, 1985.
Gusarova, A. *Mstislav Dobuzhinskii*. Moscow, 1982.
Hahl-Koch, J. 'Kandinsky's Role in the Russian Avant-Garde', *The Avant-Garde in Russia*, 1980, pp. 84–90.
Harrison Roman, G. 'Vladimir Tatlin and "Zangezi"', *Russian History*, vol. 8, pts. 1–2, 1981, pp. 108–39.
Henderson, L.D. *The Fourth Dimension and Non-Euclidean Geometry in Modern Art*. Princeton, 1983.
Hnikova, D. *Russische Avantgarde 1907–1922*. Bern, 1975.
Hunter, S. *The Museum of Modern Art, New York: The History and the Collection*. New York, 1984.
Isdebsky-Pritchard, A. *The Art of Mikhail Vrubel (1856–1910)*. Ann Arbor, 1982.
Janecek, G. *The Look of Russian Literature*. Princeton, 1984.
Kampf, A. 'In Quest of the Jewish Style in the Era of the Russian Revolution', *Journal of Jewish Art*, vol. 5, 1978, pp. 48–75.
Kandinsky, V. *Complete Writings on Art*. 2 vols. K. Lindsay and P. Vergo, eds. Boston, 1982.
Kaplanova, S. *Vrubel*. Leningrad, 1975.
Karginov, G. *Rodchenko*. London, 1979.
Kean, B.W. *All the Empty Palaces: The Merchant Patrons of Modern Art in Pre-Revolutionary Russia*. New York, 1983.
Kelkel, M. 'La vie musicale et les tendances esthétiques, 1900–1930', *Paris-Moscou*, 1979, pp. 470–81.
Kemenov, V. *Vasily Surikov*. Leningrad, 1979.
Kennedy, J. *The 'Mir iskusstva' Group and Russian Art*. New York, 1977.
Khan-Magomedov. See Chan-Magomedow.
Khardzhiev, 1976. See Russian bibliography no. 38.
Klimoff, E. 'Alexander Benois and his Role in Russian Art', *Apollo*, vol. XCVIII, no. 142 (n.s.), Dec. 1973, pp. 460–9.
Kniazeva, 1963. See Russian bibliography no. 8.
Kogan, 1980. See Russian bibliography no. 9.
Korotkina, L. *Nikolay Roerich*. Leningrad, 1976.
Kovtun, E. 'Kazimir Malevich', *Art Journal*, Fall 1981, pp. 234–41.
Kyrilov, V. 'P. and I. Golossov', *Architectural Design*, Feb. 1970, pp. 98–100.
Lapshina, 1977. See Russian bibliography no. 12.
Larionov, M. *Une avant-garde explosive*. M. Hoog, ed. Lausanne, 1978.
Larionov and Goncharova. By M. Chamot and C. Gray. Ex. cat. Arts Council, London, 1961.
Lavrentjev, A. *Rodchenko Photography*. New York, 1982.
Law, A. '"Le Cocu Magnifique" de Crommelynck', *Les Voies de la Création Théâtrale*, vol. 7, Paris, 1979, pp. 13–40.
Law, A. 'The Death of Tarelkin: A Constructivist Vision of Tsarist Russia', *Russian History*, vol. 8, pts. 1–2, 1981, pp. 145–98.
Lazarev, 1983. See Russian bibliography no. 10.
Lebedev, A. *The Itinerants*. Leningrad, 1974.
LEF (*Left Front of the Arts*). See Russian bibliography no. 13.
Léger, 1982. See Fry.
Legg, A., ed. *Painting and Sculpture in the Museum of Modern Art with Selected Works on Paper: Catalogue of the Collection January 1, 1977*. New York, 1977.
Leonard, R. *A History of Russian Music*. New York, 1957.
Leyda, J. *Kino: a History of the Russian and Soviet Film*. Princeton, 1983.
Liaskovskaia, 1982. See Russian bibliography no. 14.
Lissitzky-Küppers, S. *El Lissitzky*. Green-

wich, Conn., 1968.
Lista, G. 'Futurisme et Cubo-Futurisme', *Cahiers du Musée National d'Art Moderne*, Paris, 1980/5, pp. 456–65.
Lista, G. 'Malevich e il futurismo', *Nuovi Argomenti*, no. 61, Jan./Mar. 1979, pp. 132–43.
Livshits, B. *The One and a Half-Eyed Archer*. Trans. J.E. Bowlt. Newtonville, 1977.
Lodder, C. *Russian Constructivism*. New Haven, 1983.
Loguine, T. *Gontcharova et Larionov*. Paris 1971.
Lozowick, L. 'Moscow Theatre, 1920's', *Russian History*, vol. 8, pts. 1–2, 1981, pp. 140–4.
Malevich, K. 'Chapters from an Artist's Autobiography'. Trans. A. Upchurch, *October*, no. 34, Fall 1985, pp. 25–44.
K.S. Malevich: Essays on Art 1915–1933. 2 vols. T. Andersen, ed. Copenhagen, 1971.
K.S. Malevich: The World as Non-Objectivity (Unpublished Writings 1922–1925). T. Andersen, ed. vol. 3. Copenhagen, 1976.
K.S. Malevich: The Artist, Infinity, Suprematism (Unpublished Writings 1913–1933). T. Andersen, ed. vol. 4. Copenhagen, 1978.
K.S. Malévitch: De Cézanne au Suprématisme. J.-C. Marcadé, ed. Lausanne, 1974.
Malévitch: Écrits. A. Nakov, ed. Paris, 1975. (Rev. and expanded as *Kazimir S. Malevic. Scritti*. Milan, 1977.)
K.S. Malévitch: Le Miroir suprématiste. J.-C. Marcadé, ed. Lausanne, 1977.
K.S. Malévitch, La Lumière et la Couleur. J.-C. Marcadé, ed. Lausanne, 1981.
Malevitch. Ex. cat. Musée National d'Art Moderne, Paris, 1978.
Malévitch. Actes du Colloque international, Musée National d'Art Moderne, Paris. Lausanne, 1979.
Malévitch: oeuvres. J.-H. Martin. Collections du Musée National d'Art Moderne, Paris, 1980.
Kasimir Malewitsch: Werke aus sowjetischen Sammlungen. J. Harten and K. Schrenk, eds. Ex. cat. Städtische Kunsthalle, Düsseldorf, 1980.
Marcadé, J.-C. 'K.S. Malevich . . .', *The Avant-Garde in Russia*, 1980, pp. 20–4.
Marcadé, V. *Le Renouveau de l'art pictural russe*. Lausanne, 1971.
Markov, 1967. See Russian bibliography no. 15.
Markov, V. *Russian Futurism: A History*. Berkeley, 1968.
Mayakovsky: Twenty Years of Work. Ex. cat. Museum of Modern Art, Oxford, 1982.
Meyer, F. *Marc Chagall*. New York, 1963.
Mikhailov, 1970. See Russian bibliography no. 17.
Milner, J. *Vladimir Tatlin and the Russian Avant-Garde*. New Haven, 1983.
Mir iskusstva – Il Mondo dell' Arte: Artisti russi dal 1898 al 1924. Ex. cat. Museo Diego Aragona Pignatelli Cortes, Naples, 1981.
Misler, N. and J.E. Bowlt. *Pavel Filonov: A Hero and his Fate*. Austin, 1984.
Modern Masters from the Thyssen-Bornemisza Collection. Ex. cat. Royal Academy of Arts, London, 1984.
Molok, Y. *Vladimir Favorsky*. Moscow, 1967.
MOMA, 1977 (1). See Barr.
MOMA, 1977 (2). See Legg.
MOMA, 1984. See Hunter.
Moscow-Paris, 1981. See Russian bibliog. no. 18.
Murray, A. 'A Problematical Pavilion: Alexandre Benois' First Ballet', *Russian History*, vol. 8, pts. 1–2, 1981, pp. 23–52.
Nakov, 1972. See Taraboukine.
Nakov, A. 'Notes from an unpublished catalogue', *Studio International*, vol. 186, no. 961, Dec. 1973, pp. 223–5. [Nakov, 1973(1)]
Nakov, 1973(2). See *Tatlin's Dream*.
Nakov, 1975. See *Malévitch: Écrits*.
Nakov, A. 'Malevich as Printmaker', *Print Collector's Newsletter*, vol. VII, no. 1, Mar.–Apr. 1976, pp. 4–10.
Nakov, A. *Abstrait/Concret: Art non-objectif Russe et Polonais*. Paris, 1981.
Nakov, 1983. See *The First Russian Show*.
Nakov, A. *L'Avant-Garde Russe*. Paris, 1984.
Nakov, 1985. See Chklovski.
Nisbet, P. 'Some Facts on the Organizational History of the Van Diemen Exhibition', *The First Russian Show*, 1983, pp. 67–72.
Norton Simon, 1972. See *Selections from the Norton Simon, Inc. Museum of Art*.
Object. Veshch/Gegenstand/Objet. El Lissitzky and I. Erenburg, eds. Berlin, 1922, nos. 1–3.
Ovsiannikov, 1968. See Russian bibliography no. 19.
Pakhomov, 1969. See Russian bibliography no. 21.
Paris-Moscou, 1900–1930. Ex. cat. Centre Nationale d'Art et de Culture Georges Pompidou, Paris, 1979 (2nd revised ed.).
Parker, F. and S.J. Parker. *Russia on Canvas: Ilya Repin*. University Park and London, 1980.
la peinture russe à l'époque romantique. Ex. cat. Grand Palais, Paris, 1976.
Petric, V. 'Dziga Vertov and the Soviet

Avant-Garde Movement', *Soviet Union*, vol. 10, pt. 1, 1983, pp. 1–58.

Pevsner, A. *A Biographical Sketch of my Brothers Naum Gabo and Antoine Pevsner*. Amsterdam, 1964.

Niko Pirosmani. By E. Kuznetsov. Leningrad, 1983.

The Planar Dimension Europe, 1912–1932. By M. Rowell. Ex. cat. Solomon R. Guggenheim Museum, New York, 1979.

Pleynet, M. 'L'Avant-Garde Russe', *Art International*, vol. 14, Jan. 1970, pp. 39–44.

Print Collector's Newsletter, vol. VII, no. 1, Mar.-Apr. 1976.

Punin, 1920. See Russian bibliography no. 22.

Rakitin, V. 'El Lissitzky', *Architectural Design*, Feb. 1970, pp. 82–3. [Rakitin, 1970 (1)]

Rakitin, V. 'UNOVIS', *Architectural Design*, Feb. 1970, pp. 78–9. [Rakitin, 1970 (2)]

Read, H. and L. Martin. *Gabo*. Cambridge, Mass., 1957.

Rodčenko e Stepanova: alle origini del costruttivismo. V. Quilici, ed. Ex. cat. Palazzo dei Priori and Palazzo Cesaroni, Perugia, 1984.

Alexander Rodchenko. D. Elliott, ed. Ex. cat. Museum of Modern Art, Oxford, 1979.

Alexander Rodchenko. Possibilities of Photography. Ex. cat. Galerie Gmurzynska, Köln, 1982.

Alexander Rodtschenko und Warwara Stepanova. Werke aus sowjetischen museen ... Ex. cat. Wilhelm-Lehmbruck Museum der Stadt Duisburg, 1982.

Roethel, H. and J. Benjamin. *Kandinsky. Catalogue raisonné of the Oil Paintings*. 2 vols. London, 1982 and 1984.

Rowell, M. 'Vladimir Tatlin: Form/Faktura', *October*, no. 7, Winter 1978, pp. 83–108.

Rowell, M. 'New Insights into Soviet Constructivism', *Art of the Avant-Garde in Russia*, 1981, pp. 15–32.

Rudenstine, A. Zander. 'The Chronology of Larionov's Early Work', *Burlington Magazine*, vol. 114, Dec. 1972, p. 874 (Correspondence).

Rudenstine, A. Zander. 'The George Costakis Collection', *Art of the Avant-Garde in Russia*, 1981, pp. 9–14.

Rudnitsky, K. *Meyerhold the Director*. Ann Arbor, 1981.

Rusakov, Y. 'Matisse in Russia ...', *Burlington Magazine*, vol. 117, no. 866, May 1975, pp. 284–91.

Rusakov, 1975. See Russian bibliography no. 23.

Rusakova, A. *Borisov-Musatov*. Leningrad, 1975.

Russian Art of the Revolution. Ex. cat. Andrew Dickson White Museum of Art, Cornell University, Ithaca, 1970.

Russian Avant-Garde Art: The George Costakis Collection. A. Zander Rudenstine, ed. New York, 1981.

The Russian Avant-Garde: From the Collection of R. and M. Sackner. Lowe Art Museum, University of Miami, 1983.

Russian Futurism. E. Proffer and C. Proffer, eds. Ann Arbor, 1980.

Russian Museum, 1979. See Russian bibliography no. 24.

Russian Museum, 1980. See Russian bibliography no. 25.

Russian Stage Design: Scenic Innovation, 1900–1930. From the Collection of Mr. and Mrs. Nikita D. Lobanov-Rostovsky. By J.E. Bowlt. Ex. cat. Mississippi Museum of Art, Jackson, 1982.

Russian Women-Artists of the Avant garde 1910–1930. Ex. cat. Galerie Gmurzynska, Köln, 1979.

Russische und Sowjetische Kunst: Tradition und Gegenwart. Ex. cat. Städtische Kunsthalle, Düsseldorf, 1984.

R. and M. Sackner Collection, 1983. See *The Russian Avant-Garde*.

Salko, N. *Early Russian Painting: 11th to early 13th centuries*. Leningrad, 1982.

Salmon, A. *L'Art russe moderne*. Paris, 1928.

Salmond, W. 'Mikhail Vrubel and Stage Design', *Russian History*, vol. 8, pts. 1–2, 1981, pp. 3–22.

Sarabianov, 1971. See Russian bibliography no. 26.

Sarabianov, D. *Russian Masters of the early 20th century (New Trends)*. Leningrad, 1973.

Sarabianov, 1975. See Russian bibliography no. 27.

Sarabianov, D. *Valentin Serov*. New York, 1982.

Saryan, 1968. See Russian bibliography no. 7.

Selections from the Norton Simon, Inc. Museum of Art. D.W. Steadman, ed. Ex. cat. The Art Museum, Princeton University, 1972.

Seven Moscow Artists 1910–1930. Ex. cat. Galerie Gmurzynska, Köln, 1984.

Shanina, N. *Victor Vasnetsov*. Leningrad, 1979.

Sieg über die Sonne: Aspekte russischer Kunst zu Beginn des 20. Jahrhunderts. Ex. cat. Akademie der Künste, Berlin, 1983.

Simmons, W.S. 'Malevich's "Black Square": The Transformed Self', *Arts*, vol. 53, Oct. 1978, pp. 116–25; Nov., pp. 130–41; Dec., pp. 126–34.

The Societé Anonyme and the Dreier Bequest at Yale University: A Catalogue Raisonné. R. Herbert, ed. New Haven, 1984.
Sokolov, 1972. See Russian bibliography no. 28.
Sokolov, K. 'Aleksandr Rodchenko: New Documents', *Leonardo*, vol. 18, no. 3, 1985, pp. 184–92.
Sopotsinsky, O. *Art in the Soviet Union*. Leningrad, 1978.
Spencer, C. *Léon Bakst*. London, 1973.
Spencer, C. *The World of Serge Diaghilev*. New York, 1979.
Starr, S. F. *Melnikov*. Princeton, 1978.
Stephan, H. *"Lef" and the Left Front of the Arts*. Munich, 1981.
Stites, R. *The Women's Liberation Movement in Russia*. Princeton, 1978.
Stuttgart, 1982. *Malerei und Plastik des 20 Jahrhunderts*. By K. Maur and G. Inboden. Staatsgalerie Stuttgart, 1982.
Surits, E. 'Soviet Ballet of the 1920s and the Influence of Constructivism', *Soviet Union*, vol. 7, pts. 1–2, 1980, pp. 112–37.
Suzdalev, 1980. See Russian bibliography no. 29.
Suzdalev, 1983. See Russian bibliography no. 30.
Sytova, A. *The Lubok: Russian Folk Pictures 17th to 19th Century*. Leningrad, 1984.
Talashkino, 1973. See Russian bibliography no. 31.
Taraboukine, N. *Le Dernier Tableau*. Trans. and introduced by A. Nakov. Paris, 1972.
Tarabukin, 1974. See Russian bibliography no. 32.
Tate, 1981. *Catalogue of the Tate Gallery's Collection of Modern Art; other than works by British Artists*. By R. Alley. London, 1981.
Tatlin, 1915. See Russian bibliography no. 33.
Vladimir Tatlin. By T. Andersen. Ex. cat. Moderna Museet, Stockholm, 1968.
Tatlin, 1977. See Russian bibliography no. 34.
Tatlin's Dream: Russian Suprematist & Constructivist Art. By A. Nakov. Ex. cat. Fischer Fine Art Ltd, London, 1973.
Thyssen-Bornemisza, 1984. See *Modern Masters*.
Tretyakov, 1952. See Russian bibliography no. 35.
Tretyakov, 1963. See Russian bibliography no. 36.
Tretyakov Gallery, Moscow. *A Panorama of Russian and Soviet Art*. Leningrad, 1983.
Tretyakov, 1984. See Russian bibliography no. 37.
Twentieth Century Russian Paintings, Drawings, and Watercolours, 1900–30. Sale cat. Sotheby & Co., London, 12 April 1972.
Valkenier, E. *Russian Realist Art*. Ann Arbor, 1977.
Vanguardia Rusa 1910–1930: Museo y Coleccion Ludwig. By E. Weiss. Ex. cat. Fundacion Juan March, Madrid, 1985.
Venetsianov and his School. By G. Smirnov. Leningrad, 1973.
Vergo, P. 'A Note on the Chronology of Larionov's Early Work', *Burlington Magazine*, vol. 114, July 1972, pp. 476–9.
Victoria and Albert Museum. Ballet Designs and Illustrations: 1581–1940. A Catalogue Raisonné. By Brian Reade. London, 1967.
The Victoria and Albert Museum. New York, 1983.
Women Artists: 1550–1950. By A. Sutherland Harris and L. Nochlin. Ex. cat. Los Angeles County Museum of Art, 1977. Reprinted New York, 1981.
World of Art (Mir iskusstva). See Russian bibliography no. 16.
Yale, 1984. See *The Société Anonyme*.
Zhadova, 1977. See Russian bibliography no. 34.
Zhadova, L. *Malevich: Suprematism and Revolution in Russian Art, 1910–1930*. London, 1982.
Zsadova (Zhadova), L. *Tatlin*. Budapest (1984).
Zygas, K.P. *Form Follows Form: Source Imagery Of Constructivist Architecture, 1917–1925*. Ann Arbor, 1981.

1. *Агитационно-массовое искусство. Оформление празднеств 1917-1932*. В. П. Толстой (ред.). Москва, 1984.
2. *Натан Альтман*. А. Каменскии. Каталог выставки. Москва, 1978.
3. *Аполлон*. С. Петербург, 1909-17 (1918).
4. *А. Я. Головин*. Э. Голлербах (ред.). Москва, 1940.
5. Дмитриева, Н. *Врубель*. Ленинград, 1984.
6. *Золотое руно*. Москва, 1906–9 (1910).
7. Каменский, А. *М. Сарьян*. Москва, 1968.
8. Князева, В. *Рерих*. Москва, 1963.
9. Коган, Д. *Врубель*. Москва, 1980.
10. Лазарев, В. *Русская иконопись*, т.3. *Новгородская школа и 'северные*

письма'. Москва, 1983.
11. Лапшин, В. *Художественная жизнь Москвы и Петрограда в 1917 году*. Москва, 1983.
12. Лапшина, Н. *Мир искусства*. Москва, 1977.
13. *ЛЕФ. (Журнал левого фронта искусств)*. Москва, 1923–5.
14. Лясковская, О. *Репин*. Москва, 1982.
15. Марков, В. *Манифесты и программы футуристов*. Мюнхен, 1967.
16. *Мир искусства*, С. Петербург, 1898–1904.
17. Михайлов, А. 'Ленин и формирование художественной политики Советского государства', *Искусство*, т.33, 1970, № 7, с.38–42; № 8, с.38–43.
18. *Москва-Париж, 1900–1930*. Кат. выставки. Музей изобразительных искусств имени А. С. Пушкина, Москва, 1981.
19. Овсянников, Ю. *Лубок*. Москва, 1968.
20. *Ослиный хвостъ и мишень*. Москва, 1913.
21. Пахомов, Н. *Абрамцево*. Москва, 1969.
22. Пунин, Н. *Памятник III Интернационала*. Петроград, 1920.
23. Русаков, Ю. *Петров-Водкин*. Ленинград, 1975.
24. Русский Музей. *Выставка новых поступлений: рисунок и акварель, XVIII-начала XX века. Каталог*. Ленинград, 1979.
25. Русский Музей. *Живопись XVIII-начало XX века. Каталог*. Ленинград, 1980.
26. Сарабьянов, Д. *Русская живопись конца 1900-х-начала 1910-х годов. Очерки*. Москва, 1971.
27. Сарабьянов, Д. *Павел Кузнецов*. Москва, 1975.
28. Соколов, Н. (ред.). *Пути развития русского искусства конца XIX-начала XX века*. Москва, 1972.
29. Суздалев, П. *Врубель и Лермонтов*. Москва, 1980.
30. Суздалев, П. *Врубель: музыка, театр*. Москва, 1983.
31. *Талашкино*. Москва, 1973.
32. Тарабукин, Н. *М. А. Врубель*. Москва, 1974.
33. Татлин, В. *Владимир Евграфович Татлин*. Кат. выставки. Петроград, 1915.
34. *В. Е. Татлин*. Л. Жадова. Кат. выставки. Москва, 1977.
35. Третьяковская Галерея, *Рисунок и акварель: И. Е. Репин; В. И. Суриков; В. М. Васнецов*. Москва, 1952.
36. Третьяковская Галерея, *Каталог древнерусской живописи*. (2 том.) Москва, 1963.
37. Третьяковская Галерея, *Каталог живописи XVIII-начала XX века (до 1917 года)*. Москва, 1984.
38. Харджиев, Н. *К истории русского авангарда*. Стокгольм, 1976.
39. Эганбюри, Э. (Зданевич, И.) *Михаил Ларионов и Наталья Гончарова*. Москва, 1913.
40. Эткинд, М. *Натан Альтман*. Москва, 1971.

索引

处页码为原文页码，斜体代表图号。

——译者注

bramtsevo: church 12, 16–18, 20–1 *3, 8*; colony & workshops 9–35, 39, 43–4, 47, 50, 56, 100, 114, 247, nn.1, 7–8, *7*; Museum 18, *4, 6*
frican art 69, 90; n.59
logist' theory of Malevich 153, 195, 212; nn.172, 223
ltman, Natan 193, 197, 211, 221, 228, 230, 232; n.251; *197–9, 231–2*
Analytical Painting' (Filonov's school) 190; n.215
nnenkov, Yury 224; *200, 249*
non. *Relief 153*
ntokolsky, Mark 12
pollon 66, 118
Après-midi d'un Faune 42, 56; *23; see also* Bakst
rchipenko, Aleksandr n.199
rkhitektura SSSR 276
rt Nouveau 37, 41, 48, 77
rtistic Treasury of Russia 66
ustrian art 65, 76; *see also* Vienna
zbé, Anton 90, 110, 118

akhrushin, A. A. 11
akst, Léon 40, 42–4, 47–8, 50, 52, 54, 56; n.28; *22, 23*
allet 46, 51–4, 56, 67, 120, 141, 196, 239, 265; *22, 23, 26–8, 80, 240–1*
almont, Konstantin 39, 48, 65
astien-Lepage, Jules 61
atignolles school 68
auhaus 235, 241, 249
eardsley, Aubrey 44, 48
ely, Andrei 39, 118
enois, Alexandre 37–59, 61, 66, 71, 118; nn.26, 41, 45–6; *26–8, Versailles under Snow 31*
enois, Nicholas 38
erlin 118, 174, 186, 249, 275; nn.198, 316
ilibin, Ivan 50, 71, 100
irlé, Charles 44
Blaue Reiter' *see* 'Blue Rider'
lok, Alexander 39, 48, 65
Blue Rider' 62, 93, 110–18, 122, 131–2, 134, 148, 193–4, 238
Blue Rose' 62, 71–80, 83–93, 110–12; nn. 61–2, 64
occioni, Umberto 193, 199; n.199
öcklin, Arnold 49, 50
ogdanov, A.A. 244–5; n.279
ogoslavskaya, Zhenia 193–4, 221
onnard, Pierre 51, 70, 82, 83, 89, 103, 128, 145

Boris Godunov 55, 60; n.44; *25; see also* Golovin
Borisov-Musatov, Victor 51, 61–2, 71, 74–6, 78, 88, 99, 100; nn.40, 50–3, 62; *Autumn Evening 34; The Reservoir 62, 36; Sleep of the Gods 35; Sunset Reflection 37*
Borissov-Mussatov *see* Borisov-Musatov
Borodin, Alexander 9, 11, 24, 56
Brangwyn, Sir Frank 50
Braque, Georges 83, 88, 155, 193, 197; nn.159, 177
Brik, Osip 220, 230, 248, 258; n.285
Briusov, Valery 65; portrait of *17*
'Brücke' 122, 193
Brueghel, Pieter 100
Bruni, Lev *Construction 221*
Burliuk, D. & V. 27, 83, 108, 114–18, 122, 128–31, 211; nn.108, n.134–5; David: *My Cossack Ancestor 76*; Vladimir: portrait of *75*, *Portrait of the poet Benedikt Livshits 77*
Burne-Jones, Sir Edward 48
Byzantine art 29, 32, 66, 68, 91, 100, 148, 239; *see also* Icons

'Carnival of the Arts' 214
Cézanne, Paul 35, 49, 51, 68–70, 83, 85, 91, 97, 100, 104, 120, 122, 126, 135, 145–6, 168, 172–3; *The Card Players 109*
Chagall, Marc 133, 187–9, 193, 240–1, 253; nn.138, 210–11, 273–5; *The Gates of the Cemetery 166; Introduction to the Jewish Theatre, The Marriage Table 168*
Chavannes, Puvis de 43, 48, 50, 61
Cherepnin, Nikolai 53, *51*
Chernishevsky, N. 10, 271, 280
Chistyakov, Pavel 29, 40, 61, 173
Chout (Bouffon) 109; *80; see also* Larionov
Čiurlionis, Mikalojus 118; n.117; *Sonata of the Stars: Andante 81*
Colombine's Scarf 40; see also Sapunov
Comedy of 17th Century 148–9; see also Tatlin
Constructivism 97, 109, 167, 185, 196, 200–2, 204, 226, 235, 239, 245–76, 280; nn.243, 287, 307, 313
Corinth, Lovis 40
Cormon, Fernand n.51
Creation Can't be Bought 79
Cross, Henri-Edmond 89
Cubism 69, 93, 120, 140–1, 154–5, 174, 193, 195–7, 202, 211, 219, 221
Cubo-Futurism 94–109, 148, 151–3, 155, 165, 172, 185–7, 195–200, 212, 253; nn.85, 171, 176, 223
'Culture of materials' 176–83, 243

Dada 155, 160, 186–7, 215
Death of Tarelkin 268; n.309; *244; see also* Stepanova
Degas, Edgar 48, 50, 68
Deineka, Aleksandr 233
Delaunay, Robert 120, 193, 202

The Demon (Lermontov) 32–3; n.21; *18, 21*
Denis, Maurice 70, 82, 100, 128; n.60
Derain, André 82, 145
Diaghilev, Sergei 23, 42–56, 60–1, 67, 71, 75–6, 97, 99, 109, 117, 120, 141, 185, 239, 265; nn.31, 34, 42–3
Dobroliubov, Nikolai 10, 274
Dobuzhinsky, Mstislav 50; n.47; *Man in Glasses. Portrait of Konstantin A. Sunnerberg 30*
Dongen, Kees van 83, 88
'Donkey's Tail' 132–5, 146, 148, 150, 170; nn.98, 137, 169
Don Quixote 13; see also Korovin
Drama in Cabaret No. 13 115; *78*
Du Cubisme 120; n.119
Duchamp, Marcel 193

Ehrenburg, Ilya 274–5
Eisenstein, Sergei 268, 271
English art 50, 51; n.54
'Esprit Nouveau' 275
'Evenings of Contemporary Music' 66
'Exhibition of Leftist Trends' 211
Exhibitions: *see under* their titles or names of organizing groups
Expressionism 126, 134, 187; n.209
Exter, Alexandra 111–12, 114, 118, 129, 193, 200, 202, 206, 243, 250–2, 265; nn.176, 228, 268; *Cityscape 177; Venice 176; 239*

Falk, Robert 27, 90–1, 122, 126, 233; nn.80, 122, 125; *Portrait of Midkhat Refatov 85*
Fauvism 68, 82, 85, 88, 97, 100, 126, 134, 141
Favorsky, Vladimir 233, 238; *208*
Feuerbach, Anselm 40
Films 115, 268; n.312; *78, 79*
Filonov, Pavel 115, 185, 189–93, 194; nn.206, 213–17; *Man and Woman* 187, *162*; *Untitled (People–Fishes)* 187, *163*
Filosofov, Dmitri 39–44, 47–8, 51
'5 × 5 = 25' exhibition 250
Fokine, Michael 54, 56
Folk-art 14, 18, 43–4, 93, 97, 134; *4, 57, 58, 60, 63, 115*
Fortuni *see* Fortuny
Fortuny, Mariano 29; n.20
French art 27, 46, 48–51, 61, 65, 67–8, 70, 75, 82–5, 88 92, 102, 120, 122–3, 126–7, 193
Futurism: Italian 93–4, 98, 142; nn.82–3, 218; Russian 27, 56, 107–8, 114–15, 129, 134, 155, 158, 160, 202–21, 230, 236; nn.84, 105–7, 223; *see also* Cubo-Futurism

Gabo, Naum 226, 230, 239, 246, 248–50; nn.270–2, 287; *Project for a Radio Station 204; Head of a Woman 210*
Gan, Alexei 248, 256–7, 269; n.295; *236, 253*
Gauguin, Paul 49, 51, 68, 69, 70, 83, 84, 97, 145; n.101
Die Gegenstandlose Welt 241

German art 9, 38, 40–1, 43, 49–51, 61, 77, 126, 186, 193, 274; *see also* Expressionism, Munich
Gleizes, Albert 120
Glinka, Mikhail 56, 170; n.195
Gogh, Vincent van 51, 68, 83, 85, 100, 104, 122, 135, 145
Gogol, Nikolai 12–13, 38
'Golden Fleece' 66, 69–71, 80–93, 97, 104, 114, 120, 123, 146; nn.72–3, 77, 88, 101, 111, 131, 159
Golosov, Ilia *Zuev Workers' Club* n.299; *238*
Golossov *see* Golosov
Golovin, Alexander 23, 44, 50, 56, 60; n.44; *25, 29*
Goncharova, Natalia 27, 50, 55, 72, 83–4, 86, 88–9, 92–3, 96–100, 103–4, 108–18, 122, 127–8, 131–4, 141–3, 146, 153, 168, 172, 174, 185, 187, 197, 216; nn.39, 61, 75, 87–90, 92–5, 98, 113, 131, 141, 147, 150–2; *Cats 98*; *The Cyclist 103*; *Dancing Peasants 56*; *Fishing* 127, n.129, *88*; *Flight into Egypt* n.95, *65*; *The Four Evangelists 89*; *Haycutting 55*; *The Looking Glass 82*; *Madonna and Child 62*; *Peasants Picking Apples 87*; *Portrait of Mikhail Larionov 102*; *Study in Ornament 64*; *The Weaver/Loom + Woman* n.150, *101*; *Yellow and Green Forest 100*
Grabar, Igor 50
Gropius, Walter 276
Guro, Elena 108, 114

Hartmann, Victor n.8; *6*
Heckel, Erich 126
Hilea 110, 113
Holbein, Hans 40, 118

Icons 18, 21, 54–5, 60, 68, 97, 148, 168–9; n.194; *143*
Impressionism: French 27, 40–1, 43, 44, 56, 60, 68, 71, 83, 140; nn.29, 74; Russian 102–3, n.99
'The Impressionists' exhibition 114; n.111
Industrial art 204, 246–50, 258–74; *214–17, 230–6*
Inkhuk 233–5, 245, 246, 248, 256, 274–5; nn.262–3, 265, 286, 291
Institute of Artistic Culture *see above* Inkhuk
Iskusstvo Kommuni 231
Italian Art *see under* Futurism; *see also* Rome
'Itinerants' *see* 'Wanderers'
I want a child 243; *see* Lissitzky
Izdebsky, Vladimir 116; nn.115, 193
IZO Narkompros 220, 228, 230ff.

Jawlensky, Alexei 62, 116, 122; n.121
Jewish art 187, 253; nn.210, 212

Kandinsky, Vassily 62, 116, 118, 122, 129, 131–2, 143, 194, 209, 211, 228, 230, 232–5, 238, 246, 249; nn.116, 118, 242–4, 263–4, 269; *Composition VI 182*; *White Background 183*; *Yellow Accompaniment 184*
Khardzhiev, Nikolai 94, 136
Khlebnikov, Victor 108, 155, 174, 214, 231; n.197
Kiev 114, 129, 187, 253; Cathedral of St Vladimir 33; St Cyril church 29, 31–2; School of Art 145
Kliun, Ivan 204, 208; n.233; *Suprematism 180*
Klutsis, Gustav 269; *Let us Fulfil the Plan of Great Works 248*
'Knave of Diamonds' 91, 112, 115, 120, 122, 126–8, 131, 134, 135, 143, 160, 172, 211, 238; nn.94, 113, 120–1, 156, 176, 241
Konchalovsky, Pyotr 27, 122, 126; nn.122, 124; *Portrait of the Painter Georgii Yakulov* 126, *86*
Korovin, Konstantin 16, 23, 27, 43–4, 47, 50, 56, 60, 71–2; n.17; *13*
Kruchenikh, Alexei 27, 108, 114, 155, 158, 185, 218, 240; n.181
Kuprin, Alexander 126; n.126
Kusnetsov *see* Kuznetsov
Kuznetsov, Pavel 27, 50, 55, 60, 72, 74–6, 83, 84, 86, 88, 91, 233; nn.49, 63, 65–6; *Birth 76, 41*; *The Blue Fountain 43*; *Grape Harvest 42*; *Holiday 38*

'Laboratory art' 248ff.; n.284
Landscape painting 16, 29, 75, 114
Lanseray *see* Lansere
Lansere (or Lanceray), Evgenii 46, 47, 50; n.35
Larionov, Mikhail 27, 29, 50, 55, 72, 83, 84, 86, 88, 89, 92–115, 118, 122, 126–46, 153, 160, 167, 168, 172, 185, 187, 195, 197, 216; nn.39, 61, 81, 86–8, 93, 96–104, 113, 127–8, 140, 144, 147–9; *Beach and Woman 91*; *Corner of the Garden 52*; *Fishes* 89, 103, *53*; *Glass 92*; *Manya 72*, *Manya* (2nd version) *73*; *Men's Hairdresser 68*; *Officer's Hairdresser 69*; *Portrait of a Fool/Blue Rayonnism 93*, *Portrait of Vladimir Burliuk* 134, *75*; *Portrait of Vladimir Tatlin 99*; *Rain 51*; *Rayonnist Landscape 90*; *Resting Soldier 71*; *Soldiers* (2nd version) *61*, *(Soldiers) 70*; *Spring 1912* 109, *74*; *Stroll in a Provincial Town 67*; *Sunset after Rain 66*; *Two Women Bathing in a River 50*; *80*
Lavinsky, Anton *251*, 252
Le Corbusier, Charles-Edouard 276
Lef 258, 270; n.297; *255, 256*
Le Fauconnier, Henri 83, 120–2, 193
Léger, Fernand 154–5, 173, 193; n.176
Leibl, Wilhelm 40, 118
Lenin 244–5; n.254
Leningrad: Art Academy 91
Lentulov, Aristarkh 27, 112, 122; nn.122–3
Lermontov, M Yu. 32–3; n.21
Levitan, Isaac 16, 23, 27, 29, 50, 75, 90; n.12; *Above Eternal Peace 14*
Liebermann, Max 40, 118
A Life for the Tsar 170; n.195; *141–2*; *see also* Tatlin
'The Link' 112; n.110
Lissitzky, Lazar (El) 54, 189, 193–4, 241, 253–6, 269–70, 274–6; nn.212, 275, 293–4, 316; *Beat the Whites with the Red Wedge 226*; *Chad Gadya 167*; *Proun 99*, *169*; *Of Two Squares* 253–4, *225*; *227*; *228*; *243*; *246 250*
Livshits, Benedikt 129, 131; n.136; portrait of *77*
Lubok/lubki (pl.) 97, 105, 134, 253; nn.89, 94, 103; *60, 63*
Lunacharsky, Anatoly 228, 230, 232, 235, 24[illegible] 245; n.258

Magnanimous Cuckold 268; n.309; *245*; *see also* Popova
Makovsky, Sergei 75
Malevich, Kazimir 41, 69, 80, 96, 97, 100, 103, 110, 114, 128, 133, 134, 141, 143–67, 172–3, 185, 189, 193, 194–5, 197, 198–200, 204, 206–13, 219, 231–4, 240–2, 246–7, 249, 254, 269, 280; nn.86, 95, 132–3, 142, 149, 153, 155, 223, 227, 234–40, 242, 273, 275–7, 283; photograph of, teaching *218*; architectural projects 167, 180, 247, n.189; *Architecton: Alpha 138*; *Architecton: Gota 13[illegible]* *The Bather* n.159, *104*; *Black Circle* n.237, *127*; *Black Cross* n.237, *128*; *Black Square* 160, 161, nn.182, 237, *126*; *Chiropodist at th[illegible] Baths* 146, 148, n.161, *108*; *Dynamic Suprematism (Supremus No.57) 140*; *Dynami[illegible] Suprematism (Supremus No.56) 134*; *An Englishman in Moscow* 155, 187, 212, n.179 *121*; *Flower Girl* 145–6, nn.156–7, *105*; *Future 'Planits'. Homes for Earth Dwellers 137*; *The Guardsman* n.178, *117*; *Haymaking* 150, n.168, *111*; *Head of a Peasant Girl* 154, n.162, *116*; *House under Construction* n.238, *132*; *The Knifegrinder* 172, 198–200, n.227, *157*; *Morning in the Village after Snowstorm* 153, n.173, *114*; *Peasant Woman with Bucke[illegible] and Child* 148, nn.165, 171, *106*; *Peasant Women at Church* 148, n.164, *110*; *Portrait [illegible] M.V. Matiushin 118*; *Suprematism. Yellow and Black 135*; *Suprematist Composition 133*; *Suprematist Composition: Airplane Flying 130*; *Suprematist Composition: Red Square and Black Square* n.238, *129*; *Suprematist Composition: White on White* 166, 240, *211*; *Suprematist Painting/Yellow Parallelogram on White Ground 145*; *Supremus No.18 136*; *Supremus No.50 131*; *Taking in the Rye* n.169, *107*; *Woman at Poster Column* n.184, *119*; *Women with Water Pails* 153, 172, n.174, *113*; *Woodcutter* 151–3, nn.166–7, 170, *112*; *122–5*, *216*, *217*
Malyutin, Sergei 44, 50
Mamontov: Elizabeth 11–14, 17, 20; Savva 9, 11–14, 23–9, 35, 47, 50, 60; Private Opera 23–4, 60
The Man who was Thursday 242; *see also* Vesnin
Marinetti, Filippo 93–4; n.82
Marquet, Albert 82, 88
Mashkov, Ilya 27, 122; n.122; *Portrait of a Boy in an Embroidered Shirt* 126, *84*; *Portrait of E.I. Kirkalda* 123, *83*

latisse, Henri 49, 67–9, 82, 85, 88, 91, 103, 104, 120, 122, 123, 126, 134, 146; nn.58, 120
latiushin, Mikhail 114, 185; nn.112, 119
atveev, Aleksandr 75
layakovsky, Vladimir 27, 108, 110, 113, 115, 140, 185, 190, 194, 216, 220, 258, 259, 270; n.311
ledunetsky, Konstantin 202, 252; *Spatial Construction 223*
lelnikov, Konstantin 264; n.303; *237*
lenzel, Adolf von 40, 118
lerezhkovsky, Dmitri 39, 47, 48
leyerhold, Vsevelod 204, 224, 258, 268; nn.290, 296, 308–9
lilioti, N. & V.: 50, 72, 88, n.38; Nikolai *Angel of Sorrow* 74, 77–8, *44*; Vasily *Legend* 80, 85, *47*
liliuti *see* Milioti
liturich, Petr *Spatial Painting 224*; *Spatial Painting No. 18 222*
lonet, Claude 48, 50, 68, 70, 71
loreau, Gustave 61, 62; n.51
orosov, Ivan 11, 69–70, 83, 120, 145, 173; n.57
oscow 9–11, 14, 21, 22, 50, 60, 62, 84, 89, 93, 111, 114, 115, 132, 133, 194, 231, 234, 246; n.243; Academy of (Artistic) Sciences 235; Bolshoi Theatre 38; Café Pittoresque 213–14, 215, 276, *196*; College 16, 27, 29, 61, 71–2, 75, 98, 101–2, 110, 122, 168, 232; Kamerny Theatre 200, 202, 252, 265, n.290; Lenin Mausoleum 264; Stroganov School 211, 232 236; Vkhutein/Vkhutemas 173, 182, 232–4, 252, 254, 260, 261, nn.261–3, 301–2
oussorgsky, Modest 9, 11, 24, 55
unich 43, 49, 65, 90, 93, 110, 116, 118, 122, 131, 134, 194
useums of Artistic Culture 231

abi group 37, 51, 61, 68, 70, 76, 82, 89
arkompros 244–5
eoprimitivism *see* Primitivism
esterov, Mikhail 18, 40, 48,50
euekunstlervereinigung 116
evsky Pickwickians' 37, 39, 40, 43, 44, 56
e New Way 65
jinsky, Vaslav 54, 56
on-sense realism' 155, 160; nn.180, 223
urok, Alfred 44, 47, 48, 66
uvel, Walter 39, 44, 47, 48, 66

bjectism' 248–9; n.286
omokhu group 202, 251, 252; n.289; *220*
dessa 116, 187
e Old Years 66
Orientales 42, 56; *22*; *see also* Bakst
phism 193

ris 14, 27, 43, 46, 54–6, 61, 65, 67, 82, 84, 93, 99, 110, 118, 119, 120, 187, 193, 239, 275, nn.29, 93, 198; Exhibition of Decorative Arts (1925) 264, *235*, *237*

Le Pas d'Acier 265, *240–1*; *see also* Yakulov
Pasternak, Leonid 90; *Meeting of the Council of Art Teachers 1*
Le Pavillon d'Armide 53–4, 56, nn.41, 45, *26–8*; *see also* Benois
Pavlova, Anna 54, 56
Penza School of Art 168; n.192
Petersburg *see* St Petersburg
Petrograd 190, 194, 204, 211, 221–3, 231, 234; Academy of Art 231; Free Studios (*Svomas*) 231, 232, n.261
Petrov-Vodkin, Kuzma 83, 90–1, 232; n.79; *1918 in Petrograd 207*; *The Playing Boys* 91, *54*
Pevsner, A. & N. 246, 248–9, nn.270–1, 287; Anton 233, 238–9, *Carnival Portrait 209*; Naum *see* Gabo
Picasso, Pablo 49, 67–9, 88, 103, 120, 155, 173, 174, 193, 195, 197; nn.120, 177, 198, 203; *Musical Instruments 120*
Pimenov, Yuri 233; *Give to Heavy Industry 213*
Pirosmanashvili, Niko 134; n.139; *The Actress Margarita 59*
Pirosmanishvili *see* Pirosmanashvili
Pissarro, Camille 68, 71, 83
Polenov, Vasily 12, 14, 16–18, 20, 27, 75; n.12; *8*
Polenova, Elena 20, 50; n.14
Popova, Liubov 193, 196, 197, 204, 207, 211, 238, 240, 243, 250, 251, 259; nn.231, 242, 268; *Italian Still Life 164*; *Man + Air + Space 161*; *Painterly Architectonics 165*, *179*; *Traveller 173*; *Violin 175*; *Volumetric and Spatial Relief 178*; *245*
Post-Impressionism 68, 82, 83, 120
Prakhov, Adrian 12, 29
Primitivism 93, 97, 104, 110, 114, 127, 134–5, 141; nn.81, 171
Prince Igor 43, 56, *24*; *see also* Roerich
Prokofiev, Serge 67
Proletcult 244–5, 259; n.278
Puni, Ivan 193, 194, 195, 204, 208, 221, 232; nn.221, 224; *Plate Relief 170*; *Suprematist Construction 171*
Punin, Nikolai 177, 220, 230, 231
Pushkin, Alexander 98; n.90

Rayonnism 115, 136–42, 153, 185; nn.86, 145–9
Red Cossack propaganda train 224; *201*
Red Star propaganda boat *202*
Renoir, Pierre Auguste 68, 70, 83
Repin, Ilya 14, 18, 29, 33, 50; nn.10, 23; *They Did Not Expect Him* 14, n.11, *2*
Revolution (1917) 219ff.; n.247
Rimsky-Korsakov, Nikolai 9, 11, 18, 24, 43, 45, 56
Rodchenko, Alexander 211–18, 226, 230, 238, 240, 242–3, 247, 250–1, 259, 261, 269, 270–1; nn.242, 245, 298; *Café Pittoresque 196*; *Compass and Ruler Drawing 186*, *187*; *Composition 188*, *192*, *193*; *Composition 'Dance'* 211–12, *185*; *Composition No. 103 195*; *Composition No. 64(84)* 240, 250, *212*; *Construction on a Black Ground 191*; *Line Composition 190*; *Non-objective Composition 194*; *Non-objective Painting 189*; *Spatial Construction 205*, *206*, *219*; *235–6*; *254–6*
Rodin, Auguste 82, 98
Roerich, Nicholas 23, 43–4, 56, 71; n.32; *24*
Rogozhin, N. *'Viennese' chair 234*
Rome 11; n.6
Romeo & Juliet 239; *see also* Exter
Rosanova *see* Rozanova
Rouault, Georges 83, 86, 88
Rozanova, Olga 115, 211, 230, 233, 236, 240, 245; nn. 267, 268; *Metronome (Geography)* 197, 198, n.226, *174*; *Non-objective Composition 181*
Ruslan & Ludmilla 56, 60, *29*; *see, also* Golovin
Ryabushinsky, Nikolai 80, 82, 83, 86; nn.64, 71, 76

SA (Soviet Architecture 276)
St Petersburg 38, 50, 57–60, 66, 71, 112, 114, 115; Academy of Arts 9, 16, 22, 29, 43, 61, 189, 231; Mariinsky Theatre 38, 52, 54, 60; May College 37, 40, 43
Salon d'Automne (1906) 54–5
Sapunov, Nikolai 50; *Mascarade 39*; *40*
Saratov 62, 75; n.62; Radishchev Museum 61, 75
Saryan, Martiros 72, 80, 83, 85, 86, 91; n.70; *Man with Gazelles* 80, *45*; *Panthers 46*; *The Poet 49*; Self-Portrait *48*
Savrasov, Alexei 12, 16; n.12
Savrassov *see* Savrasov
The Scales 65
Schwartz, Vyacheslav 21–2; n.15
Scriabin, Alexander 48, 235
Serov, Valentin 14, 27–9, 33, 36, 43, 44, 47, 50, 60, 71, 72, 75, 90; nn.18, 48; *October in Domotkanovo 15*; *Peter the First 33*; *Portrait of M. N. Ermolova 16*
Shalyapin, Fyodor 24, 55
Shchukin, Sergei 11, 67–70, 83, 85, 88, 120, 145, 146, 173, 174; n.57
Shchusev, Alexei 264; n.304
Shishkin, Ivan 16
Shterenberg, David 228, 230, 232
Shwartz *see* Schwartz
Signac, Paul n.78
Sisley, Alfred 68, 83, 89; n.78
A Slap in the Face of Public Taste n.106
Snegurochka (Snow Maiden) 18, 24; n.16; *11*, *12*; *see also* Vasnetsov, V.
Socialist Realism 265; nn.280, 317
Somov, Konstantin 39, 46, 50, 52, 61, 118; *The Kiss 32*
Sotnikov, Alexei *Child's nursing vessel 233*
Stanislavsky, Konstantin 24
State Exhibitions: Fifth 236, 238; Tenth 240, 250, 254
Stelletsky, Dmitri 50, 71, 100
Stenberg, G. & V. 202, 252; *247*
Stepanova, Varvara 238, 240, 243, 250–1, 256, 259, 268; *229*, *244*

De Stijl movement 260, 275, 276
'The Store' 211–29; nn.172, 241
Stravinsky, Igor 56, 67
Sudeikin, Sergei 78; n.68
Suetin, Nikolai 247; *214–15*
Suprematism 69, 80, 97, 103, 109, 141, 158–67, 185, 204–9, 211, 234, 236, 240, 254, 269, 280; n.86, 149, 181–2, 185–8, 211, 240
Surikov, Vasily 22, 29; *The Boyarina Morozova 22, 9*
Svomas *see* Petrograd Free Studios
Symbolism 39, 43, 48, 51, 57, 61–2, 65, 70, 71–80, 102, 115, 143; n.158

Tairov, Alexander 200–2, 252, 265; n.290
Talashkino 43–4; n.33
'The Target' 136, 146, 153; n.144
Tatlin, Vladimir 27, 96, 97, 109, 133, 135, 167–83, 195–6, 204, 206–8, 219, 220, 224, 225–8, 231–4, 247–8, 250, 251, 260–1, 264, 276, 280; nn.143, 191–204, 222, 300, 302; portrait of *99*; *Board No. 1 155*; *Bottle: Painterly Relief* 178–9, *150*; *Bouquet 95*; *Café Pittoresque 196*; *Central Relief 160*; *Corner Counter-relief* 180–1, 207, *158*; *Fishmonger 94*; *Letatlin* glider 180, 182–3, 260, nn.205, 302, *159*; *Monument to the Third International* 225–8, nn.256–7, *203*; *Nude* 169, 172, *144*; *Painterly Relief* 176–7, *151*, *152*; *Painterly Relief: Selection of Materials* 180, *154*; *Sailor 97*; *Selection of Materials: Counter Relief* n.201, *156*; *Vendor of Sailors' Uniforms 96*; *Worker's clothes and a stove 230*; *141–2*; *146–7*; *148–9*

Tenisheva, Princess 43, 44, 47; n.33
Theatre, designs for 18, 23–7, 35, 40, 42, 43, 50–7, 71, 109, 135, 169–70, 185, 186, 200–4, 209, 252, 258, 265, 268; nn.229, 306; *10–13*, *22–9*, *40*, *80*, *122–5*, *141–2*, *146–9*, *239–45*
Toulouse-Lautrec, H. 83, 89–91, 100
'Tramway V' 160, 178, 194, 202–4; n.220
Transrational realism *see* 'Non-sense realism'
Tretyakov, Pavel 11
Trubetskoi, Pavel 98; n.91
Typography 47–8, 252–4, 257–8, 259, 269–70; n.310; *225*, *246–56*

Udaltsova, Nadezhda 193, 196–7, 207, 233; nn.176, 225; *At the Piano 172*
'Union of Russian Artists' 72, 90
'Union of Youth' 115, 136, 146, 148, 153, 160, 168, 172, 185, 189, 236; nn.114, 137, 160, 166, 180, 191, 193, 223
Utkin, Petr 50, 78–80, 83; n.69

Vallotton, Félix 51, 82
Vasnetsov, A. & V. 14, 50; Apollinarius 14, 17–18,nn.9, 13; Victor 20, 23–4, 33, 48, nn.9, 13, 16, *Church of the Saviour 3*, *11–12*
Vesnin, Alexander 176, 202, 240, 243, 250, 252, 265; *242*
Victory over the Sun 158, 185, 186; nn.181, 208; *122–5*; *see also* Malevich
Vienna 65, 119; Secession group 49, 86, 118
Vitebsk 187, 234, 240–1, 249, 253–4; nn.211, 240, 273, 275; *218*
Vkhutein/Vkhutemas *see* Moscow
Vlaminck, Maurice de 88
Vrubel, Mikhail 15, 29–36, 44, 50, 56, 60, 7 74, 78, 80, 100; nn.19, 21–22, 24, 36, 67; *Campanulas 19*, *20*; *Dance of Tamara* 32, 1 *Galloping Horseman 21*; *Portrait of Valery Briusov* 17; *7*; *10*
Vuillard, Edouard 70, 82, 83, 89, 103, 128, 145

'Wanderers' 9–12, 22, 29, 33–4, 39, 40, 55, 247, 265, 271, 280; nn.2, 12, 305, 313
Wilde, Oscar 62, 115
Women artists nn.14, 27, 225
World of Art; magazine 29, 40, 43, 44, 46–51, 56, 65, 120; movement 37–67, 70–1, 76, 99, 100, 118, 170, nn.25, 36–7, 55
'The Wreath' 111; n.109
Wright, Frank Lloyd 176

Yakulov, Georgy 72, 193, 194, 196, 202, 2 252, 265, 276; nn.61, 219; portrait of *86*; *Café Pittoresque 196*
Yakunchikova, Maria 20; n.14
Yavlensky *see* Jawlensky

Zan-Gesi 174, 231; n.197; *146–7*; *see also* Ta
Zero-Ten (0,10) exhibition 161, 165, 204–8 nn.185, 234–6
Zinoviev, A. 5
Zola, Émile: *L'Œuvre* 40–1; n.30
Zorn, Anders 43
Zuloaga, Ignacio 43

米哈伊尔·拉里昂诺夫，《鱼》，1906年。（见图53）

娜塔丽娅·冈察洛娃，《切割干草》，1910年。（见图55）

米哈伊尔·拉里昂诺夫，《士兵们》（第二版），1909年。（见图61）

娜塔丽娅 · 冈察洛娃，《镜子》，1912年。（见图82）

米哈伊尔·拉里昂诺夫，《蓝色辐射主义》，1912年。（见图93）

弗拉基米尔·塔特林，《水手》，1911—1912年，可能是一幅自画像。（见图97）

娜塔丽娅·冈察洛娃，《骑自行车的人》，1912—1913年。（见图103）

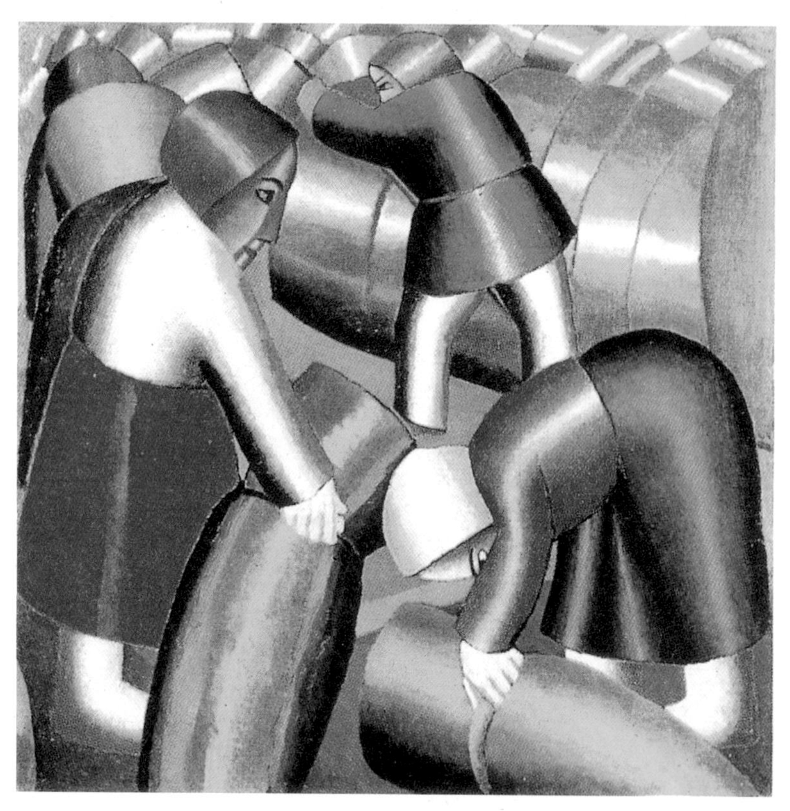

卡西米尔·马列维奇，《丰收》，1911年。（见图107）

卡西米尔·马列维奇，《动态至上主义》，1916年。（见图140）

卡西米尔·马列维奇，《白底上的黄色四边形》，1916—1917年。（见图145）

卡西米尔·马列维奇，《磨刀匠》，1912年。（见图157）

柳波夫·波波娃，《建筑绘画》，1917年。（见图165）

柳波夫·波波娃，《意大利式静物》，1914年。（见图164）

埃尔·利西茨基，Proun 99号，约1924年。（见图169）